復刻版 韓国併合史研究資料 121

間嶋産業調査書（上）

龍溪書舎

本復刻版製作に際しては、東京経済大学図書館のご好意により、同図書館所蔵本を影印台本とした。ここに深甚の謝意を表する次第である。

間嶋産業調査書

（上）

凡例

一、本書ハ統監府臨時間島派出所ノ存在中調査シタル事項ヲ同派出所閉鎖後殘務整理中ニ編纂シタルモノニ係レリ派出所ハ明治四十二年九月日清協約締結ノ結果突然閉鎖スルニ至リシト其存立中ト雖トモ地方ニ出張ヲ要スル調査ノ如キハ冬期天候ニ妨ケラルルト稍モスレハ清國官憲ノ妨害アリシトニヨリ未タ盡ササルトコロアリシヲ遺憾トス

一、農業上ノ調査ハ派出所技師八田農學士主トシテ之ニ從事シ間島ニ於ケル一般ノ調査ヲナシ尙ホ模範農園ヲ設ケテ各種ノ試驗ニ從事シタルモ未タ完全ナル結果ヲ視ルニ至ラスシテ止ミタリ

一、地質鑛山ニ關スル調査ハ明治四十年八月ヨリ明治四十一年一月迄ハ小川農商務省技師(現今京都大學教授理學博士)主トシテ之ニ從事シ明治四十一年八月以降ハ派出所技師太田工學士主トシテ之ニ從事シタルモ此調査ノ

如キハ殊ニ冬期積雪ニ妨ケラルルト分析所ノ設備完成セサリシ爲メ之レ亦調査ヲ完了スル能ハスシテ止ミタリ

一、商業ニ關スル調査ハ派出所通譯山本貞清、山崎誠一郎、近藤信一等ヲシテ本務ノ餘暇ヲ以テ之ニ從事セシメ又明治四十二年七月一日高等商業學校出身者ヲ雇入レ專問的ニ調査セシメントシタルモ當時淸國官憲ノ派出所ニ對スル壓迫其極ニ達シ旅行困難ナリシヲ以テ其目的ヲ達スルニ至ラス因テ右諸員ノ調査報告書ヲ綜合シテ商業調査書トナセリ

一、商業調査ニ於テ間島以外吉林琿春等ノ調査ヲナシタルハ此方面ハ現在及將來ニ於テ間島及淸津ト密接ノ關係ヲ有スルニヨレリ

間島産業調査書

総目次

第一編　農業調査書

第一編　農業調査書目次

第三　蔬菜栽培調査

間島産業調査書

第一編　農業調査書

第一　東間島農業一般調査

第一章　氣候及土地

第一節　氣象及氣候

氣候ハ農業上最モ重大ナル關係ヲ有シ栽培作物ノ種類耕種調製及萬般ノ農法悉ク之ニ依リテ決セサルヘカラス統監府派出所ノ間島龍井村ニ設置セラルルヤ直チニ氣象觀測ノ準備ニ着手シ明治四十年九月一日ヨリ之ヲ開始セリ爾來之ヲ繼續シ明治四十二年十一月二日派出所ノ撤退後ハ其業務ヲ同地我カ間島總領事館ニ引次ケリ今二ケ年餘ノ觀測成績ニヨリ間島ノ氣候ヲ左ニ概叙スヘシ但シ觀測所龍井村ノ位置ハ東經百二十九度二十四分北緯四十二度四十六分ニ位シ標高二百五十三米ノ地ニアリ

一、氣温

年平均氣温ハ四度三ニシテ本邦ニ於ケル略同緯度ナル北海道十勝ノ四度七及稍高緯度ナル上川ノ五度零ト相似タリ各月ノ平均氣温ヲ見ルニ七月及八月ハ二十度以上ニ昇リ八月ニ二十一度以上ト

ナル而シテ十一月ヨリ三月ニ至ル五ケ月間ハ氷點下ニ下リ殊ニ一月ニ最モ低ク零下十五度以下ナル故ニ平均氣溫ノ年較差ハ三十七度ニ達ス今四季ノ氣溫ニ就キテ前記上川及十勝ト比較スルニ次ノ如シ

	年度	冬	春	夏	秋	年
上川	—	(一)七・三	三・一	一七・九	七・二	五・〇
十勝	—	(一)八・七	三・一	一六・九	七・六	四・七
龍井村	四十一年	(一)一四・三	四・四	一九・九	六・四	四・一
同	四十二年	(一)一二・〇	四・一	一九・八	六・三	四・五

備考
一、上川ハ四十年ニ至ル二十年間平均十勝ハ同年ニ至ル十六年間平均數ナリ
一、龍井村ニテ冬ハ前年十二月ヨリ二月マテ以下三月每ヲ春夏秋トス

之ニ依リテ見ルニ春夏ニ於テハ龍井村ノ方一度乃至二度高ク秋期ニ於テハ略相等シク之ニ反シ冬期ハ四度乃至五度低シ即チ年平均ニ於テハ兩地方相似タルモ年中寒暑ノ差ハ龍井村ニ大ナルヲ見ルヘク殊ニ冬期ヨリ春期ニ移ル氣溫ノ激增ヲ見ルヘク同地ノ氣溫變化ノ特色ヲ伺フヲ得ヘシ

年中氣溫ノ較差ノ大ナルカ如ク晝夜ノ較差モ亦大ニシテ全年ヲ通シテ十三度餘ナリ而シテ平均最

高氣溫ハ六七八月ノ三ヶ月間ハ二十五度以上ニ達スルモ十二月及一二月ノ三ヶ月間ハ氷點以上ニ昇ラス殊ニ一月ニ於テハ零下八度ニ達セス又平均最低氣溫ハ七八月ニ於テハ十五六度ニ達スルモ十一月ヨリ四月ニ至ル半ヶ年間ハ零下ニアリテ一月ニハ實ニ平均零下二十度ヲ下ル晝夜ノ變化ニ就キテモ夏期ニ於テハ上川地方ト相似タルヲ見ル今平均氣溫及最低氣溫ノ零下ニ降レル初終日ヲ擧クレハ左ノ如シ

平均氣溫ノ零下ニ降レル初終日

年	初日	終日
四十年	十一月四日	—
四十一年	十月三十日	三月二十七日
四十二年	十月二十六日	四月十日

最低氣溫ノ零下ニ降レル初終日

年	初日	終日
四十年	十月十三日	—
四十一年	十月十二日	五月十二日
四十二年	十月一日	四月三十日

又年中ノ最高及最低氣溫ノ極ハ次ノ如シ

最高氣温ノ極

年	示度	起月日
四十一年	三六、〇	六月二十二日
四十二年	三五、〇	五月三十日

最低氣温ノ極

年	示度	起月日
四十一年 (一)	三一、五	一月七日及十七日
四十二年 (一)	三二、五	一月十六日

即チ最高極ハ五六月ノ間ニ起リ最低極ハ一月中旬ニ起ルモノノ如シ最高最低極ノ差ハ實ニ六十七度強ニ達ス如斯寒暑ノ差ハ本邦ニ於テハ多ク見サル所ナリ最高氣温ノ三十五度以上ニ達スルハ本邦ノ各地ニ屢々見ル所ナルモ最低ノ零下三十度以下ニ降レルハ北海道ノ内陸上川地方ニ稀ニ見ル事アルノミ

二、降水

降水量ノ年計ハ五百粍乃至六百粍ノ間ニアリ各月ニ就キテ之レヲ見ルニ四月又ハ五月ヨリ九月又ハ十月ニ至ル間ハ各月ノ降水量概ネ五十粍ヲ越エ七月又ハ八月ニ最多量ヲ表ハス本觀測期間中ノ最多月量ハ四十一年八月ノ一六三、〇粍ナリトス而シテ晩秋ヨリ初春ニ至ル間ハ著シク寡量ニシテ一二月ノ如キハ月量五粍内外ヲ越エス之ヲ本邦ノ各地ニ比スルニ年計ニ於テ大ナル差違アリ北海道ノ各地ニ比スルモ猶六割内外ニ過キス然レトモ各月ニ分チテ之ヲ比較スルニ夏期ニ於テハ同地方ト大ナル逕庭ヲ見サルカ如シ今四季別ノ量ニ就キテ北海道内陸二三ノ地ト對照セハ左ノ如シ

地名	年度	冬	春	夏	秋	年
札幌	―	二一八・三	一六七・四	二四一・八	三四一・六	九六九・一
上川	―	二〇〇・五	一七四・一	三〇三・〇	三六〇・九	一〇四〇・五
十勝	―	一二五・四	二〇八・一	三一六・三	二八八・二	九三八・〇
龍井村	四十一年	一三・八	九四・九	二八〇・四	一四一・九	五三一・〇
同	四十二年	一四・八	一四三・一	二五二・二	一一七・九	五二八・一

備考

一、札幌ハ四十年ニ至ル三十一年間上川ハ四十年ニ至ル二十年間十勝ハ四十年ニ至ル十三年間ノ平均數ナリ
一、龍井村ノ四十二年雨量中十二月分ヲ缺ク
一、四季ノ計算法ハ前同斷

之ニ依テ龍井村ト北海道内陸ノ各地ト比較スレハ夏期ニ於テハ稍劣ルモ其差少ク秋期ハ約半量ニシテ冬期ニ於テハ其差著シク一割ニ足ラス即チ兩地方ノ降水量ノ差違ヲ來ス所以ハ龍井村ニハ晩秋

ヨリ冬期ノ間ニ極メテ寡量ナルニ基因スルヲ見ルヲ得ヘシ

降水日數ハ年計百日餘ヲ算シ日本ノ各地ニ比スレハ勿論少數ナルモ北韓ノ各地ト等シク滿洲地方ニ比スレハ更ニ多數ナリ各月ニ就キテハ四月又ハ五月ヨリ增加シ十月ニ至ル間ハ概ネ月ノ三分ノ一以上ノ降水日數アリ殊ニ七八九月ノ三ヶ月間ハ月ノ半數以上ニ上ルヲ常トスルカ如シ降雪ハ十月ヨリ五月ノ間ニ見ルモ其量極メテ尠シ今降雪ノ初終日ヲ擧クレハ次ノ如シ

年	初雪期日	終雪期日
四十年	十一月一日	—
四十一年	十月三十一日	五月十三日
四十二年	十月十四日	四月十日

此期間ニ於ケル降雪日數ハ次ノ如シ

降雪日數

	一月	二月	三月	四月	五月	六月	七月	八月	九月	十月	十一月	十二月
四十年	—	—	—	—	—	—	—	—	○	○	八	五
四十一年	九	一	六	一	二	○	○	○	○	一	五	[illegible]
四十二年	三	五	四	六	○	○	○	○	○	三	四	—

三、風向

風向ハ全年ヲ通シテ西風最モ卓越シ殊ニ晩秋ヨリ晩春ニ至ル間ニ著シク夏期ハ西風東風略相半スルカ如シ西風ニ次キテ多キハ北風ニシテ南風ハ全年ヲ通シテ最モ尠シ

四、濕度

濕度ハ概シテ極メテ乾燥ニシテ年平均六十%内外ナリ四五月及七八九月頃ハ稍多ク平均濕度六十%乃至七十%ニ上ルモ冬期ノ平均ハ五十%ニ達セス

五、快晴及曇天日數

快晴及曇天日數ハ共ニ年計八十日内外ニシテ兩者略相等シ而シテ快晴日數ハ冬期殊ニ一二月ニハ月ノ半數以上ヲ占ムルモ五月ヨリ九月ニ至ル間ニハ極メテ少ク平均月中一二日ニ過キス之ニ反シ曇天日數ハ十月ヨリ三月又ハ四月ニ至ル間ハ平均月ニ三、四日ニ過キサルモ夏期ハ十五日乃至二十日ニ達スルコトアリ

六、氣候ト農作物トノ關係

以上ニ依リテ間島ノ氣候ト農作物トノ關係ヲ概論スルニ大小麥等ノ秋蒔ハ到底不可能ニ屬シ一般農事ハ春季ニ於テ開始セサルヘカラス即チ整地ハ融雪後四月中旬土地ノ全ク解氷セサルニ先チ第一回ノ整地ヲナシ土壤ヲ崩壞セシメテ含有成分ノ分解ヲ促シ次テ第二回ノ整地ヲ行ヒ肥料ヲ施シ作物ノ特性ニ應シ四月下旬下種スルヲ得ヘシ然レトモ平均最低溫度ハ猶零點以下ナルヲ以テ大小

麥燕麥豌豆及葉菜類ノ如キ特別寒氣ニ堪ユルモノノ外ハ下種スルヲ得ス五月ニ至レハ急ニ氣溫ノ上昇ヲ見上旬既ニ平均十度以上最高溫度二十五度以上ニ達シ加フルニ降雨漸ク增量シ種子ノ萌芽發育ニ最モ好適シ中下旬ニ至レハ氣溫益々高ク濕溫併ヒ加ハリ諸種作物悉ク下種ニ適シ最モ繁農ノ期ナリ六月ニ至リテ氣候益々順良次第ニ雨期ニ近キ七八月ニ至リテ雨期ニ入ルト同時ニ氣溫頓ニ高マリ其最高平均二十七八度ニ達シ農作物ハ其發育ニ伴ヒ充分ナル水分ト溫熱ノ供給ヲ得テ生長機關ノ活動ヲ來シ急激ナル成長ヲ遂ケテ發育ノ頂上ニ達シ莖葉ヨリノ蒸發量旺盛トナリ從テ水分ヲ要スルコト多量ナルニ時恰モ雨期ニ會シ充分ナル水量ノ供給ヲ受ケ作物ハ完全ナル生長ヲ遂クルヲ得而シテ雨期去リテ秋冷漸々晴天連續ノ季節ニ入ルヤ氣溫ノ降下ト空氣乾燥トハ作物生長機能ノ活動ヲ遏止シ徐々ニ成熟作用ニ向ハシム之レ年平均溫度甚タ低ク作物生育ノ期間短ナルニ拘ハラス完全ナル發育成熟ヲ遂ケ收量豐ニ品質亦優良ナル所以ナリ

是ヲ以テ見レハ當地方一帶ノ農事ハ四月中下旬ニ開始シ十月上旬全ク收獲ヲ終ラサルヘカラス五月ハ諸作物ノ下種期ニシテ上中旬ノ間ニ下種セルモノハ實地試作ノ結果ニヨレハ其後ノ發育ニ殆ント影響ナキモノノ如シ六月以後ニ至レハ蕎麥及葉菜類根菜類等ノ秋蒔ヲ除クノ外ハ下種既ニ晚シ收穫ハ九月下旬ヨリ開始シ十月上旬ニ終ハルヲ要シ冬季ハ氣溫低キモ降雪少ク氣候乾燥セルヲ以テ調製ニ便ナリ而シテ農作物ノ豐凶ハ主トシテ雨期ニ於ケル氣溫ノ高低ト雨量ノ多寡トニ歸スルカ如シ殊ニ當地方ノ如ク土壤ハ砂質又ハ埴質ノ壤土ニシテ腐植質ノ含量甚タ少ク下層土ハ砂質

又ハ礫質ニシテ排水良好ナル農地ニアリテ降雨ノ潤澤ナルハ最モ有力ナル條件ニシテ明治四十年ノ如キ七月及八月初旬ニ於ケル降雨量例年ニ比シテ寡ク作物ハ甚シク水分ノ缺乏ヲ感シ八月上旬ニ至リ各作物皆多少ノ旱害ヲ蒙リ農況ハ一般ニ悲観セラレシカ八月中旬以後ニ至リ俄ニ雨量ヲ増シ作物ノ生育頓ミニ面目ヲ改メ遂ニ近年稀ナル豊況ヲ見ルニ至リシ例アリ是レ日本内地ノ如キ濕潤ナル氣候ニ在リテ雨期ニ於ケル雨量ノ少キヲ以テ豊作ノ主要ナル條件トナスモノト著シク異ナル點ナリ

間島龍井村氣象觀測表

平均氣温（攝氏）

	一月	二月	三月	四月	五月	六月	七月	八月	九月	十月	十一月	十二月	年
	度	度	度	度	度	度	度	度	度	度	度	度	度
四十年	—	—	—	—	—	—	—	—	一六・二	六・四	(−)五・八	(−)一五・一	—
四十一年	(−)一六・六	(−)一一・一	(−)四・三	六・六	一一・〇	一八・一	一九・九	二一・六	一四・七	八・七	(−)四・三	(−)一〇・六	四・五
四十二年	(−)一五・四	(−)一〇・一	(−)四・五	三・九	一二・八	一七・五	二〇・五	二一・三	一四・三	五・九	(−)一・六	—	—

平均最高氣温（攝氏）

	一月	二月	三月	四月	五月	六月	七月	八月	九月	十月	十一月	十二月	年
四十年	—	—	—	—	—	—	—	—	二二・九	一六・二	八・〇	(−)八・〇	—
四十一年	(−)一〇・四	(−)四・五	二・二	一五・四	一八・六	二六・二	二六・八	二八・七	二〇・八	一六・三	一・八	(−)四・八	一一・四
四十二年	(−)八・三	(−)三・七	二・六	九・九	一九・八	二三・七	二七・六	二六・四	二一・七	一二・六	五・八	—	—

平均最低氣温（攝氏）

	四十年	四十一年	四十二年
一月	度 —	(−)二四・三	(−)二三・七
二月	度 —	(−)二〇・三	(−)一七・〇
三月	度 —	(−)一一・二	(−)一一・六
四月	度 —	(−)二・四	(−)二・一
五月	度 —	四・二	四・七
六月	度 —	一〇・三	一〇・六
七月	度 —	一三・四	一五・六
八月	度 —	一五・七	一六・〇
九月	度 一〇・一	九・五	六・八
十月	度 一・二	一・八	(−)〇・八
十一月	度 (−)一三・一	(−)一一・二	(−)八・九
十二月	度 (−)二二・九	(−)一七・八	—
年	度 —	(−)二・七	—

最高氣温ノ極（攝氏）

	四十年	四十一年	四十二年
一月	—	(−)二・五	二・二
二月	—	四・〇	四・〇
三月	—	一六・〇	一一・〇
四月	—	二七・七	一八・五
五月	—	二七・〇	三五・〇
六月	—	三六・〇	三二・〇
七月	—	三五・五	三四・〇
八月	—	三四・五	三〇・七
九月	三〇・〇	二五・五	二八、〇
十月	二二・〇	二三・〇	一八・三
十一月	一四・五	一一・五	一九・〇
十二月	二・〇	四・五	—
年	—	三六・〇	三五・〇

最低氣温ノ極（攝氏）

	四十年	四十一年	四十二年
一月	—	(−)三一・五	(−)三二・五
二月	—	(−)二六・五	(−)一二・〇
三月	—	(−)二四・〇	(−)一八・〇
四月	—	(−)七・五	(−)八・〇
五月	—	(−)二・五	一・一
六月	—	五・五	五・五
七月	—	八・五	七・五
八月	—	八・〇	一〇・五
九月	四・五	〇・三	四・五
十月	(−)六・〇	(−)八・五	(−)一一・八
十一月	(−)二三・〇	(−)二五・〇	(−)二〇・九
十二月	(−)三〇・五	(−)二七・五	—
年	—	(−)三一・五	(−)三二・五

降水量（粍）

四十年	四十一年	四十二年
—	三・二	五・六
—	一・八	五・三
—	一三・〇	一五・六
—	六・七	七一・二
—	七五・二	五六・三
—	六五・六	六〇・六
—	五一・八	一一三・七
—	一六三・〇	七八・〇
六四・四	一〇九・五	三三・〇
一六・二	一一・三	六六・一
二六・二	二一・一	一八・八
八・八	三・九	—
—	五二六・一	—

降水量一晝夜最多量(粍)

四十年	四十一年	四十二年
—	一・一	四・四
—	一・八	二・三
—	五・一	九・二
—	二・二	一二・三
—	二二・四	一一・四
—	四四・三	一一・八
—	一二・五	五四・四
—	九八・八	一九・八
二三・〇	三四・九	一七・八
五・〇	二・八	一三・七
八・六	一三・一	七・一
三・六	三・四	—
—	九八・八	—

平均濕度(百分率)

四十年	四十一年	四十二年
—	四〇	三四
—	五四	六七
—	五三	六八
—	八八	七二
—	五八	六一
—	五八	六五
—	六一	七三
—	七〇	七七
七三	七二	六四
七〇	四八	六四
五九	四五	六三
三五	四九	—
—	五八	—

風向回數(四十年)

北	北東
—	—
—	—
—	—
—	—
—	—
—	—
—	—
—	—
八	一四
一九	四
一四	三
一三	三

風向回數(四十一年)

	東	南東	南	南西	西	北西	静穏	北	北東	東	南東	南
一月	｜	｜	｜	｜	｜	｜	｜	一四	七	一三	六	一九
二月	｜	｜	｜	｜	｜	｜	｜	一〇	二	五	九	一四
三月	｜	｜	｜	｜	｜	｜	｜	五	二	九	四	二〇
四月	｜	｜	｜	｜	｜	｜	｜	五	九	一五	八	七
五月	｜	｜	｜	｜	｜	｜	｜	六	七	一六	七	一二
六月	｜	｜	｜	｜	｜	｜	｜	八	二一	四	九	八
七月	｜	｜	｜	｜	｜	｜	｜	五	一八	三一	一〇	四
八月	｜	｜	｜	｜	｜	｜	｜	一五	八	一〇	六	六
九月	二〇	七	六	一二	一一	一〇	二	一三	一一	二〇	一〇	六
十月	六	四	三	九	一八	三〇	〇	八	五	一四	一三	三
十一月	七	二	〇	六	二五	三一	〇	七	六	七	六	七
十二月	五	二	五	一二	二五	二八	〇	一二	一一	三	六	三
年								一〇八	一〇七	一四七	九四	一〇九

南西	西	北西	静穏
六	二六	二	〇
一〇	二八	九	〇
一三	三三	七	〇
六	三四	六	〇
一一	二七	七	〇
二	三二	六	〇
六	八	一一	〇
一〇	二五	一三	〇
六	二〇	四	〇
一三	三〇	七	〇
四	四六	七	〇
四	三八	一六	〇
九一	三四七	九五	〇

風向回数（四十二年）

北	北東	東	南東	南	南西	西	北西	静穏
一九	八	五	九	四	一	三四	一三	〇
一〇	三	二	四	二	一	五〇	一二	〇
二	二	一〇	三	二	一	六九	四	〇
三	八	七	四	一	四	五八	五	〇
六	一八	八	七	三	八	二七	一六	〇
四	一〇	一六	一五	三	五	二五	一二	〇
七	一二	一四	一三	一〇	八	一六	一一	〇
一〇	二〇	一六	七	一二	五	一一	一二	〇
五	六	三	一四	一〇	八	三〇	一四	〇
三	八	一	六	五	五	五〇	一五	〇
一	〇	二	七	八	三	五五	一四	〇

降水日数

	四十年	四十一年	四十二年
一月	—	七	〇
二月	—	一	六
三月	—	七	四
四月	—	六	一四
五月	—	一五	一六
六月	—	六	一五
七月	—	一九	一六
八月	—	一四	一五
九月	一三	一六	一四
十月	八	一〇	一〇
十一月	六	七	五
十二月	五	二	—
年	—	一一〇	—

快晴日數

	四十年	四十一年	四十二年
一月	—	一五	一四
二月	—	一九	四
三月	—	九	九
四月	—	七	四
五月	—	二	一
六月	—	五	〇
七月	—	〇	〇
八月	—	二	一
九月	八	二	一
十月	一四	八	五
十一月	八	七	六
十二月	一八	八	—
年	—	八四	—

曇天日數

	四十年	四十一年	四十二年
一月	—	四	三
二月	—	二	四
三月	—	四	一
四月	—	一	一一
五月	—	一四	二一
六月	—	五	一四
七月	—	一五	一七
八月	—	一一	一九
九月	六	一三	八
十月	五	六	一〇
十一月	五	四	六
十二月	四	四	—
年	—	八三	—

第二節　土地（附圖第一圖參照）

第一項　地勢

東間島東部ハ東南兩邊豆滿江ヲ以テ韓國咸鏡北道ニ界シ西南ノ一隅ニ白頭山聳立シ其支脈ハ北走シテ老嶺山脈トナリ西部トノ境界ヲ限リ北ハ老爺嶺山脈ニヨリテ圍繞セラレタル一地區ニシテ南北平均四十里東西平均二十五里ニシテ總面積千三十二方里ニ達ス

南部ニ於テハ老嶺山脈ノ最高峯タル北甑山(清稱秫稭垜山)ヨリ分岐スル兀良哈嶺山脈ハ南豆滿江ト並行シテ豆滿江本流ト海蘭河トノ分水嶺ヲナシ其主派ハ鍾城ノ南方ニ於テ豆滿江ヲ横キリテ韓國ニ入リ其一派ハ分岐シテ北走シ國師嶺(一ニ大花尖山脈ト云フ)トナリ海蘭布爾哈通ノ兩河及嘎呀河ノ三大支流ノ合流點附近ニ蟠踞ス

北部ニ於テハ老爺嶺山脈ヨリ分岐スル幾多ノ支脈駛走シテ山岳地帶ヲナシ谿谷ニ小平地ヲ有ス

中央部ニ於テハ海蘭布爾哈通兩河貫流ス海蘭河ハ源ヲ西南北甑山ニ發シ布爾哈通河ハ源ヲ西北哈爾巴嶺方面ニ發シ漸次相並行シテ間島ノ要部ヲ貫流シ局子街ノ東二里河東ニ於テ合流シ東北ニ走リ嘎呀河ヲ合シ穩城ノ對岸附近ニ於テ豆滿江ニ會ス此兩河ノ流域ハ中生層ノ沖積セル一窪地ヲナシ兩河ノ分水嶺ニハ馬駭山帽兒山聳立スト雖モ他ハ概シテ平地ヲ拔クコト百米乃至百五十米ノ傾斜極メテ緩ナル邱陵地帶ニシテ加フルニ兩河ノ南北側亦緩傾斜ノ丘陵地ヲナシ所謂三崗ノ窪地ヲ形成シ平地面積約二十八方里ニ達シ東間島中最モ重要ニシテ豐饒ナル農地ナリ

嘎呀河ハ源ヲ老爺嶺山脈中ノ老松嶺ノ東ニ發シ汪青蛤蟆塘牡丹川及百草溝附近ニ於テ約拾方里ノ平地ヲナシ寧古塔ニ通スル道路ハ此ノ河盂ニ有リ上流域ノ部分ハ未タ踏査スルヲ得サリシカ將來

有望ノ農地タルカ如シ百草溝地方ノ如キハ頗ル肥沃ニシテ重要ナル農地タリ、豆滿江沿岸ハ地勢往々江ニ逼リ殆ント平地ヲナサス僅カニ鍾城間島下泉坪附近及穩城間島、凉水泉子地方ニ小平地アルニ過キス

第二項　地質及土性

東間島東部ノ地盤ヲナスモノハ主トシテ片麻岩花崗岩及珠羅層ニシテ平地ハ其崩壞沈積セルモノ及沖積層ニ屬シ洪積層ニ屬スヘキモノナキカ如シ其古生代ト見ラルヘキ岩石ハ豆滿江沿岸ノ諸處ニ存スルノミ火山岩中安山石ハ僅カニ馬鞍山帽兒山及銅佛寺附近ノ布爾哈通河左岸ニ存スルニ過キス玄武岩ハ其分布頗ル廣ク山岳ノ上ヲ蔽ヒ且ツ其特有トシテ臺地ヲ形成ス茂山間島大坪ノ高原ハ其著名ナルモノニシテ海拔八百米以上玄武岩ヲ以テ被ハレ其面積一、六方里ニ達ス此外ニ片麻岩花崗岩ノ接觸帶ニ變性石灰岩アリ即チ小佛洞附近咸朴洞、細林河、及壹兩溝ニ其小露頭アリ

土性ハ分柝ノ結果ニ俟タサレハ其詳細ヲ知ルコト能ハスト雖モ主要ナル平地ハ前述ノ如ク主トシテ花崗岩及片麻岩ノ崩壞沈積セル沖積層ニ屬スル埴質壤土又ハ砂質壤土ニシテ表土ノ深サ四十糎乃至九十糎ニ達シ平均四五十糎ノ深ヲ有シ下層土ハ砂質又ハ礫質ニシテ排水頗ル良好農地トシテ優良ナル土性ト云フヲ得ヘシサレトモ一般ニ腐植質少ク保水力ニ乏シキ缺點アルヲ以テ旱魃ノ害ヲ受クルコトアルヲ免レス

第三項　耕地未耕地及山岳地

東間島東部ハ前述ノ如ク西境及北境ハ悉ク重疊タル山脈駛走シ南方ニ偏シテ兀良哈嶺ノ横ハルアリ山岳地ノ面積比較的多ク大平地ハ中央部ニ存スルニ過キス然レトモ一般ニ邱陵地ニ富ムヲ以テ農地トシテ科用セラルル面積ハ全面積ノ約一割六分ニ達スルモノノ如シ即チ全面積ハ約千三十二方里百六十萬五千町歩ニシテ内山岳地ノ面積ハ七割九分强百二十七萬町歩(約八百十七方里)ヲ占メ邱陵地面積約一割五分二十四萬一千町歩(約百五十五方里)平地面積ハ六分弱九萬四千町歩(約六十方里)ノ概算ナリ可耕地ノ面積ハ約二十五萬四千町歩ニ達シ内現耕地ハ約五萬四千百余町歩ニ過キス而シテ平地ニ於ケル可耕地ハ約六萬八千町歩ニシテ現耕地約三萬六千町歩未耕地約三萬二千町歩ヲ有シ邱陵地ニ於ケル可耕地ハ約十八萬六千町歩現耕地約一萬八千町歩未耕地約十六萬八千町歩ヲ算セラル即チ間島ニ於ケル未耕地面積ハ約二十萬町歩ニシテ其大部分ハ邱陵地ニ存シ平地ニ於テハ僅ニ其一割五分强ヲ有スルニ過キス

前述ノ如ク間島ハ傾斜甚タ緩ナル邱陵地ニ富ミ而モ岩石ノ露出少ク概ネ三十糎以上ノ厚キ土層ヲ以テ蔽ハレ到ル處ノ邱陵地開墾ニ適ス殊ニ移住韓人ノ鄕里ハ多ク山勝ニシテ地味瘠薄ナル咸鏡北道ナルヲ以テ傾斜地開墾ノ如キハ寧ロ其得意トスル處ナリ茂山間島會寧間島ノ如キ平地ニ乏シキ地方ニアリテハ甚シキハ三十度以上四十度ニ近キ山腹モ牛畜ヲ用ヒテ盛ニ開拓シツツアル情況ヨリ推察スレハ將來韓人ノ移住ヲ奬勵シテ開墾ヲナサシムレハ更ラニ前記以上ノ面積開拓シ得ルニ至ラン

左ニ地圖上及踏査セル處ニヨリ東間島東部ニ於ケル平地邱陵地ノ耕地未耕地概算表ヲ掲ケン

一、東間島東部平地總面積及平地ニ於ケル耕地未耕地面積概算表

地名 大別	地名 小別	平地面積 方里	平地面積 町歩	潰地面積 百分率	潰地面積 町歩	可耕地 現耕地	可耕地 未耕地	可耕地 合計
一、北崗（布爾哈通河流域）		三三・六七	三五、二五六・三	—%	一〇、五七七・八	一三、九二九・〇	一一、七四九・五	二四、六七八・五
	布爾哈通本流域	七・五六	一一、七五七・三	二五	二、九三九・三	八〇% 七、〇五四・四	二〇% 一、七六三・六	八、八一八・〇
	延吉河流域	〇・六二	九六四・二	一五	一四四・六	六〇% 四九一・八	四〇% 三二七・八	八一九・六
	朝陽河上流域	一・〇〇	一、五五五・二	二〇	三一一・〇	一五% 一八六・六	八五% 一、〇五七・六	一、二四四・二
	朝陽河下流域	二・五〇	三、八八八・〇	二〇	七七七・六	六〇% 一、八六六・二	四〇% 一、二四四・二	三、一一〇・四
	細林河流域	〇・七五	一、一六六・四	一五	一七五・〇	五五% 五四五・三	四五% 四四六・一	九九一・四
	布爾哈通上流域	七・二三	一一、二四四・一	四二	四、七二二・五	三〇% 一、九五六・六	七〇% 四、五六五・一	六、五二一・六
	壹兩溝	二・四五	三、八一〇・二	三五	一、三三三・六	二五% 六一九・二	七五% 一、八五七・四	二、四七六・六
	葦子溝	〇・五六	八七〇・九	二〇	一七四・二	三〇% 二〇九・〇	七〇% 四八七・七	六九六・七

二、西崗（海蘭河流域ノ一）	一一・四七	一七、八三八・四	|	四、六〇四・一	七、五一九・八	五、七一四・五	一三、二三四・三
頭道溝上流	〇・四七	六三七・六	四〇	二五五・〇	二〇% 七六・五	八〇% 三〇六・一	三八二・六
二道溝上流	〇・九〇	一、四〇〇・〇	三五	四九〇・〇	一五% 一三六・三	八五% 七七三・五	九一〇・〇
三道溝上流（青山里）	一・四八	二、三〇一・七	二〇	四六〇・三	二五% 四六〇・三	七五% 一、三八一・一	一、八四一・四
三道溝中流（土山子）	〇、四三	六六八・七	三五	二三四・〇	五〇% 二一七・四	五〇% 二一七・三	四三四・七
四道溝上流	〇・五五	八五五・四	二〇	一七一・一	五〇% 三四二・二	五〇% 三四二・一	六八四・三
頭道溝附近平野	七・七〇	一一、九七五・〇	二五	二、九九三・七	七〇% 六、二八六・九	三〇% 二、六九四・四	八、九八一・三
三、南崗（海蘭河流域ノ二）	七・一二	一一、〇七二・九	|	二、三一五・七	六、八八二・四	一、八七四・九	八、七五七・三
花田坪附近	一・〇八	一、六七九・六	二〇	三三五・九	六五% 八七三・四	三五% 四七〇・三	一、三四三・七
長洞附近	〇・四六	七一五・四	一五	一〇七・三	五五% 三三四・四	四五% 二七三・七	六〇八・一
大拉子附近	〇・六四	九九五・三	一五	一四九・三	七五% 六三四・五	二五% 二一一・五	八四六・〇
七道溝及東梁溪谷	〇・八〇	一、二四四・二	三五	四三五・五	五〇% 四〇四・四	五〇% 四〇四・三	八〇八・七

地名		平地面積		潰地面積		可耕地		
大別	小別	方里	町歩	百分率	町歩	現耕地	未耕地	合計
	六道溝及東盛湧平野	四・一四	六、四三八・五	二〇	一、二八七・七	四、六三五・七 九〇%	五一五・一 一〇%	五、一五〇・八
四、茂山間島		二・三四	三、六三九・二	—	一、一八〇・三	一、一七〇・〇	一、二八八・九	二、四五八・九
	烏鳩江	一・一六	一、八〇四・〇	四〇	七二一・六	?	一、〇八二・四	一、〇八二・四
	上廣浦及下廣浦	〇・五九	九一七・六	四〇	三六七・〇	三八五・四 七〇%	一六五・二 三〇%	五五〇・六
	龍淵及柳洞於口	〇・四四	六八四・三	一〇	六八・四	五八五・一 九五%	三〇・八 五%	六一五・九
	南坪附近	〇・一五	二三三・三	一〇	二三・三	一九九・五 九五%	一〇・五 五%	二一〇・〇
五、會寧間島		一・三七	二、一三〇・七	—	三一九・六	一、四三一・〇	三八〇・一	一、八一一・一
	沙器洞及禹跡洞附近	〇・五五	八五五・四	一五	一二八・三	六一八・〇 八五%	一〇九・一 一五%	七二七・一
	其他ノ豆滿江沿岸平地	〇・八二	一、二七五・三	一五	一九一・三	八一三・〇 七五%	二七一・〇 二五%	一、〇八四・〇
六、鍾城間島		一・八〇	二、七九九・四	—	六二二・〇	一、八三〇・八	三四六・六	二、一七七・四

下泉坪及湖川街附近	一・三〇	二、〇二一・八	二五	五〇五・四	一、三六四・八 九〇%	一五一・六 一〇%	一、五一六・四
岳沙坪及時建坪方面	〇・一五	二三三・三	一五	三五・〇	一八八・四 九五%	九・九 五%	一九八・三
馬派及傑満洞方面	〇・三五	五四四・三	一五	八一・六	二七七・六 六〇%	一八五・一 四〇%	四六二・七
七、嘎呀河流域	一一・三四	一七、六三五・九	―	五、四三八・五	三、五二八・七	八、六六八・七	一二、一九七・四
蛤蟆塘地方	二・三三	三、六二三・六	三〇	一、〇八七・一	二五三・六 一〇%	二、二八二・九 九〇%	二、五三六・五
汪青地方	二・七〇	四、一九九・〇	二五	一、〇四九・八	七八七・三 五二%	二、三六一・九 七五%	三、一四九・二
牡丹川地方	一・二三	一、九一二・九	三〇	五七三・九	四〇一・七 三〇%	九三七・三 七〇%	一、三三九・〇
大百草溝地方	一・八〇	二、七七九・四	二五	六九九・八	七三四・九 三五%	一、三六四・七 六五%	二、〇九九・六
小百草溝地方	一・二八	一、九九〇・六	五五	一、〇九四・八	四四・八 五%	八五一・〇 九五%	八九五・八
嘎呀河河口地方	二・〇〇	三、一一〇・四	三〇	九三三・一	一、三〇六・四 六〇%	八七〇・九 四〇%	二、一七七・三
八、穏城間島	二・二三	三、四六八・一	―	八六七・〇	七八〇・三	一、八二〇・八	二、六〇一・一
涼水泉子及英河鈿子	二・二三	三、四六八・一	二五	八六七・〇	七八〇・三 三〇%	一、八二〇・八 七〇%	二、六〇一・一
合計	六〇・三四	九三、八四二・〇	―	二五、九二五・〇	三六、〇七二・〇	三一、八四四・〇	六七、九一六・〇

備考　潰地トハ宅地道路河床砂礫地及濕地等ノ不可耕地ヲ云フ

二、邱陵地ニ於ケル耕地未耕地概算表

地方別	可耕地面積	現耕地		未耕地	
		百分率	反別	百分率	反別
一、北崗	町 六〇、〇〇〇	六	町 三、六〇〇	九四	町 五六、四〇〇
二、西崗	四五、〇〇〇	三	一、三五〇	九七	四三、六五〇
三、南崗	三〇、〇〇〇	一五	四、五〇〇	八五	二五、五〇〇
四、茂山間島	八、〇〇〇	二五	二、〇〇〇	七五	六、〇〇〇
五、會寧間島	六、〇〇〇	四〇	二、四〇〇	六〇	三、六〇〇
六、鍾城間島	一二、〇〇〇	三三	四、〇〇〇	六七	八、〇〇〇
七、嘎呀河流域	二〇、〇〇〇	—	五〇	一〇〇	一九、九五〇
八、穩城間島	五、〇〇〇	三	一五〇	九七	四、八五〇
計	一八六、〇〇〇		一八、〇五〇		一六七、九五〇

三、東間島東部耕地一覽表

地方別	平地	邱陵地	計
一、北崗	町 一二、九二九・〇	町 三、六〇〇・〇	町 一六、五二九・〇
二、西崗	七、五一九・八	一、三五〇・〇	八、八六九・八
三、南崗	六、八八二・四	四、五〇〇・〇	一一、三八二・四
四、茂山間島	一、一七〇・〇	二、〇〇〇・〇	三、一七〇・〇
五、會寧間島	一、四三一・〇	二、四〇〇・〇	三、八三一・〇
六、鍾城間島	一、八三〇・八	四、〇〇〇・〇	五、八三〇・八
七、嘎呀河流域	三、五二八・七	五〇・〇	三、五七八・七
八、穏城間島	七八〇・三	一五〇・〇	九三〇・三
合計	三六、〇七二・〇	一八、〇五〇・〇	五四、一二二・〇

四、東間島東部未耕地概算表

地名 大別	地名 小別	平地	邱陵地	計	備考
一、北崗		町 一一、七四九・五	町 五六、四〇〇・〇	町 六八、一四九・五	

地名 大別	地名 小別	平地	丘陵地	計	備考
附	布爾哈通上流域	町 四、五六五・一			
	布爾哈通本流域	一、七六三・六			
	延吉河地方	三二七・八			
	朝陽河地方	二、三〇一・八			
	細林河地方	四四六・一			
	壹兩溝地方	一、八五七・四			
	葦子溝地方	四八七・七			
二、西崗		五、七一四・五	四三、六五〇・〇	四九、三六四・五	
	頭道溝上流	三〇六・一			
	二道溝上流	七七三・五			
	三道溝上流（青山里 土山子）	一、五九八・四			
	四道滯上流	三四二・一			
	頭道溝附近平野	二、六九四・四			

地方	地名				備考
三、南崗		一、八七四・九	二五、五〇〇・〇	二七、三七四・九	
	花田坪附近	四七〇・三			
	長洞附近	二七三・七			
	大拉子及新興坪附近	二一一・五			
	七道溝及東梁溪谷	四〇四・三			
	六道溝及東盛湧平野	五一五・一			
四、茂山間島		一、二八八・九	六、〇〇〇・〇	七、二八八・九	未踏査ナルヲ以テ知ルヲ得サレトモ現耕地ハ僅小ニ過キサルヘケレハ全部未耕地ト見做セリ
	烏鳩江	一、〇八二・四			
	上廣浦及下廣浦	一六五・二			
	龍淵及柳洞於口	三〇・八			
	南坪附近	一〇・五			
五、會寧間島		三八〇・一	三、六〇〇・〇	三、九八〇・一	
	沙器洞及禹跡洞附近	一〇九・一			
	其他ノ豆滿江沿岸平地	二七一・〇			

地名（大別）	地名（小別）	平地	丘陵地	計	備考
六、鍾城間島		三四六・六町	八、〇〇〇・〇町	八、三四六・六町	
	下泉坪湖川街附近	一五一・六			
	兵沙坪特建坪方面	九・九			
	馬派及傑滿洞方面	一八五・一			
七、嘎呀河流域		八、六六八・七	一九、九五〇・〇	二八、六一八・七	
	蛤蟆塔地方	二、二八二・九			
	汪青地方	二、三六一・九			
	牡丹川地方	九三七・三			
	百草溝地方	二、二一五・七			
	嘎呀河々口地方	八七〇・九			
八、穩城間島		一、八二〇・八	四、八五〇・〇	六、六七〇・八	
	涼水泉子及英河鈿子地方	一、八二〇・八	四、八五〇・〇		
合計		三一、八四四・〇	一六七、九五〇・〇	一九九、七九四・〇	

第二章　移住開拓ノ沿革

當地方ノ沿革ニ就テハ之ヲ歷史ノ研磧ニ讓リ近代ノ移住ハ五十餘年前ヲ以テ嚆矢トスルカ如シ蓋シ當地方ハ淸韓兩國ノ中立地帶ニシテ兩國共ニ入居ヲ禁シタリシカ天賦ノ沃野胡ソ久シク人ノ顧ミサル處トナランヤ禁令漸ク弛ミ邊境ノ韓民豆滿江ヲ渡リテ潜ニ間島ニ移住スルモノアルニ至リ淸人亦人參砂金等ノ遺利ヲ覓メテ來往スルモノ漸ク多ク直接間接ニ當地方ノ天產物ニ富ミ土地ノ豐饒ナルコト喧傳セラレ漸ク定住者ヲ見ルニ至リシモノノ如シ今左ニ韓淸人ニ就テ其移住ノ沿革及狀態ヲ略述セントス

第一節　韓人ノ移住及狀態

韓人最初ノ移住ハ幾年前ナリシヤ何等記錄ノ存スルモノナク又古老ノ言ノ徵スルニ足ルモノナク之ヲ詳ニスル能ハスト雖モ凡ソ五十年ヲ出ルコトナカルヘシ而シテ其多數移住者ヲ見ルニ至リシハ四十年前ナリ即チ明治二年ヨリ三年ニ亘リテ北韓ニ大凶歉アリ六鎭ノ民爭ウテ間島ニ移住シ其數既ニ數千人ニ達シ獨リ豆滿江沿岸ニ移住シタルノミナラス其少數者ハ兀良哈嶺ヲ越エ三岔ノ平野ニ移住シ其後漸次移住者ノ數ヲ增加スルニ至レリ彼等ノ先住者ハ淸人ノ未タ來住セサル以前ナリシ故ニ到ル處適宜ノ良地ニ就キ荊棘ヲ拂ヒ樹林ヲ燒キテ自由ニ開拓シ貪慾飽クヲ知ラサル韓吏ノ羈絆ヲ脫シ武陵桃源ノ境ヲ夢ミシカ幾何モナク淸人ノ來住シテ跋扈スルニ至リ薙髮シテ彼ノ風俗ヲ奉スルモノハ歸化人ト見做サレテ土地ヲ配與セラレシカ依然トシテ結髮白衣ノ慣習ヲ黑守ス

ルモノハ豆滿江外ニ驅逐セラレ相率ヱテ故國ニ歸還スルモノアリ其殘留者ハ多年力耕ノ土地ヲ奪ハレ多クハ清人ノ小作農ト化シ誅求ニ甘ンシテ居住シ尚且ツ逐年移住者ヲ增ス所以ノモノハ間島ノ土地豐饒ナルニ基因セスンハアラサルナリ

韓人移住者ノ鄉里ハ稀ニ元山附近ノ者ヲ見レトモ主トシテ咸鏡北道殊ニ端川以北ノ吉州明川鏡城富寧及豆滿江沿岸ノ所謂六鎭ノ民ナルカ如シ其移住者ニ就テ聞ケハ異口同音ニ鄉里ニ於テハ耕地ニ乏シク而モ地味瘠薄ニシテ居住ニ堪ヱス間島ノ土地廣ク地味豐饒而モ地價廉ナルヲ聞キ親明故舊相誘引シ一家ヲ擧ケテ移住シ來ルモノナリト謂フ而シテ移住ノ季節ハ融雪後春耕以前ニアリ

彼等ハ同鄉ノ先住者ヲ便リテ其地ニ來ルアリ或ハ移住地ヲ豫定シテ來ルモノアレトモ其多クハ何等ノ成算ナク慢然移住シ來ルモノ多キカ如シ彼等ノ或者ハ山間ノ所有者ナキ荒蕪地ヲ開墾スルモノアレトモ後奸惡ナル清人ハ官吏ト結托シテ自巳ノ所有地ナリト稱シテ之ヲ奪ヒテ小作人タラシメシ例ハ各地少カラサルカ如シ而シテ其多クハ未墾地所有ノ清人ヲ求メテ其小作人タランコトヲ請フモノノ如シ

清人モ亦韓人移住ノ季節ニハ彼等ノ通過シ來ル方面ニ待チ受ケ誘ヒ來リテ自巳ノ未墾地ヲ貸シ與フアリ要スルニ清人ノ土地ヲ開墾スルハ韓人ノ力ニ俟ツコト多キカ如ク特ニ山間ノ傾斜地ヲ開拓スルカ如キハ韓人獨得ノ能力ニ依ラサルヘカラス彼等ハ甚シキハ三十度以上四十度ノ傾斜地ト雖トモ克ク牛ヲ使役シテ之ヲ開墾シ頗ル巧妙ナリ

韓人ノ移住ハ極メテ單簡ニシテ無資産者ハ徒手ニテ來リ土地及家屋ヲ有スルモノハ之ヲ賣却シテ僅少ノ路銀ヲ調ヘ日用ノ家具什器ヲ纒メテ牛車ニ積ミ妻孥ヲ併セテ來リ途中到ル處宿ヲ同胞人ニ求ム旅人ヲ好遇スルハ韓人古來ノ慣習ナレハ恡ムニ足ルナシ

着後清人ニ就テ未墾地ヲ借リ得レハ先ツ近傍ノ山林ヨリ自由ニ木ヲ伐リ來リテ粗造ナル居宅ヲ營ミ種子及秋收前迄ノ食糧ヲ清人ヨリ借リ家畜ヲ有セサルモノハ家畜ヲモ借リ開墾後三年間ハ收量ノ全部ヲ自巳ノ所得トシ四年目ニ至リテ始メテ小作料トシテ收量ノ半額又ハ四割(山間ニテ瘠薄ナル土地ニアリテハ三割ヲ納ムルコトアリ土地制度ノ項ニ於テ詳述セリ)ヲ地主ニ納ムル慣習ナリ

清人ノ專横甚シクナリシ以來最初ヨリ永住ノ目的ヲ以テ來ルモノ比較的少ク數年力耕ノ後多少ノ資産ヲ得テ郷里ニ歸還セントスルモノ多カリシカ如シ然レトモ統監府派出所設置セラレ韓民保護ノ實漸ク擧ラントスルヤ彼等衷心ヨリ安堵シ永住ノ考ヲ起スモノ多キニ至リシハ視察セル地方ニ方テ屢々聞キ得タル事實ナリ

韓人ハ前述ノ如ク清人ノ壓迫ヲ受ケ往々ニシテ本國ニ歸還セルヲ以テ四十年前來ノ居住者ヲ見ルコト稀ナリ而シテ其古クヨリ居住スルモノハ多クハ歸化韓人ニシテ左ノ八戸ノ如キハ著シキ例ナリ

地方別	地名	姓名	郷貫	移住年月	所有耕地	備考
北崗	布爾哈通上流土門子	崔發	穩城	年前四〇	四六晌	
	同	韓喜鎭	慶源	四一	一五	
	朝陽河河東	溫殿福	鍾城	四一	四五	淸人溫吉昌ノ養嗣子トナル韓姓朱
南崗	六道溝口子	王盛	慶源	四二	六〇	淸人王子豐ノ養嗣子トナル
鍾城間島	三洞	金平俊	鍾城	三〇	一二〇日耕	
嘎呀河流域	牡丹川	王連	穩城	四二	二五晌	
	小磐嶺東	陳魁	會寧	三一	二八	韓姓南
西崗	虚來城	李全福	不明	三六	二〇	

彼等ハ淸國人ヲ以テ自ラ居リ生活風俗全ク淸人ニ準シ淸語ヲ專用シ韓人ト稱セラルルヲ恥チ動モスレハ同胞人ニ對シ却テ暴慢ナルモノアリ

第二節　淸人ノ來住及狀態

現今間島在住ノ淸人ハ殆ント山東省人又ハ山東省ヨリ一旦滿洲ニ移住シ後更ラニ間島ニ移住セルモノナリ

各地ニ於テ聞ク處ニヨレハ五十年前既ニ少數ノ移住者アリシモノノ如シ蓋シ砂金又ハ人參等ノ還利ヲ覓メ或ハ獸獵ノ目的ヲ以テ入リ來リシモノニシテ其定住シテ開墾ニ從事スルモノアルニ至リシハ四拾餘年前ナリシモノノ如シ然レトモ當時ハ極メテ少數ニシテ其多數移住者ヲ見ルニ至リシハ二十年前來ナルカ如シ即チ清國ハ光緒十二年（明治十九年）局子街ニ琿春招墾總局南崗分局ヲ設ケ其後益々間島方面拓殖ノ急務ヲ認メ光緒十七年（明治二十四年）琿春招墾總局ヲ局子街ニ移轉シテ清人ノ移住ヲ奬勵シ一方在住韓人ニ對シテ極力壓迫ヲ加ヘ自國民偏重ノ政策ヲ執ルニ及ヒ清人ノ移住者ハ頓ニ增加シ其勢力韓人ヲ壓到スルニ至レリ然レトモ今日ニ至リ猶清人ノ數韓人ノ三分ノ一ニ過キサルハ交通ノ不便ナルト移住者ノ遠ク山東省方面ヨリ來ルニ因レリ韓人ハ之ニ反シ交通平易ナル豆滿江ヲ隔テ而モ磽确ニシテ耕地ニ乏シキ咸鏡北道ヨリ來ルニ基因スルニ外ナラス

清人ノ來住者ハ皆多少ノ資產ヲ携ヘ來リ清官廳ヨリ土地ノ分配ヲ受ケ居ヲ定メテ開墾シ後數年收入漸ク餘裕ヲ見ルニ至リ始メテ鄉貫ヨリ家族ヲ招キ永住ノ基礎ヲナスモノノ如シ彼等ハ極端ナル自國官憲保護ノ下ニ何レモ間島ニ於ケル中樞部ノ沃野ヲ占有シ豐カナル生活ヲ營ミ韓人ヲ呼フニ小國人ヲ以テシ自ラ尊大跨稱シテ大國民ヲ以テ居リ因襲ノ久シキ習漸ク性ヲ爲シ韓人自ラ小國人ニ甘シ唯々諾々所謂大國人ノ下ニ雌伏スルニ至レリ

附記　左ニ踏査中聞キ得タル各地ニ於ケル移住ノ年月及移住者ノ鄉里ヲ表示ス表中動モスレハ移住年月ノ前述ニ比シテ頗ル新ナルハ移住ノ沿革ヲ詳ニセルモノ少キト先住者カ往々ニシテ

他ニ移住スルモノアルニ因ル但シ記載ノ年月ハ其地ニ於ケル多數者ノ移住セシ年ヲ示シ又郷貫名ハ略居民多數ノ順序ニヨリテ列擧セリ

一、韓人ノ移住年月及郷貫調査表（明治四十二年調査）

地方別	地名	郷貫	移住年月	備考
一、北崗	河東	鍾城、明川、鏡城	三年前	
	官廳尾	明川、鏡城	七	
	大延吉河地方	鏡城、鍾城、明川	五	
	小延吉河地方	鏡城	六	
	壹兩溝	明川、鏡城、端川、富寧、利源、行營	一〇	
	葦子溝	穩城、慶源、鍾城、吉州、永興	三	
	三頭巖	茂山、會寧、鏡城	三	
二、西崗	二道溝茂山村	明川	九	
	四道溝黃直	茂山	一五	
	同黃坪	明川、茂山	一八	
	四道溝中村	茂山	一〇	

	小五道溝村	鍾城、明川、吉州	八	
	白浦江下村	會寧	七	
三、南崗	龍井村	會寧、鍾城、鏡城、富寧	二五	
	東盛湧下村	吉州、明川、鏡城、富寧	二一	
	中七道溝	會寧	二三	
	大楡田洞	吉州、明川、富寧、鍾城	一七	
	繡紋浦	會寧、富寧、鍾城	一二	
	老房子	會寧、茂山	二四	
	小許門里	會寧	九	
	花田坪	鍾城、會寧、行營、富寧	三一	
	法朴洞	會寧	八	
	東梁李村	茂山、鏡城	一九	
	東梁大村	端川、富寧、會寧、咸興、明川、吉州、茂山	二一	
	新草坪	茂山、會寧、鍾城	六	
四、茂山間島	釜洞	明川、茂山、富寧	二五	

地方別	村名	郷貫	移住年月	備考
四、茂山間島	大淵	茂山	二五年前	
	南坪	明川、茂山、吉州、富寧、鍾城	四〇	
	柳洞	富寧	五	
	龍淵	富寧、鍾城	二五	
	防川項	明川	二五	
	東京臺	茂山、鏡城、富寧、鍾城	三一	
	下廣浦	茂山、鏡城、富寧、吉州	一八	
	上廣浦	富寧、茂山、端川	一〇	
	咸朴洞上村	鏡城、會寧、茂山	二六	
五、會寧間島	椽田洞	會寧	二四	
	甑山下村	會寧、鏡城、明川、茂山	二八	
	南尙洞	會寧	二六	
	承珠洞	會寧、明川、鏡城、富寧	二〇	
六、鍾城間島	北獐洞	同上	二五	

	白龍洞	會寧、鍾城、慶源、鏡城	二五	
	岳沙坪	吉州、鍾城、明川、鏡城	三七	
	馬派	穩城、慶源、慶興、鍾城、會寧	二一	
	傑滿洞	鍾城、穩城、鏡城	一一	
	湖川浦	鍾城	三一	
	下泉坪	鍾城	一七	
	三屯子洞	鍾城	三八	
	城岩村	明川	一七	
七、嘎呀河流域	牡丹川	鍾城、富寧、吉州、鏡城、慶興	一〇	
	百草溝	穩城、會寧、富寧	五	
	嘎呀河口附近	鍾城、穩城、慶源	四	

備考　歸化韓人ニ就テハ前ニ記載セルヲ以テ茲ニ省略ス

二、清人移住年月及郷貫調査表

地方別	村名	郷貫	移住年月	備考
一、北崗	布爾哈通上流土門子	山東省、直隷省	五〇年前	

地方別	村名	郷貫	移住年月	備考
一、北崗	小盖子（局子街東）	山東省、登州府	二一年前	
	三頭崴	奉天、山東	一三	
	朝陽河西	山東省、萊州府	二〇	
	細林河	奉天省、海城、吉林、山東省	二〇	
	下官道溝	山東省	三二	
	葦子溝	山東、吉林、山海關	四〇	
二、西崗	三道溝青山里	山東省、泰安府	五〇	
	同　土山子	山東省、登州府	一八	
	四道溝樺洞	山東	一七	
	同　上村	山東省、登州府	一二	
	五道溝口村	同上	一一	
	東古城子附近	直隷省、奉天	二五	
	西古城子附近	奉天、遼陽、山東、直隷省	三六	
三、南崗	東盛湧街	山東省	二〇	

大楡田洞	湖南省	一八
花田坪	直隷省	三一
四、嘎呀河流域		
牡丹川	吉林、奉天、山東、遼陽	三一
百草溝	天津、吉林、奉天	三三
嘎呀河口	山東省、直隷省	四〇

第三章　土地制度

間島ニ於ケル清國側ノ土地制度ハ總テ吉林省ニ準スレトモ其制度甚タ不完全ニシテ且ツ調査スヘキ資料モ亦甚タ乏シキニヨリ玆ニ其概要ヲ記述セリ

第一節　土地ノ名稱及區別

土地ヲ大別シテ官有地及民有地トス

甲、官有地

官有地ノ主ナルモノハ老爺嶺山脈、白頭山支脈ノ森林地帶ニシテ其他ニ素ト民有地ニシテ民間互ニ其所有權ヲ爭ヒ其所屬判明シ難キモノニ對シ之ヲ沒收シテ官有地トシタルモノ少カラス三道溝、青山里ノ某地及鍾城間島、古間島ノ如キ之レナリ他ニ滿州地方ニ見ルカ如キ王產、莊頭地ノ如キモノナシ

乙、民有地

民有地ハ別ニ地目ナルモノノ制定ナケレトモ税法上其名稱ヲ擧クレハ

一、熟地(田畑地)

二、房基地(宅地)

三、山林地

四、河通及山荒地(共ニ荒蕪地)

五、生荒地(未墾地)

六、窩田地(沼澤地)

等トス

第二節　田制、一晌及一日耕ノ面積

田制ニ於テハ未タ正確ナル資料ヲ得ス韓人側ニテ　會寧地方ニ於ケルカ如ク等級ヲ上中下ノ三段ニ區別シ更ラニ左ノ如クニ分ツト云フ

上
- 一等田
- 二等田
- 三等田
- 四等田

中｛五等田
　　六等田

下｛七等田
　　八等田
　　九等田
　　十等田

下等田ハ多ク山腹ノ傾斜地又ハ河畔ノ砂礫地ヲ云フ又前記ノ外土地等級ニ次ノ如キ場合アリ即チ一等田ハ必スシモ土地肥沃ニシテ作物ノ生育良好ナル耕地ヲ指スニ非スシテ土地ヲ最モ多ク所有スル地主ノ耕地ヲ一等田ト稱シ以下之レニ準スル呼稱アリト云フ

土地丈量ハ三年乃至七年ニ一回招墾局總辨又ハ荒蕪局總辨各地ニ出張シテ修正ヲ行フ即チ

第一回光緒七年　（明治十四年）
同二回同十五年　（同　二十二年）
同三回同十八年　（同　二十五年）
同四回同二十四年（同　三十一年）
同五回同三十二年（同　三十九年）

最後第五回目ハ明治三十九年ニ行ハレ明治四十年十一月新タニ執照（地劵）ノ書換ヲ行ヒタリ此際執

照ノ書換料トシテ一晌地ヲ三等ニ分チ次ノ如キ手數料ヲ徴收セリ

上地　一晌ニ付　九吊九百文
中地　同　六吊六百文
下地　同　三吊三百文

熱照ノ書式ハ次項ニ記スルカ如シ

耕地ノ單位　耕地單位ハ清人ハ一晌ト云ヒ韓人ハ一日耕ト稱ス一晌ノ面積ハ七千二百弓ナリトス而シテ一弓ノ大サハ官定ト民間慣用スルモノト一樣ナラス官定ニテハ一弓ヲ清尺五尺幅二尺五寸ノ矩形ナリト云フ之レニ據レハ官定一晌ハ我九反壹畝二十六歩二合五勺ナリ民間ニテハ普通長サ五尺幅二尺（畦幅）ヲ以テ一弓トス即チ民間ノ慣用スル所ノ一晌ハ我七反三畝十五歩ナリ又民間ニテハ典地又ハ借地ノ場合ニ於テ一弓ノ長サハ五尺ナレトモ幅ハ牛聚畝ト云ヒ現在耕作ノ畦幅ニテ一尺六寸乃至一尺八寸ヲ用ヒ七千二百弓ヲ以テ一晌トナス即チ此場合ニ於ケル一晌ノ面積ハ我五反八畝二十四歩乃至六反六畝四歩五合ナリ

一晌地ノ大サハ近時改正セル規定ニヨレハ二千八百八十弓ナリト云フ此場合ノ一弓ハ清尺五尺平方ナリ然レトモ通例幅二尺五寸長五尺ノ矩形ヲ一弓トシ五千七百六十弓ヲ以テ一晌地ト呼稱ス之ニ從ヘハ一晌地ノ面積ハ七反三畝十五歩ナリ龍井村ニテ一清人ノ所有耕地一晌地ヲ實測セルニ幅七十四尺四寸長サ千百十三尺（共ニ日本曲尺）即チ七反六畝二十歩ヲ得タリ

該清人ハ五千八百八十弓ヲ一晌地ナリト云ヘリ之ヲ換算スレハ七反四畝歩强ナリ記シテ參考トナス

一晌ニ對スル地租ハ一定セルヲ以テ肥瘠ニヨリテ一晌ノ大サニ著シキ差アリ斯ク田制甚タ模糊ナルカ故ニ地租賦課ノ際出張官吏ニ贈賄シテ地劵面ノ地積ヲ縮少セシムル場合頗ル多キカ如ク七道溝繡紋浦ノ如キハ現耕地三十晌ニ對シテ地租ハ僅カニ六分一即チ五晌分ヲ納ムルニ過キサル實例アリ又八道家子ニハ耕地十八晌ニ對シ八晌ト登錄セルアリ此等ノ測定ハ一ニ出張官吏ノ胸算ニアルモノノ如ク三年乃至七年ニ土地丈量ヲナシ修正ヲ行フカ如キハ猥リニ貪慾ナル官吏カ嚢中ヲ溫ムル特權タルカ如シ

韓一日耕ニ付テハ異口同音ニ長サ百田尺幅四十田尺ナリト答フ

一田尺ノ長サハ區々ニシテ一定セス龍井村附近ニ於テ一般ニ用ヒラルルモノハ我曲尺三尺一寸六分ナリ之レニ依レハ一日耕ノ面積ハ我三反七畝歩弱ニ該當ス然レトモ實積ハ之レヨリ大ナルモノアリ龍井村ニテ實測セル際ニハ我四反五畝歩餘ヲ得タル例アリ要スルニ一晌ト云ヒ一日耕ト云ヒ頗ル曖昧不同ニシテ賣買ノ際ニハ實地測量ニヨリテ決定セサルヘカラス一日耕ノ大サニ就キテ奇談アリ韓人ハ往々周尺何百何十尺ヲ以テ耕地面積ヲ計算シ周圍ノ延長尺カ同一ナレハ長サ幅ノ比例如何ニ拘ラス面積同一ナリト信スルモノ多キカ如シ以テ韓人ノ地積ニ關スル觀念ノ如何ヲ知ルヘシ

第三節　土地ニ關スル權利ノ種類及其移轉

土地ニ關スル權利ハ所有權ノ外質權及抵當權ニ類スルモノ及小作權等ナリ
今某所屬未定ノ未墾地アリ其所有權ヲ得ント欲セハ先ツ荒蕪局ニ屆出ツ荒蕪局ハ官吏ヲ派遣シテ其土地ヲ丈量セシメ例ヘハ實積十晌地アリトスレハ官ニテハ熟地五日晌分ノ稅金ヲ徵收セントシ出願者ハ二晌地稅ニ減センコトヲ請ヒ押問答ノ結果三晌分位ニテ折合ヒ其所有權ヲ擬得シ其後開墾スルモ次回ノ土地丈量迄ハ三晌分ノ納稅義務ヲ有スルノミ
所有地境界ノ標識ハ木杭ヲ建テ姓名ヲ記スルコトナケレトモ畦溝又ハ小ナル杭ヲ以テス未墾地ニ對シテハ土盛ヲナシ以テ所有者アルコトヲ示スコトアリ
土地臺帳ハ吉林巡撫衙門及延吉廳ニアリ地券ハ執照ト稱ス左ニ其例ヲ示サン

1,45 尺

1,44 尺

租字第參萬陸仟肆百參拾參號　（契印）

執照

吉林將軍衙門　爲

發給執照事照得吉林通省各項大租地畝向多
侵隱影此次清釐賦業檢查報明晰應即發給新
照以憑執業玆據延吉廳所屬勇知社三甲佃戶
吳兆查報原有納租地晌畝分內大出浮多地壹
晌陸畝陸分原浮共計納地租晌畝分每晌交納
大小租錢六百六十文不得稍有拖欠若日後無
力耕種唯其報官轉兌換發執照倘有拖欠官租
不安本分等田官撤地另佃其原交荒價概不發
還合行發給印照以憑執業輸租須至執照者

計開坐落勇知社三甲六道溝　屯

一段納租地肆晌陸畝陸分　東西至叢趙姓　南北至分水甸子
一段納租地　晌　畝　分　東西　南北至
一段納租地　晌　畝　分　東西　南北至
一段納租地　晌　畝　分　東西　南北至
一段納租地　晌　畝　分　東西　南北至
一段納租地　晌　畝　分　東西　南北至
一段納租地　晌　畝　分　東西　南北至

以上共壹段計納租地肆晌陸畝陸分

（吉林巡撫印）

光緒三十三年六月二十六日　給佃戶吳兆鳳收執

備考　文例中大租小租ノ區別ハ大租ハ吉林府庫ニ納ムルモノニシテ地租額ノ十一分ノ十トス小租ハ即チ地方所辨費ニシテ地租額ノ十一分一トス
公定地積ハ清人ノ常習トシテ荒蕪局ニ知人アレハ其地積ヲ小ニ登錄スルコト易々ナリト云フ

典地　土地ヲ抵當トシテ金錢ヲ貸借スル場合アリ此場合ニ於テハ例ヘハ賣買價格四五百吊文ナルニ對シ百二十吊文ヲ貸シ又三百吊文ノモノニ對シ四五十吊文ヲ貸スカ如シ此場合ニ於ケル耕作權ハ全ク債權者ニ移轉シ債權者自ラ耕作スルカ或ハ第三者ニ小作セシムルヲ得ルモ多クハ債務者ニ對シ依然トシテ其耕作ヲナサシメ其期限內ハ利子トシテ其土地ノ小作料ヲ納メシム又金利ニテ納ムルコトヲ得ルト云フ若シ債務者之ヲ小作シ契約期限ヲ經過シテ尙返濟セサルトキハ債權者ハ其地ヲ取上ケ返濟義務ヲ了スルマテ之ヲ保留シ若シ返金スレハ之ヲ債務者ニ返還ス而シテ典地契約ノ場合ニ於テハ地租及其土地ニ關スル諸稅ハ凡テ債權者ニ於テ負擔ス

典地契約書文例ハ次ノ如シ

立典契文約人孫張昌某因手乏無錢使用將自己原領熟地一段五晌煩人說允情愿典與某名下耕種同衆言明典價錢二百五十吊整其錢筆下交足分文不欠一典五年春前秋後錢到歸贖此係兩家情愿並無返悔如有返悔者中保人一面承管恐口無憑立字爲證

坐落志仁社四甲用灣南溝一段隱代錢粮

四至分明東至呂姓南分水西至分水北溝

郷約　某印
牌頭　某印
中見人　某印
某印
某印
某印
代字人　某印

光緒　年　月　日　孫張昌立

而シテ土地ヲ抵當トシ金員ヲ貸附スル場合ニアリテ債務者返濟義務ヲ果サヽルコトアルモ之ニ對スル强制施行ヲナサス又典地ノ場合ニ於ケルカ如ク所有權ハ依然トシテ債務者ニ存在シ唯耕作權ノミ債權者ニ移ルニ止マルト云フ

土地ノ賣買　土地賣買ノ方法ハ玆ニ土地ヲ賣ラントスルモノアレハ賣主ハ郷約牌頭及兩隣地主ニ相談シ更ニ仲見人ヲ求メテ買主ヲ見出ス若シ買主アレハ直チニ價格ヲ協定シ契約書ヲ作成シテ延吉廳ニ出頭シ届出ヲナス此際官印ハ紅色ナルヲ以テ其契約書ヲ紅契ト云フ官印ナキ契約書ヲ白契ト稱ス官衙ニテハ手數料トシテ賣價百吊ニ對シ六吊ヲ納メシメ賣主ハ地券ヲ持チ行キ執照ノ書換ヲナシ之ヲ買主ニ交付シ賣買ノ手續ヲ終ハル買主ハ官衙ニ對スル手數料ハ勿論郷約及牌頭仲見人

等ヲ舁應スル一切ノ費用ヲ負擔スルモノトス韓人ニアリテハ仲介人ノ手數料ハ一日耕ニ付三百文乃至六百文ナリト云フ賣買契約書式ノ文例ハ次ノ如シ

立賣契文人汪忠國因中手乏無錢使用將自巳原領毛荒一段之地捌晌煩人說允情愿賣與名下耕種爲業同衆言明地價一百五拾兩整其銀筆下交足分文不欠土上土下土木相連自賣自後不與賣主相干此係兩家情願並無返悔若有返悔者有仲見人一面承管恐口無憑立賣契文約爲證

坐落八道河子勇志社四甲毛荒一段原照交出

四至文明 東至趙性南至豐姓 西至分水北至溝

鄕約　　某

某

仲見人　某

某

某

代字人　某

大淸光緖　年　月　日　汪忠國　立契

契約證書ニハ八晌トアルモ實積ハ十八晌アリ稅金及手數料ニ關係大ナルヲ以テ殊更小ニセリト云フ而シテ土地賣買ノ時期ハ收穫後ニシテ淸曆十一月、十二月最モ多ク一月二月順次之ニ次ク

第四節　地租其他土地ニ關スル賦課

イ、地　　租

吉林省官衙ノ規定ニヨレハ熟地一晌ノ地租ハ六百六十文ナレトモ時ノ知縣ノ意見ニヨリテ增徵スルコトヲ得延吉廳ノ例ニヨレハ光緒二十四年(明治三十一年)趙敦成ノ招墾局總辦タリシ時一晌ニ付八百二十文ノ徵收ヲナセシカ其後光緒二十七年(明治三十四年)程光第ノ總辦トナルヤ減シテ七百五十文トナシ程以後ノ知縣モ同率ヲ徵收セリ

清國官憲ハ間島ヲ越墾地及招墾地ノ二ニ區分シ差等ヲ附シテ地租ヲ徵シツツアリ越墾地トハ兀良哈嶺以南ノ茂山、會寧、鍾城ノ三間島、即チ豆滿江沿岸地方ヲ云ヒ和龍峪經歷廳(太拉子ニアリ)之ヲ管セリ此等ノ地方ニ於ケル一年ノ地稅ハ該經歷廳ニ於ケル官吏及部下ノ廳員鄉約等ノ隨意增減徵收ニ任シタルヲ以テ常ニ不正ノ徵稅行ハレ韓民ノ無力ナル其不當ヲ訴フルヲ得サリシカ統監府派出所設置セラレ我カ抗議ニヨリ反省シ該地方官ノ言明及告示ニヨリテ次ノ諸稅ヲ賦課スルコトトナレリ

一、錢粮(地租)一晌地ニ對シ大租小租ヲ合シテ韓貨二兩二分ヲ課ス

韓貨二兩二分ハ最初土地丈量地券下附スルニ當リ一晌地清貨六百六十文ヲ納稅スヘク決定セラレシ時清韓貨ノ交換率ハ韓貨壹兩ハ清貨三百文ナリシニ因ルナリ然レトモ其後韓貨次第ニ騰貴シ韓貨壹兩ニ對シ清貨四百文トナリ後更ラニ本年ニ至リ六百文ノ交換率ヲ有スルニ至リ

シカ清官憲ハ前二年ノ標準價格四百文ヲ以テ徴收セリ故ニ韓貨ヲ以テスレハ地劵面制定當時ノ二兩二分ヲ徴セラルルモ清貨ヲ以テスレハ八百八十文ニテ可ナリト云フ

二、補底錢、地劵面ニ記シアル六百六十文ハ庫平銀ニ對スル呼稱數量ナリ而シテ當地方一般ニ使用セラルルモノハ九八規銀ニシテ含銀ノ差ヲ生スルカ故ニ其納附税金ニ對シ清貨一吊文毎ニ清貨有孔錢十五個ヲ增徴セラル

三、清票錢(租票錢)各租税ヲ納附スル時官憲ヨリ出ス處ノ領收證ニ對シテ納メシムルモノニシテ該證一枚ニ付清貨百文ヲ徴セラル

四、虚歸錢、地方耕地ノ荒蕪ニ歸スルモノアリ或ハ洪水ノ爲メ秋成ヲ見サルモノニ對シテハ租税ヲ免除スルモノナルカ清國徴税法ハ各地方ノ耕地ノ多少ニヨリテ徴税額ヲ異ニセス所要税額ヲ定メテ各地方ニ賦課スルモノナルヲ以テ前記ノ如キ免税地ヲ生スル場合ニハ其缺損ヲ該地方ニ課シテ負擔セシム故ニ本税ハ毎年一定スルコトナク爲メニ屢々不正ノ徴税ハ此名ノ下ニ行ハル

越墾地以外ノ地方ヲ招墾地ト稱シ延吉廳ノ直轄ニ屬シ一晌地ニ對シ七百五十文ノ地租ヲ徴收ス但シ地劵面ハ六百六十文ナレトモ右ハ庫平銀ノ數ヲ示スモノニシテ本地方ノ通貨ハ前述ノ如ク九八規銀ナルヲ以テ此餘分ノ差、補底錢及鮮貨(租税ノ運搬費ヲ云フ)ヲ加ヘテ七百五十文ヲ徴スト云フ

左ニ參考トシテ地租徴收ニ對スル延吉廳知府ノ告示文ヲ揭ク

安査征收大租　向有一定章程

大租小租解費　二錢庫銀足平
折合中錢收取　早已有案詳明
每晌七百五十　不許絲毫多征
倘有戶方書勒索　准其來轅喊控
通諭闔邑諸民　趕緊依限完封
務於本年々底　一律掃數全清
如有頑慣遲延　以及抗不遵行
仍准隨時禀擧　分別傳乘究德
爲此時申禁令　爾等其各凜遵

光緒三十三年十一月八日

正　堂　示

地租ハ熟地一晌ヲ以テ標準ト定メ其他ノ地目ニ對シテハ次ノ如キ税率ヲ課ス

一、山林地　有材林ハ三晌 薪炭林ハ五晌ヲ以テ一晌分ノ税率
一、房基地（宅地）熟地ト同率
一、河道及山荒地（荒蕪地）十晌ヲ以テ熟地二三晌分ノ税率
一、生荒地（未墾地）同三四晌分ノ率
一、窩田地（沼澤地）同上

納稅ノ時期ハ每年一回清曆十月初一日ヨリ十五日ニ至ル十五日間ナリ此時期ニ至レハ鄉約牌頭等ハ納稅期ナルコトヲ配下地主等ニ布告ス地主ハ延吉廳又ハ大拉子分防廳ニ出頭シ戶房ニ就キ自已ノ納ムヘキ納稅票ヲ受取リテ直チニ納稅ス此時知縣ハ盛裝ヲナシ其部下ヲ率ヒ地主ヨリ嘉辭ヲ受クル例ナリ

滯納稅者ニ對シテハ翌年清歷五月迄ハ鄉約牌頭等ヲシテ督促セシメ官衙ヨリハ別ニ督促ヲスルコトナシ若シ五月ニ至リテモ納稅セサレハ衙門ニ拘引シテ苔刑ヲ行ヒ又ハ納稅ヲナス迄ノ拘留ニ處ス左レハ一般ニ處刑ヲ恐レテ滯納スルモノナシト云フ而シテ官衙ヨリ督促ヲ受ケタルモノハ派員ヨリ每戶二吊乃至五吊ノ金員ヲ徵發セラルルモノトス官衙ニハ三班ナルモノアリ總員十五名ニシテ罪人ノ逮捕、監視、傳令及督促ニ使役セラルル何レモ無給ナルヲ以テ此等ノ際金員ヲ貪ルコト敢テ怪マサル習慣ナリ

地租局ハ延吉廳ト和龍峪經歷廳トニアリ

ロ、地方巡警費

一種ノ地方稅ニシテ延吉廳內、銅佛寺、頭道溝、大粒子、東盛湧街等ニ其分局ヲ置キ之ヲ徵收シ其名ノ如ク地方巡警ノ費用ニ供スト云フ徵稅率ハ一晌地ニ付二吊八百文ニシテ每年春秋二季ニ二分シテ之ヲ納ム

ハ、鄉約牌錢

一晌地ニ付八百文乃至一吊ヲ徴收セラレシカ近來改正セラレテ越墾地ニテハ毎戸淸貨二吊（内一吊ハ郷約費一吊ハ牌頭及總郷約費トス）招墾地ニテハ毎戸同一吊（内五百文ハ總郷約五百文ハ郷約費）ヲ徴收セラル又當地方ニ於テハ其外ニ郷約及牌頭ニ對シテ左記ノ官地ヲ與ヘ小作料ヲ以テ彼等ノ俸給ニ充ツト云フ

郷約	官地	十晌
牌頭		五晌

二、門戸稅

所有地ノ多少ニ係ラス家屋ノ大小ニヨリ三百文乃至三吊文ヲ納ム

第五節　小作ノ慣行及小作料

淸人ハ小作地ヲ租地、小作人ヲ租地的人、小作料ヲ租地錢、地主ヲ佃戸ト稱ス韓人ハ小作ヲ半作ト云フ蓋シ收獲物ヲ折半スル例ナレハナリ而シテ借地ヲ土貰ト云ヒ借地料ヲモ土貰ト云フ慣習アリ

淸人ノ未墾地ヲ韓人ニ開拓セシムル慣例ハ開墾着手後三ヶ年間ハ小作料ヲ免シ四ヶ年目ヨリ始メテ小作料ヲ納メシムル小作ノ年限ハ別ニ規定スルコト少ク又小作人ニ於テ契約ノ小作料ヲ納メサルカ又ハ命令ニ服從セサル場合ノ外ハ取上ラルルコトナシ小作契約書ハ概ネ之レヲ作製セサルヲ例トス

小作料ハ稀ニ金納ノ場合ナキニアラサルモ一般ニ穀納ナリ穀納ニ二種アリ一ハ毎年一定セル穀高ヲ納メシムルモノニシテ大抵粟ヲ以テ之ニ充テ一晌地ニ對シ一石乃至二石ノ間ニアリ又高粱粟及

大豆ヲ合セテ一定量ヲ徴收スルコトアリ而シテ三者ノ割合ハ作物ノ出來高ニヨリ毎年適宜ニ地主ニ於テ指定ス他ハ刈分法ニシテ毎年收獲物ノ三割乃至五割ヲ以テ小作料ト定ム普通五割即チ折半小作最モ多シ三割乃至四割ハ山間ニテ地味瘠薄ナル土地ニアリテ行ハル而シテ此場合ニ於テハ收獲物ヲ其儘地主ニ持チ行キ調製スルノ義務アルモノトス

韓人小作人ノ清人地主ニ對スル關係ハ從來主從ノ如キ關係ヲ有シ刈分法ノ場合ニハ收獲物ヲ地主宅ニ運搬シテ調製ヲナスハ勿論地主ノ爲メニ雜役ニ服セサルヘカラス是レヲ以テ地主ハ自家ノ家屋造作又ハ冠婚葬祭其他繁忙ナル時ハ何時ニテモ小作人ヲ徴集使役シ猶毎年薪炭三四輛ヲ徴發スル慣習アリ又以テ清人ノ跋扈ト韓民雌伏ノ狀ヲ察スルニ足ラン統監府派出所設置以來韓人ハ我保護ノ下ニアリテ頻リニ其不當ヲ鳴ラシテ其保護ヲ請ヒ派出所ハ毎ニ之レヲ保護シテ此等ノ境遇ヲ改良セシメタリ左ニ各地ニ於ケル小作料ヲ表示スヘシ

地名		小作料		備考
一、北崗				
布爾哈通上流	土門子	一晌ニ對シ粟	清石 一、三〇―一、六〇 清石	一例トシテ四晌地及家屋ヲ合シテ四十吊ノ借地料ヲ拂フモノトス
同	大廟溝	同 粟	一、〇〇―一、三〇	
同	倒木溝	同 粟	一、〇〇―一、六〇	
同	亮兵臺	同 粟	一、〇〇―一、六〇	

地方	地名	標準	數量	備考
	朝陽河地方		一、八〇	但粟大豆及高粱ヲ合シタルモノ
	同	收穫物ノ	四〇―五〇%	
	延吉河地方	一晌ニ對シ	粟 二、〇〇	粟大豆高粱ヲ合シテ二石ヲ納ムルモノアリ
	同	收穫物ノ	三〇%	
	壹兩溝	同	三〇―四〇	
	葦子溝	一晌ニ對シ	二、〇〇淸石	但シ粟大豆及高粱ヲ合ス
	官廳尾	收穫物ノ	五〇%	
	下官道溝	一晌ニ對シ	粟 一、五〇淸石	
	細林河	同	粟 二、〇〇	他ノ一例ハ粟大豆及高粱ヲ合シテ一石五斗
二、西崗	西古城子附近	同	粟 二、〇〇	但粟大豆及高粱ヲ合シテ二石ノモノアリ
	仝	收穫物	四〇%	
	三道溝青山里	一晌ニ對シ	粟 一、四〇淸石	
	三道溝口子	同	粟 一、五〇	
	四道溝黃直	收穫物ノ	三〇%	
	五道溝口村	同	三〇%	

地名		小作料	備考
二、西崗	白浦河下村	收穫物ノ四〇%	
三、南崗	東梁口村 老房子	同 五〇%	
	中七道溝 長洞		
	東盛湧街地方 小許門里	同 四〇%	
	青林洞 東梁李村		
	東梁大村 大楡田洞	同 三〇%	
	繡紋浦		
四、茂山間島	柳洞 南坪 釜洞 龍淵	同 五〇%	
	上廣浦	同 四〇%	
	下廣浦	同 三〇%	
五、鍾城間島	白龍洞 城岩村	收穫物ノ五〇%	
	大泉坪 傑滿洞		
六、嘎呀河流城	牡丹川	一晌地ニ對シ粟一、五〇—二、〇〇	
	百草溝	同 粟一、三〇—一、五〇	

七、穩城間島	嘎呀河河口	同 粟	二、〇〇石	又粟大豆高粱ヲ合セテ二石ノ例アリ
	仝	収獲物	五〇%	
	凉水泉子地方	同	五〇%	

備考　表中ノ石量ハ清國枡ヲ用ヒタリ

第四章　農業經營ノ現況

第一節　總論

間島ニ於ケル農業經營ノ狀態ハ自ラ二ツニ分ル清人韓人各自國ノ慣習農法ニヨリテ經營ス又各其長ヲ取リ短ヲ補ヒテ折衷農法ニ行フモノ少カラサルカ如シ從テ農業ノ狀態ハ他地方ニ比シテ多少複雜セルモノアリ今少シク清韓人ノ農法ニ就テ述ヘントス

清人ハ馬耕若シクハ牛耕ニヨリ大面積ヲ耕作シ耕地三十晌以上ヲ所有スルモノニ至レハ牛五六頭馬八九頭騾二三頭豚二三十頭ヲ所有ス牛ハ主トシテ耕耘用トシ又馬ト共ニ運搬用ニ供ス馬ハ主トシテ五頭乃至八頭ヲ連ネ大馬車ヲ牽カシメテ運搬用ニ供シ又耕耘ニ用フ騾ハ駄用又馬ト共ニ馬車用ニ供セラルレ雖モ碾子ヲ挽キテ穀物ヲ精白シ若シクハ挽割ル等ニ用ヒラル而シテ牛馬騾共ニ又調製ノ際ニ使用セラル十晌以下ノ小地主ト雖モ牛二三頭馬三四頭ヲ有セサルモノナシ清人ノ多ク

ハ平坦ニシテ肥沃ナル土地ヲ所有シ萬事大農的ニテ居室亦之ニ叶フ其山間ニアルモノハ所有地ノ大部分ヲ韓人ニ小作セシメ自己ハ僅少ノ面積ヲ耕作シ頗ル安易ナル生活ヲ營ミツヽアリ

韓人ハ之ニ反シ萬事小規模ニシテ耕作運搬ニハ牛ヲ用ヒ毎戸一頭ヲ有セサルモノ殆ントナシ移住後間モナキ細農ニシテ牛ヲ購フ能ハサルモノハ地主清人ヨリ借リ又二三戸共同シテ飼養スルモノアリ即チ牛ハ韓人ノ唯一ノ農業資本ニシテ其愛重一方ナラス馬ハ乘用又ハ駄用トシテ用ユレトモ所有者甚タ少ク平均十戸一頭以下ニ過キス或ハ全ク馬ヲ有セサル部落モ多キカ如シ彼等ハ極メテ粗造ナル茅屋ニ家畜ト共ニ同居シ清人ノ如ク畜舎ヲ別ニ設クルコトナシ豆滿江岸ハ穩城間島ヲ除キ殆ント韓人ノ勢力範圍ニ屬スレトモ三岡ノ平野ニ至レハ其大部分ハ清人ノ小作農ナリ而シテ山間ニテ耕地ノ狀況不良ナル爲メ清人ノ着目セサル處ニ至レハ韓人ハ獨立セル一部落ヲナシ自作農多ケレトモ何レモ二三日耕乃至五六日耕ノ小面積ヲ耕作スルニ過キス要スルニ主要ナル平地ハ清人ノ專有ニシテ韓人ノ樂天地ハ多ク山間ニアルモノヽ如シ

栽培作物ノ種類モ自ラ異リ清人ハ粟大豆小麥蜀黍(高粱)玉蜀黍及蔬菜ヲ多ク栽培シ大麥ハ甚タ少ク韓人ニ在リテハ粟作ハ全作物ノ四割ヲ占メ大麥之ニ次キ大豆蜀黍(高粱)ノ栽培ハ著シク減少シ小麥ノ如キハ其栽培極メテ少シ蔬菜栽培ハ清人ノ長所ニシテ韓人ニ至リテハ自家用以外見ルヘキモノナク其栽培歩合モ清人ノ半ニ過キス稗ハ清人ハ青刈トシテ家畜ノ飼料ニ供スレトモ韓人ハ之ヲ栽培セス燕麥ハ韓人獨リ栽培シ水稻モ韓人ニ限リ栽培セリ今韓清人ノ主要作物栽培歩合ヲ比較スレ

ハ大略次ノ如シ

	韓人	清人
粟	四〇%	二五%
大豆	一二	二〇
大麥	二〇	三
小麥	一	一五
蜀黍(高粱)	七	一二
玉蜀黍	八	一〇
黍	五	六
蔬菜	四	七
其他	三	二

特用作物中煙草大麻ハ韓人比較的多ク栽培シ青麻藍荏等ハ清人ノ栽培者多ク燒酒豆油荏油小麥粉麵類等ノ農産製造業ハ清人ノ獨占ナリ

第一項 農地

清人ハ布爾哈通河流域即チ北崗嘎呀河流域及穩城間島ニ最モ多ク居住シ西崗之ニ次キ南崗ニハ比較的少シ而シテ三崗平野ノ肥沃ニシテ耕耘ニ便ナル土地ハ清人多ク之レニ占居シ大農的ニ經營シ

ツツアリ豆滿江沿岸ハ殆ント全部韓人ノ勢力範圍ナリ獨リ穩城間島涼水泉子地方ハ清人ノ數遙ニ韓人ヨリ多シ左ニ最近調査ニ係ル韓清人戸口調査表ヲ示サン

東間島東部戸口調査一覽表

	韓人 戸數	韓人 人口 男	韓人 人口 女	韓人 人口 計	清人 戸數	清人 人口 男	清人 人口 女	清人 人口 計	合計 戸數	合計 人口 男	合計 人口 女	合計 人口 計	全數ニ對スル百分率 韓人	全數ニ對スル百分率 清人	全數ニ對スル百分率 合計人口
北崗	一、九九三	六、三一四	五、〇八五	一一、三九九	一、九〇六	九、二七八	五、九八八	一五、二六六	三、八九九	一五、五九二	一一、〇七三	二六、六六五	一〇・三	一三・八	二四・一
西崗	一、六五五	五、二一〇	三、八九四	九、一〇四	七七七	二、九九八	一、六九六	四、六九四	二、四三二	八、二〇八	五、五九〇	一三、七九八	八・二	四・三	一二・五
南崗	五、三一二	一五、二三四	一一、四八二	二六、七一六	六二九	三、〇八一	一、五一二	四、五九三	五、九四一	一八、三一五	一二、九九四	三一、三〇九	二四・二	四・二	二八・四
茂山間島	一、五〇四	四、〇九九	二、九〇五	七、〇〇四	三七	七七	三	八〇	一、五四一	四、一七六	二、九〇八	七、〇八四	六・三	〇・一	六・四
會寧間島	一、八九五	五、一八二	三、九三三	九、一一五	八	一四	三	一七	一、九〇三	五、一九六	三、九三六	九、一三二	八・三	〇・〇	八・三
鍾城間島	三、三四五	九、二四五	七、四二九	一六、六七四	二三	六四	一七	八一	三、三六八	九、三〇九	七、四四六	一六、七五五	一五・一	〇・一	一五・二
嘎呀河流域	三六八	一、八三二	一、〇五六	二、八八八	四二八	一、一七三	七四三	一、九一六	七九六	三、〇〇五	一、七九九	四、八〇四	二・六	一・七	四・三
穩城間島	二九	五五	四四	九九	九二	五一三	二一一	七二四	一二一	五六八	二五五	八二三	〇・一	〇・七	〇・八
計	一六、一〇一	四七、一七一	三五、八二八	八二、九九九	三、九〇〇	一七、一九八	一〇、一七三	二七、三七一	二〇、〇〇一	六四、三六九	四六、〇〇一	一一〇、三七〇	七五・一	二四・九	一〇〇・〇

一 農地分配

農地分配ニ就テハ清韓人居住ノ多少ニヨリテ異リ清人ニ就テ云ヘハ其大地主ハ四百餘晌即約三百

町歩ヲ有スル東盛湧ノ如キアリ蓋シ間島ニ於ケル最大ノ地主ナリ然レトモ百晌以上ヲ有スルモノハ十戸ニ出テサルカ如シ而シテ此等ノ大地主ハ自作スルモノ甚タ少ク多クハ商業又ハ燒酒製造業ヲ營メル大資産家ニシテ多ク韓人又ハ清人ニ小作セシム中流以上ノ生活ヲ營ム農家ハ二十晌乃至六七十晌ヲ有シ其一部ヲ小作セシムルモノ多ク十晌以下ヲ有スルモノヲ小地主トナス三崗平野ニ居住スル清人ニハ特ニ大地主多ク頭道溝平野ニ於テ調査セル處ニヨレハ次ノ如シ

		移住年月	所有耕地數	自作耕地數
平崗下里水北社青芝	墟張鐸	二五年前	三〇晌	一〇晌
	于昌運	二〇	六〇	二〇
	于萬海	三一	七〇	七〇
平崗下里水南社	王永方	二〇	二〇	七
	王久泰	一六	三〇	八
	荊壹	二〇	三〇	一五
	陳永海	一二	一三	一三
	周吉祿	二二	三〇	七
	吳長勝	一一	五〇	二
	李全福（歸化韓人）	三六	二〇	〇

呂福吉	一八	三〇	二〇
謝營吉	一二	四〇	三〇
曲　公	一六	七〇	四〇

以テ清人農業者ノ一般ヲ知ルニ足ラン

布爾哈通上流地方ニ於テ調査セル處ニヨレハ

調査戸數	一二三戸
內地主數	七八
總耕地數	七七七、五〇晌
地主一戸平均所有耕地數	九、九七
最大地主	五〇、〇〇
最小地主	〇、五〇
二十晌以上ノ地數	一〇戸
十一晌乃至十九晌	一七
六晌乃至十晌	二二
五晌以下	二九

備考　同地方ハ殆ント清人ノ居住地ニシテ韓人ハ總戸數二百九十四中十戸ニ過キス

即チ該地方ニ於ケル淸人ノ所有耕地數ハ約十晌ニ過キサレトモ三岔地方ニ至レハ淸人ノ大地主多キヲ以テ要スルニ間島ニ於ケル淸人地主ノ一戸平均所有耕地ハ約十五晌(我約十一町歩)ニシテ一戸平均耕作反別ハ約十晌(我約七町二段四畝歩)内外ナルカ如シ

韓人ノ地主ニ至リテハ其所有耕地ハ淸人ニ比シテ甚タ少ク最大地主ハ三十日耕我約十三町六反五畝歩以上ヲ有スルモノアレトモ普通十五日耕以上ヲ有スルモノハ大地主ニシテ中地主ハ七八耕ヲ有シ平均五日耕(我一町八反五畝歩)内外ナルモノノ如シ而シテ小作農ハ韓人全戸數ノ四割ニ達スヘシ

今淸人中八割ヲ地主トシ其平均所有耕地ヲ十一町五反トシ韓人六割ヲ地主其平均所有耕地ヲ一町八反五畝歩トスレハ間島ニ於ケル淸韓人ノ土地所有ノ區別ハ次ノ如シ

	地主數	所有反別
淸人	三、一二〇人	三四、三二〇町
韓人	九、六六〇	一七、八七〇
計	一二、七八〇	五二、一九〇

之ニ依レハ嚮キニ概算セル總耕地數ヨリ少キコト約二十町歩ナリ蓋シ此差ヲ見ルハ官有地又ハ淸國官吏ニシテ往々土地ヲ所有スルモノアルニ歸スルナランカ

近來我カ派出所ノ保護ノ下ニ移住韓人ハ益々增加シ共同出資シテ土地ヲ購フモノ多ク四十一年及

四十二年中銅佛寺頭道溝五道溝及ヒ一兩溝方面ニ於テ其著シキ例ヲ見漸次韓人ノ所有地ヲ增加スル傾向アルニ至レリ然レトモ從前ノ如ク淸國官憲ハ淸人ニ命シテ土地ヲ韓人ニ賣ルヲ禁スルヲ以テ共同者ノ一名ヲ代表者トシ薙髮易服シテ淸國ニ歸化シタル形式トナシ官衙ヨリ熱照地劵ヲ得ルカ如キ頗ル巧妙ナル術策ヲ弄セル奇觀アリ

淸韓人ノ土地分配ヲ區別スレハ左ノ如シ

	淸人		韓人	
	所有耕地數	全戶口ニ對スル百分率	所有耕地數	全戶數ニ對スル百分率
大地主	三〇晌以上	五	一〇日耕以上	三
中地主	一五—三〇	二五	五—一〇	一二
小地主	一五以下	五〇	五以下	四五
小作農	—	二〇	—	四〇

韓淸人ヲ合シタル一戶平均ノ耕作反別ハ次表ノ如シ

東間島東部現耕地及一戶平均耕作反別一覽表

	耕地反別			戶數			一戶平均耕作反別
	平地	丘陵地	計	韓人	淸人	計	
北崗	一二、九二九・〇	三、六〇〇・〇	一六、五二九・〇	一、九三三	一、九〇六	三、八九九	町反 四・二

西崗	七、五一九・八	一、三五〇・〇	八、八六九・八	一、六五五	七七七	二、四三二	三・六
南崗	六、八八二・四	四、五〇〇・〇	一一、三八二・四	五、三一二	六二九	五、九四一	一・九
茂山間島	一、一七〇・〇	二、〇〇〇・〇	三、一七〇・〇	一、五〇四	三七	一、五四一	二・一
會寧間島	一、四三一・〇	二、四〇〇・〇	三、八三一・〇	一、八九五	八	一、九〇三	二・〇
鍾城間島	一、八三〇・八	四、〇〇〇・〇	五、八三〇・八	三、三四五	二三	三、三六八	一・七
嘎呀河流域	三、五二八・七	五〇・〇	三、五七八・七	三六八	四二八	七九六	四・五
穩城間島	七八〇・三	一五〇・〇	九三〇・三	二九	九二	一二一	戸口調査少キニ失セル故ニ平均セス
計	三六、〇七二・〇	一八、〇五〇・〇	五四、一二二・〇	一六、一〇一	三、九〇〇	二〇、〇〇一	二・七〇

即チ清人ノ多數ニ居住スル北崗西崗及嘎呀河地方ハ他ノ韓人多キ地方ニ比シテ著シク耕作反別多キヲ見ル韓人ノ耕作反別ハ比較的少ク之ヲ最近ノ咸鏡北道土地調査ニ於ケル一戸平均約六町歩ニ比スレハ甚タ少ナリト云ハサルヘカラス是レ農地トシテ價値ニ兩者著シク相違アル所以ナリ

韓人自作小作ノ割合ハ大約次ノ如シ

一、自作農　三五%
二、自作兼小作農　二五
三、小作農　四〇

二、農地ノ區劃

水田ノ區劃ハ甚タ不規則狹少ニシテ平均二畝歩內外ニ過キサレトモ畑地ハ之ニ反シ頗ル大ニ長方形ヲナシ幅三十間長サ三百間ヲ有スルモノ少カラス普通一晌地又ハ一日耕每ニ小ナル畦畔ヲ以テ區劃セリ

三、農地ノ賣買價格

三崗ノ平野ハ一晌地ノ賣買價格ハ上地二百吊乃至三百吊、中地百五十吊、下地百吊內外ナリ未墾地ハ一晌地ニ付七八吊乃至二三十吊ヲ普通トスレトモ平地ニシテ開墾シ易ク且ツ地味肥沃ナル土地ハ往々既墾地ト同價格ヲ以テ賣買セラル茂山間島會寧間島及鍾城間島地方ハ土地ノ價格概シテ廉ナリ

間島各地ニ於ケル土地賣買ノ價格ヲ示セハ概ネ次表ノ如シ

地名		韓一日耕賣買價格	清一晌地賣買價格	日本一反步換算價格	備考
茂山間島	釜洞	兩 一〇〇	—	円 四・一七〇	
同	下廣浦	六〇	—	二・五〇〇	
同	上廣浦	六〇—一八〇	—	二・五〇〇—七・五〇〇	
會寧間島	下飯山洞	上 二五〇 中 一〇〇 下 三〇	—	一〇、五〇〇 四、一七〇 一、二五〇	

同	南尙洞	上 二〇〇—三〇〇 中 六〇—一〇〇 下 二〇—三〇	—	八・三五〇—一三・五〇〇 二・五〇〇—四・一七〇 〇・八三五—一・二五〇	
同	承珠洞	上 二〇〇 中 一〇〇 下 八〇	—	八・三五〇 四・一七〇 三・三四〇	
鍾城間島	馬派	一〇〇	—	四・一七〇	七年前五日耕及家屋ヲ七百兩ニテ購ヒタリト云フ内家屋ヲ二百兩トス
同	白龍洞	五〇	—	二・一〇〇	十日耕及家屋ヲ六百兩ニテ購フ内家屋代ヲ百兩トス
同	下泉坪	二二〇 一八〇	—	九・一八五 三・三四〇	
同	三屯子村及湖川浦	三〇〇 一〇〇 五〇	—	一二・五〇〇 四・一七〇 二・一〇〇	
北崗	官廳尾	六〇	—	二・五〇〇	
同	朝陽河八道溝	二八〇	—	一一・六七〇	
同	大延吉河地方	—	二〇〇—三〇〇 吊	円 六・二四四—九・三六六 円	
同	葦子溝	—	一五〇—二〇〇	四・六八三—六・二四四	
同	壹兩溝	—	五〇—一五〇	一・五六一—四・六八三	
同	小延吉河	—	一〇〇	三・一二二	
同	朝陽河地方	—	七〇—二〇〇	二・二三〇—六・二四四	
同	布爾哈通上流土門子	—	五〇—一五〇	一・五六一—四・六八三	
西崗	西吉城子附近	—	一七〇—二六〇	五・四一六—八・二八三	

地名		韓一日耕賣買價格	清一晌地賣買價格	日本一反歩換算價格	備考
西崗	盧來城	兩 —	二〇〇—二五〇	円 六・二四四—七・八〇五	
南崗	東梁口村	二〇〇	—	八・三五〇	
同	青林洞	五五	—	二・三一〇	
同	中七道溝	二〇〇	—	八・三五〇	
同	大楡田洞	上 二〇〇 下 一〇〇	—	八・三五〇 四・一七〇	
同	東梁李村	五〇—六〇	—	二・一〇〇—二・五〇〇	
同	東梁大村	上 一〇〇 中 八〇 下 五〇	—	四・一七〇 三・三四〇 二・一〇〇	
同	新草坪	五〇—一〇〇	—	二・一〇〇—四・一七〇	
同	東盛湧地方	—	上 二五〇—三〇〇 中 一五〇—二〇〇 下 一〇〇以下 吊	七・八〇五—九・三六六 四・六八三—六・二四四 三・一二二以下	

備考　韓一日耕ヲ我四反歩清一晌地ヲ我七反三畝歩韓貨六兩ヲ我一圓清貨四吊三百文ヲ我一圓ニ換算セリ

明治三十八年ノ調査ニ係ル咸鏡北道ノ畑地一反歩ノ賣買價格ヲ左ニ掲ケテ參考ニ供ス

道名	地名	上地	中地	下地

咸鏡南道	安邊邑附近	二六・六五〇円	一二・九四〇円	六・四七〇円
咸鏡南道	咸興附近	一六・三五〇	一〇・九〇〇	五・四五〇
同	端川附近	一五・二四〇	九・一〇〇	三・〇五〇
	平均	一八・〇八〇	一一・〇〇〇	四・九九九
咸鏡北道	吉川附近	一四・四五〇	八・六七〇	五・七八〇
同	鏡城附近	一二・二四〇	四・九〇〇	二・四五〇
同	會寧附近	一一・二四〇	五・六三〇	二・八一〇
	平均	一二・六五〇	六・四〇〇	三・六八〇
	二道平均	一五・三六〇	八・六九〇	四・三三〇

之ニ依リテ是レヲ見レハ間島内ノ土地賣買價格ハ韓國中地價最モ廉ニシテ磽确咸鏡道ニ比シテ尙著シク低廉ナリ

第二項　農業資本及金融

農業ノ資本ハ主トシテ土地資本及家畜資本ニシテ建物資本及農具資本之ニ次キ流通資本ハ甚タ少キカ如シ殊ニ韓人ノ如キ土地所有者比較的少キ小農ニ在リテハ牛畜ハ土地ニ次テ最モ貴重ナル農業資本ト云フヘク家屋ノ如キハ概ネ粗造ナル茅屋ニシテ家族知已相集リ自ラ木ヲ伐リ來リ且ツ自

ラ建築ニ從事スルヲ以テ其價格ハ比較的廉ナリ農具モ亦極メテ簡單ニシテ之ヲ購求スルニ多クノ資金ヲ要セス獨リ家畜ハ極メテ重要ナル資本ニシテ耕作運搬調製一ニ牛畜ニヨリ毎戸大抵一頭ヲ有シ有セサルモノハ他ヨリ之ヲ借入レサルヘカラス是レヲ以テ彼等ハ資金ヲ得レハ先ツ第一ニ牛ヲ求ム其價額ハ一頭二十五圓乃至五十圓ノ間ニ在リ普通市價三十圓トス

流通資本ハ極メテ少ナシ蓋シ交通不便ニシテ大抵自家經濟ニヨリテ辨シ又物々交換尙行ハルルニ基ク是レヲ以テ從來通貨極メテ少ク金利ノ如キハ月利ニシテ其率ハ月三分ヲ普通トス而シテ資金ヲ要スルハ冠婚葬祭等ニ際シ思慮ナキ韓人カ不生產的ニ消費スルモノニシテ農業上ノ資金トシテ用フル場合甚タ少キカ如シ貸借ノ期限ハ一般ニ短期ニシテ返濟期ハ秋收後ヲ普通トス韓人ハ收穫セル穀物ヲ直チニ市場ニ放賣シテ資金ヲ得ントスルヲ以テ農產物ノ價格ハ秋收後越年前ニ於テ甚タ廉ナリ之レ以テ毎年春季ヨリ秋收前ハ農產物ノ價格一般ニ著シク騰貴スルヲ見ル

嘗テ韓人ノ一戸平均ノ資產ニ就テ調査セルニ次ノ如キ結果ヲ見タリ

一、土地（耕地及宅地ヲ合シテ一戸平均所有ヲ一町一反トシ一反歩ノ價格ヲ四圓五拾錢トス）　價格　四拾九圓五拾錢

二、家屋　同　五拾圓

三、家畜　同　四拾貳圓五拾錢

內譯

牛　十戸八頭ノ割合　單價參拾圓　一戸ニ付　貳拾四圓

馬　十戸一頭ノ割合　同　貳拾五圓　一戸ニ付　貳圓五拾錢
驢　二十戸一頭ノ割合　同　拾五圓　一戸ニ付　七拾五錢
豚　一戸三頭ノ割合　同　四圓五拾錢　一戸ニ付　拾參圓五拾錢
鷄　一戸五羽ノ割合　同　拾五錢　一戸ニ付　七拾五錢
犬　一戸一匹ノ割合　同　壹圓　一戸ニ付　壹圓

四、家具及農具　價格八拾圓五拾錢

內譯

牛車　二戸一輛ノ割合　單價七圓　一戸ニ付　參圓五拾錢
家具　一戸ニ付　拾五圓
被服　一戸五人ノ割合　一戸ニ付　五拾圓
各種農具　同　八圓
臼　一戸一個　單價參圓　同　參圓
碾子　五十戸一臺ノ割合　同　貳拾五圓　一戸ニ付　五拾錢
馬具　十戸ニ馬具一個トス價格ハ乘鞍八圓荷鞍二圓ヲ平均シテ一個五圓トシテ計算ス　一個ニ付　五拾錢

五、流通資本　拾圓

通貨及穀物等

合計　金貳百參拾貳圓五拾錢

右ハ極メテ粗茉ナル調査ナレトモ亦以テ韓人ノ資産ノ一般ヲ見ルニ足ラン

清人ノ農業資本ノ大部分モ家畜ニアリ牛馬豚何レモ農家ニ缺クヘカラサル資本ニシテ農業資本ノ殆ント二分ノ一ヲ占ムルモノノ如シ清人ノ一戸平均ノ家畜資本ヲ概算スルニ次ノ如シ

	一戸平均數	單價	價額
牛	四・〇	三〇・〇〇〇	一二〇、〇〇〇
馬	五・〇	四〇・〇〇〇	二〇〇、〇〇〇
騾	二・〇	五〇・〇〇〇	一〇〇、〇〇〇
驢	〇・一	一五・〇〇〇	一、五〇〇
豚	一五・〇	四・五〇〇	六七、五〇〇
鷄	一〇・〇	〇・一五〇	一、五〇〇
鵞	三・〇	〇・四〇〇	一、二〇〇
犬	三・〇	一・〇〇〇	三、〇〇〇
計	｜	｜	四九四、七〇〇

即チ約五百圓ニ近ク又以テ家畜カ清人農業ノ大資本タルヲ知ルヘク且ツ韓人ニ比シテ如何ニ規模

大ナルカヲ想見スルニ足ラン建物資本モ農業ノ規模大ニ生活ノ程度亦高キヲ以テ韓人ノ比ニアラス宅地周圍ニハ土壁ヲ繞ラシ門ヲ設ケ居室ノ外ニ納舍農產製造室畜舍ヲ別ニ構フ(第八章農民生活ノ狀態參照)農具モ韓人ニ比シテ精巧ニシテ整頓セリ流通資本ハ一般ニ少ケレトモ韓人ニ比シテ富裕ナルヲ以テ自ラ逕庭アリ資本額及其分配等ニ就テハ未タ充分ナル調査ヲ遂ケサリシヲ以テ茲ニ省略ス

金融機關及通貨等ニ就テハ商業調査ニ詳述セリ

第三項　勞金及勞力行程

一般ニ播種期除草期及收穫期等ノ農繁期ニハ勞力ノ不足ヲ感スルモノノ如ク淸人ハ遠ク山東省ヨリ來ル苦力ヲ使役シ韓人モ亦北韓ノ出稼農夫ヲ雇傭セリ而シテ普通作物ノ調製ハ降雪少キカ故ニ專ラ冬季間ニ行ハレ自家ノ勞力ニテ充分ナリ

雇傭ノ方法ハ日傭及常傭ノ二法アリ

淸人ハ一般ニ春下種期ヨリ秋ノ收穫期ヲ一期トシ山東ノ勞働者ヲ雇フヲ常トシ日雇月雇ノ場合ハ少シ其勞銀ハ食料ヲ給シテ成人二百吊小孩ハ(十三四歲位ノモノ)八十吊ナリ日雇月雇年雇賃金ハ左ノ如シ

成人　(食料ヲ給ス)

一日ノ賃銀　一吊文

一ヶ月同　二〇―二五吊文
一ヶ年同　二〇〇吊文
三ヶ年同　六〇〇吊文

小孩　同
一日ノ賃銀　五〇〇文
一ヶ月同　一〇吊文
一ヶ年同　八〇吊文
三ヶ年同　二四〇吊文

但シ年傭ノ場合ト雖モ衣服ヲ給スルコトナシ

右ハ明治四十年十二月龍井村附近ノ調査ニヨル

韓人ハ多ク繁忙ノ場合ニ一日雇ヲナス場合最モ多シ年雇之ニ次キ月雇ハ殆ントナシ日雇ハ食料ヲ給シテ成人百五十文(我二十五錢)乃至百八十文(我三十錢)ナリ十五歲以下ノ男子ハ其半額トス年雇ハ食料ヲ給シテ成人三十圓乃至四十圓ナリ而シテ日雇ハ食費トシテ一ヶ月粟韓六斗(我約二斗六升)ノ割合ニテ給シ外ニ前記ノ勞銀百五十文乃至百八十文ヲ拂フヲ一般ノ習慣トスルモノノ如シ

耕作ニハ一ニ牛馬ノ力ヲ藉リ其勞力行程ハ土質及平地丘陵地ニ依リ自ラ難易アリ

牛ハ二頭立普通ニシテ一人ニテ御シ韓一日耕ヲ耕作スルニ平地ハ一日乃至二日ヲ要シ丘陵地ハ二

日乃至三日ヲ要ス

開墾ニハ平地牛二頭御者一人ニテ三日乃至四日ヲ要シ丘陵地ハ五日乃至六日ヲ要ス

清人ハ主トシテ牛耕又ハ馬耕ヲナシ通例二頭乃至四頭ヲ用フ

各地ニ於ケル耕耘及開墾ニ要スル勞力ノ行程ハ左ノ如シ

地名		牛馬及人馬數人夫數	開墾ニ要スル日數	耕耘ニ要スル日數	(附)人夫賃(食料付)
西崗	三道溝青山里	馬四 人一	一晌(平地)四	—	
	黃直	牛二 人一	一日耕(丘陵地)八	一日耕(丘陵地)三	二兩
	黃坪	牛一 人一	同(丘陵地)一〇	(同)三	二兩
	四道溝中村	牛二 人一	同(平地)三	(平)一	
南崗	青林洞	牛一 人三	—	(平)一	
	老房子	牛二 人二	同(平)四—五	(平)一	
	大楡田洞	牛二 人一	同(平)三(丘)五	(平)一(丘)二	
	繡紋浦	牛二 人一	同(平)四(丘)四—五	(平)一—二(丘)三	三〇—五〇錢
	東良大村	牛二 人一	四—五	(丘陵地)二—三	二—三兩
	新草坪	—	—	—	二兩五錢
茂山間島	龍淵	牛二 人三	—	(平地)二	—

第四項　農業組織一般

當地帶ハ土地廣ク人煙稀疎加フルニ農産物販路狹少ナルヲ以テ農法自ラ粗放ナレトモ概ネ自家經濟ニ依ルヲ以テ農業ノ組織ハ耕種飼畜及副業ノ三部門略備リ特ニ清人ニ於テ其然ルヲ見ル耕種ハ農業ノ重要ナル部分ナルト同時ニ飼畜ハ農業經營上缺クヘカラサルモノナリ彼等ノ飼畜ハ放畜舍畜相伴ス即チ春ヨリ秋ノ間ハ多クハ草原河畔又ハ山野ニ放牧シ夜間及冬期ノミ舍飼シ飼料ハ主トシテ穀稈又ハ農産製造物ノ殘滓ヲ利用シ特別濃厚ナル飼料ヲ給スルコト少ク頗ル無造作ナリ（第五章第三節畜産ノ部參照）而シテ飼畜ハ用畜役畜共ニ飼養シ又能ク之レヲ利用セリ唯其糞尿ノ効用ヲ解スルコト少キノ嫌アルノミ彼等ヨリ家畜ヲ除キ去ラハ殆ント農業ナシト云モ可ナリ之レ本邦ノ如ク耕種組織ヲ主トスル集約ナル農業ト著シク逕庭アル所以ナリ

副業トシテ農産製造業ハ清人ニ於テハ大規模ニ經營セルモノ少カラス韓人ハ副業トシテ「アンペラ」ヲ編ミ又麻布ヲ織ルモノ多シ

作物栽培ノ歩合ハ後章ニ記スルカ如ク穀作主位ヲ占メ蔬菜及特用作物ハ需用ノ關係上甚タ少シ

一、連作ト輪作、　農法粗放ニシテ肥培法不充分ナルヲ以テ連作ハ一般ニ行ハレス粟作ノ後ニハ麥作又ハ大豆作ヲ行フヲ常トス但シ煙草藍及蔬菜中蓏顆類ヲ除クノ外ハ一般ニ連作行ハル蓋シ栽培法集約ニシテ肥培ニ注意スルニヨル輪作ノ順序ハ不定ナレトモ三四年乃至六七年ニ渉ルモノアリ左ニ二三ノ例ヲ擧クレハ

一、第一年　粟　第二年　黍　第三年　大豆
二、第一年　粟　第二年　大豆又ハ大小麥
三、第一年　大豆　第二年　粟　第三年　高粱　第四年玉蜀黍　第五年　黍
四、第一年　粟　第二年　高粱又ハ玉蜀黍
五、第一年　大小麥　第二年　高粱　第三年　靑麻又ハ小豆
又蔬菜ト普通作物トノ輪作法ノ一二ノ例ヲ擧クレハ
一、第一年　白菜　第二年　大豆　第三年　黍　第四年　豌豆及菜豆
二、第一年　大豆　第二年　蓏類類　第三年　粟　第四年　玉蜀黍　第五年　蕎麥
二、間作及混作、　玉蜀黍畑中ニ蔓性ノ菜豆ヲ混作スルコト一般ニ行ハルヽ又ハ稀ニ玉蜀黍畑中ニ大豆ヲ混作スルコトアリ間作ハ行ハレサルカ如シ
三、燒畑及切替畑　茂山間島會寧間島ノ如キ平地ニ乏シク山腹ヲ耕作スル地方ニアリテハ往々燒替畑行ハル多クハ耕作三四年ニシテ放擲シ數年ノ間雜草矮樹ノ繁茂ニ任セ後再ヒ開柘ス
四、休閑地　肥培法粗ニシテ多クハ無肥料ナルヲ以テ數年耕作ノ後二三年間休閑セシムルコトアリ
五、二毛作　氣候ノ關係上麥作ノ如キハ春蒔ニシテ冬作行ハレス但大小麥又ハ罌粟ノ跡作トシテ白菜蕪菁菜菔又ハ蕎麥等ノ秋作ヲナスコトアリ

第二節　各　論（附圖第二圖參照）

第一項　北崗（布爾哈通河流域）

北崗ハ最モ廣クシテ間島東部ノ全面積ノ約四分ノ一ヲ占メ平地亦最モ多ク上流甕聲子、大廟溝倒木溝方面ニハ七方里以上ノ平地面積ヲ有シ其支流ニハ朝陽河ノ如キ三方里半ノ平地ヲ有スルアリ又細林河、延吉河ノ如キ狹長ナル平地アリ地形上壹兩溝流域及葦子溝ヲ加フレハ平地總面積二十二方里六七即チ三萬五千二百五十六町ニ達ス戸口ハ左ノ如シ

	戸數	人口			合計人口ニ對スル百分率
		男	女	計	
韓人	一、九九三	六、三一四	五、〇八五	一一、三九九	四三
清人	一、九〇六	九、二七八	五、九八八	一五、二六六	五七
合計	三、八九九	一五、五九二	一一、〇七三	二六、六六五	一〇〇

即チ總人口ニ對シ清人五割七分ヲ占メ三崗平野中清人ノ最モ多數居住スル地方ニシテ局子街、銅佛寺、甕聲摺子等ノ都邑此流域ニアリ

河床砂礫地濕地道路及宅地等ノ潰地面積ヲ除キタル平地ニ於ケル可耕地總面積ハ約二萬四千六百七十八町歩ニシテ內現耕地一萬二千九百三十町歩ヲ算セラル本流域ノ兩側ニハ緩傾斜ノ邱陵地アリ其大部分ハ開墾ニ適シ各支流地方ヲ合シテ邱陵地ニ於ケル可耕地總面積ハ約六萬町歩ニ達シ現

在ニ於テハ僅カニ局子街ノ南北兩側朝陽河延吉河地方ニ現耕地約三千六百町歩ノ概算ヲ有スルニ過キス現耕地ノ總反別ハ約一萬六千五百三十町歩ニシテ一戸平均耕作反別ハ四町二反ノ割合ナリ

一、布爾哈通河本流域

東西ニ狹長ナル平野ニシテ延長約十里ニ達シ南北廣キ處三十二町平均二十五六町面積約七方里半約一萬一千七百六十町歩布爾哈通河其北ニ逼リテ流ル可耕地面積約八千八百二十町歩現耕地其八割ヲ占メ開拓普及セリ未耕地ノ大ナルモノハ局子街南營前ニアルモノニシテ二三百町歩ノ面積ヲ有ス其地低濕ニシテ粘土質ニ富メトモ將來排水法設備宜シキヲ得ハ良好ナル耕地タルニ至ラン土性ハ花崗岩片麻岩ノ崩壞セル沖積層ニ屬スル砂質壤土或ハ植質壤土ニシテ又礫ヲ混スル處少カラス表土ノ深サ四十糎乃至六十糎ヲ普通トス

老頭溝ヨリ天寶山ニ至ル間ノ谿谷平地ハ其入口ニ於テ稍廣ク地味亦良好近年漸次開墾セラレツツアリ次第ニ天寶山ニ近クニ從ヒ幅狹ク草原ノ砂礫地ナリ天寶山附近ハ土性腐植質ニ富メトモ礫多ク農地トシテ價値極メテ少シ

局子街ハ本流域ノ東部ニ偏シ布爾哈通河ノ左岸ニ在リ光緒十年(明治十七年)ノ開設ニカカリ戸數三百六十七人口千五百人悉ク清人ニシテ清國延吉廳ノ所在地ナリ近年我統監府派出所ニ對抗シテ設置セラレタル邊務公署及兵營ハ布爾哈通河ノ對岸南營ニアリ從來間島ニ於ケル唯一ノ大都邑ナリ此附近殊ニ其東部ニハ蔬菜盛ニ栽培セラルル商賈ノ土地ヲ所有スルモノハ比較的少ク且ツ小地主ニ

シテ五六晌乃至十晌ヲ有スルニ過キス只吉順和ノ三十晌ヲ有スルヲ最大トスト云フ豆油製造業六戸製粉業十七戸粉條子（豆麪）製造業者及染物業者各一戸アリ

銅佛寺ハ二十年前天寶山ノ採鑛開始ノ當時物資供給地トシテ設ケラレタルモノナリト云ヒ清人ノ戸數百十八人口千〇三十九局子街ニ次ケル都邑ナリ市內豆油製造業者三製粉業者八戸製紙業者一戸アリ

作物ハ粟、大豆、小麥、高粱、玉蜀黍、黍最モ多ク蕎麥ノ栽培モ亦他地方ニ比シテ多シ水稻ハ東官道溝及銅佛寺ノ中間道路ノ南方細林河口ニアリ栽培面積七八町歩ニ過キス晩近ノ栽培ニカカリ用水ハ細林河ヲ利用シ水量豐ニ發育稍佳良ナリ將來灌漑法宜シキヲ得ハ栽培反別ヲ增加シ良好ナル水田ヲ見ルニ至ラン陸稻ハ銅佛寺附近及天寶山口子ニ各二三反歩栽培ヲ見タリ未タ充分ナル成績ヲ得サルモノノ如シ四五年前吉林地方ヨリ種子ヲ輸入セリト云フ特用作物ニテハ煙草、大麻、青麻、莔麻及藍等ヲ栽培ス

二、細林河流域

狹長屈曲セル平野ニシテ東官道溝附近ニ於テ布爾哈通河ニ合ス平地面積〇、七五方里、可耕地約千町歩ニシテ現耕地ハ其五割五分ニ過キス有望ナル未耕地ニ富メリ邱陵地ニ於ケル耕地亦甚タ少ク將來開拓ノ餘地多シ上流地方ハ清人多ク韓人ハ中流以下ニ居住スレトモ其數淸人ニ比シテ少シ淸人地主ノ大ナルモノハ三十晌乃至六十晌ヲ有ス小作料ハ一石六斗乃至二石ニシテ粟大豆高粱ヲ合納

スル場合アルコト他地方ニ同シ

三、朝陽河流域

朝陽河ノ上流ハ三頭嵗ニ於テ稍廣キ平地ヲ有スルノミ四道溝五道溝六道溝七道溝皆狹隘ナル谿谷ニシテ八道溝ニ至リ漸ク廣ク下流ニ近ツクニ從ヒテ漏斗狀ヲナシ次第ニ廣濶トナリ布爾哈通河トノ合流地點ニ近ツケハ約三千米ノ幅員ヲ有ス

(一)朝陽河下流地方

七道溝以南ノ下流地方ニ於ケル平地面積ハ二方里半三千八百八十八町歩ニシテ朝陽河其中央ヲ流レ河床ハ廣キ砂礫地多ク八道溝附近ニ至レハ兩岸ニ濕地多シ

平地ニ於ケル可耕地面積ハ約三千百町歩ニシテ現耕地ハ其六割ニ過キサルヘク八道溝以下ノ兩側丘陵地ハ殆ント全部耕作ニ適スレトモ現今ハ開墾甚タ少ク僅カニ三四百町歩ニ過キス即チ現耕地ノ概算ハ約二千百町歩乃至二千二百町歩ト見做シテ大差ナカラン

土壤ハ植質壤土又ハ砂質壤土ニシテ中流以下ハ地味頗ル肥沃ナレトモ中部以上ハ礫ヲ混シ且ツ濕地アリテ地味比較的劣レリ韓人ハ中部以下ニ少ク上部ニ至ルニ從ヒ次第ニ多ク八道溝ハ韓人ノ大部落ナリ清人ハ之ニ反シ中部以下ニ多ク居住シ上部ニ至ルニ從ヒ比較的少シ

清人ノ土地所有者ノ最大ナルハ朝陽河東葉某ニシテ耕地百晌ヲ有ス次ハ歸化韓人温殿福ニシテ四十五晌ヲ有ス溫ノ來歷ヲ聞クニ彼ハ元鍾城人ニシテ韓姓ヲ朱ト云ヒ其幼時(四十一年前)母ニ携ヘラ

レテ間島ニ移住シ來リ清人溫吉昌ノ養嗣子トナリ名ヲ殿福ト改メ嚴然タル居住ヲ構ヘ當地方ニ雄視ス一家十八人悉ク韓人ノ血族ナレトモ風俗服裝全ク清人ニ準シ清人苦力ヲ使役セリ右ノ外ハ大地主ト雖トモ二三十晌ヲ有スルニ過キス清人地主平均ノ所有耕地ハ十四五晌ナルカ如シ自作耕地ハ大ナルモノハ二十晌小ナルモノハ二三晌平均十晌以內ナリ小作農ハ比較的少ク全數ノ二割以下ニ過キス

韓人ハ大部分ハ小作人ニシテ殊ニ中部以下ノ居住者ハ殆ント全ク小作農ナルカ如シ八道溝ニ至レハ土地所有者多ク其全戶數ノ七割ハ地主ニシテ其大ナルモノハ十晌乃至十四五晌ヲ有スト云フ當流域一般韓人ノ地主ハ韓人總戶數ノ三割以下ニ過キサルヘク其耕作反別ハ小ナルハ一二晌大ナルハ十晌平均四五晌ニ過キス

作物栽培ノ步合ニ付一例ヲ擧クレハ河東ノ溫殿福カ二十晌ヲ自作スル割合ハ左ノ如シ

作物	晌	%
粟	五晌	二五、〇%
高粱	五	二五、〇
大豆	二	一〇、〇
大麥	二	一〇、〇
小麥	二	一〇、〇
玉蜀黍	一	五、〇

黍	〇、五	二、五
稗	〇、五	二、五
小豆	〇、五	二、五
罌粟	〇、二	一、〇
大麻	〇、二	一、〇
靑麻	〇、〇一	〇、〇五
蔬菜	一、〇	五、〇
其他	〇、〇九	〇、四五
計	二〇、〇	一〇〇、〇

然レトモ之ヲ以テ一般ノ栽培率トナス能ハス但シ特ニ注意スヘキハ玉蜀黍ハ此地方ニ於テ比較的栽培少ク或ハ不適ト稱シテ全ク栽培セサルモノアリ八道溝ニテハ陸稻ノ栽培ヲ見タレトモ結實充分ナラサルカ如シ蔬菜ハ中部以下ニ多ク栽培セラレ西瓜、甜瓜、白菜等ノ優良ナルモノヲ産ス

罌粟ハ中流以下ニ於テ清人多ク栽培シテ阿片ヲ採收シ(明治四十二年以降其栽培ヲ禁止セラル)煙草ハ八道溝附近ノ韓人多ク栽培シ良好ナルモノヲ産ス大麻及靑麻ハ自家用トシテ栽培セラル

一晌地ノ收量ハ河東ニ於テ聞ク處ニヨレハ左ノ如シ

	清一晌地收量	日本一反歩換算
粟	約　八—一〇 清石	約　一、六〇—二、〇〇 日石
高粱	同　六—七	同　一、二〇—一、四〇
大豆	同　四	同　〇、八〇
小豆	同　三—四	同　〇、六〇—〇、八〇
大麥	同　五	同　一、〇〇
小麥	同　二・五	同　〇、五〇
黍	同　七—八	同　一、四〇—一、六〇
玉蜀黍	同　六—七	同　一、二〇—一、四〇

耕地ノ價格ハ各地聞ク處ヲ異ニスレトモ大抵一晌地七八十吊乃至二百吊ノ間ニアリ

小作料ハ一晌地ニ對シ粟、大豆及高粱ヲ合シテ一石八斗ノ場合多シ但シ韓人ハ收獲物ノ四割乃至五割ヲ納ムル慣習アルコト他ニ同シ

(二)朝陽河上流三頭崴地方

八道溝ヨリ狹キ溪谷ヲ上流ニ溯ルコト約六里ニシテ地形漸ク廣濶東西北ノ三方ヨリ來ル三支流ノ合流點ニ達ス此地方ヲ三頭崴ト稱ス左ハ北廟溝ト云ヒ廟嶺ヲ過キ小廟溝ヲ經テ五里半ニシテ甕聲

摺子ニ通スヘク右ハ靑溝ト稱シ分岐路ヨリ上流ニ溯ルコト三里半溪谷ノ上部ニ淸國屯田兵營アリ之ヨリ南折シ牡丹嶺ヲ越エテ牡丹川、汪靑、蛤、蟆塘及百草溝ニ通ス里程ハ分岐路ヨリ約十一里强ニシテ百草溝平野ニ達ス道路良好ナラサレトモ馬車ヲ通シ嘎呀上流地方ヨリ甕聲摺子ヲ經テ敦化方面ニ出ツル間道ナリ（中央支流ハ踏査セサリシヲ以テ省略ス）平地面積約一方里可耕地面積概算千三百四十町人煙稀疎現耕地甚タ少シ

當地方ハ從來韓人ノ移住ヲ許ササリシヲ以テ居住者甚タ少ク北廟溝ニ二戶分岐路附近ニ十戶合計十二戶七十二口ニ過キス兩三年以來ノ移住者ニシテ茂山人最モ多ク會寧人及鏡城人之ニ次ク彼等ハ淸人ヨリ未耕地ヲ借リ五箇年間小作料免除ノ契約ニテ二晌乃至四晌ヲ開墾シツツアリ淸人モ亦少ク總戶數十三、人口五十九ニシテ三十年來ノ居住者アレトモ多クハ十二三年來ノ移住者ナリト云フ作物ハ粟、小麥、大豆、玉蜀黍及蕎麥最モ多ク地味膏腴小麥ノ如キハ頗ル優良ナルモノヲ見タリ

淸國屯田兵ハ管帶官柏ノ下ニ定員二百五十二名（實數ハ百六七十名ニ過キスト云フ）駐屯シ牛百餘頭ヲ飼養シ附近ノ開拓ニ從事シ五六十晌ニ及ヘリト云フ

一晌地ノ賣買價格ハ五十吊乃至七八十吊ニ過キス

當地方ハ森林ニ富ミ北廟溝地方ノ如キハ朝陽河ヲ利用シ流木シテ局子街方面ノ需要ヲ充タス兵營附近ノ北側亦森林ニシテ樹種ハ朝鮮松及樅最モ多ク二百年來ノ老樹ナリ其他楢、楡、白楊等ノ雜樹多シ此附近熊猿等ノ野獸多ク獵ヲ業トスル辮髮韓人一戶アリ彼ハ平安北道ノ產ニシテ寧古塔方面ヨ

リ四年前移住シ來リ兵營ノ背面山腹ニ居住ス當地方ニハ又木耳及黃耆ヲ產シ吉林地方ニ輸出ス其價格次ノ如シ

	當地賣價	吉林市價
木耳	一斤 一吊文	一斤 一吊二百文
黃耆	百斤 三十吊乃至四十吊	百斤 五十吊乃至六十吊

四、延吉河流域

延吉河ノ流域ハ平地面積千町弱ニシテ戶口ハ左ノ如シ

	戶數	人口 男	人口 女	人口 計
韓人	一六四	五四八	四四六	九九四
清人	六一三	三、七〇六	一、九〇二	五、六〇八
計	七七七	四、二五四	二、三四八	六、六〇二

即チ清人數ハ韓人ノ約五倍半ニ相當ス

延吉河ハ源ヲ朝陽河五道溝ノ北方某山ニ發シ最初朝陽河ト並行シテ南流シ次第ニ灣曲シテ東南ニ

流レ煙筒拉子ニ至リ再ヒ南流シテ朝陽河ト並行シ局子街ノ西方ニ於テ布爾哈通河ニ注ク上流ハ溪谷ノ幅狹ク五六百米ニ過キス且ツ濕地多ク人煙稀疎ナリ煙筒拉子ヨリ所謂大延吉河ニ至レハ流域次第ニ廣ク下流ニ於テハ千七八百米ニ達ス土壤ハ中流以下ハ砂質壤土又ハ埴質壤土ニシテ良好ナレトモ上流ハ濕地多ク且ツ礫ヲ混シ良好ナラス平地ニ於ケル可耕地面積ハ總面積ノ約八割五分即チ約八百二十町ニシテ現耕地ハ其六割弱ニシテ約五百町歩ナリ大延吉河地方以南ハ兩側ノ丘陵地ニ耕地多ク約二三百町歩ニ達ス即チ現耕地ハ七百町歩乃至八百町歩ノ間ニアリ

韓人ハ朝陽河流域ト同シク中流以上ニ多ク居住シ下流ニ近クニ從ヒ少ク殆ント全ク清人ノ小作人ナリ唯例外トシテ大延吉河ニ於ケル韓人崔某ハ他ノ韓人ト共同シテ明治四十一年春耕地三十晌及附近ノ未耕地若干ヲ購ヒタリト云フ近來韓人ハ漸次各地此ノ擧ニ出スルモノ多キニ至レリ

小作料ハ一晌地ニ對シ粟二石又ハ收獲物ノ三割トス但シ粟、大豆及高粱ヲ合シテ二石ヲ納ムル場合アリ

作物栽培ノ割合等ハ局子街附近ノ平野ト大差ナキカ如シ左ニ各地ニ於ケル情況ヲ記サン

(一) 石人溝

清人八戶韓人八戶各所ニ點在セル韓人ハ悉ク小作人ナリ但シ内一戶ハ歸化韓人ニシテ耕地四晌ヲ有ス他ハ二三晌ヲ小作ス郷貫ハ穩成、鍾城、吉州、明川、鏡城等ニシテ多クハ四五年前ノ居住者ナリ

清人地主ハ八戶中四戶アリ范某ハ十一年前寛城子ヨリ移住シ來リ三十晌ヲ有シ十晌ヲ自作シ他

ヲ韓人ニ小作セシム小作料ハ一晌ニ付粟二清石一晌地ノ時價百五十吊乃至二百吊ニシテ一晌地ヨリ粟六七清石大豆六清石ノ收量アリト云フ牛十二三頭ヲ飼養シ一頭二百吊內外ニテ販買ス

龐某ハ十五晌ヲ有シ三晌ヲ自作シ他ヲ清人ニ小作セシム

（二）大延吉河地方

韓人ハ其上部地方ニ居住シ鍾城、鏡城、明川人多ク稀ニ慶源ヨリ來レルモノアリ五六年前ノ移住者ナリ悉ク清人ノ小作農ニシテ一戸平均四五晌ヲ小作ス

一晌地ノ作物收量ハ

作物	清石			日石
粟	五—六	（日本一反歩換算）	約	一、〇〇—一、二〇
黍	二—三	同	同	〇、四〇—〇、六〇
大豆	二—三	同	同	〇、四〇—〇、六〇
小豆	一—二	同	同	〇、二〇—〇、四〇
玉蜀黍	三—四	同	同	〇、六〇—〇、八〇
蕎麥	三—四	同	同	〇、六〇—〇、八〇

一家五口一ケ年ニ要スル穀物ハ粟十五韓石（我八石五斗五升）蕎麥四韓石（我二石二斗八升）及大豆二韓石（我一石一斗六升）ナリト云フ戸税ハ一戸一吊文ヲ徴收セラルト云フ

清人ニハ大地主多ク王清及照某ハ各三十晌ヲ有シ錢某ハ兄弟四人各一家ヲナシ合セテ四十二晌ヲ有スト答ヘタレトモ實數ハ其二倍以上ニ達セン

孫某ハ七十晌ヲ有シ當地方ニ於ケル最大地主ナリ彼ハ二十一年前吉林ヨリ移住シ來レリト云ヒ六晌ヲ自作シ他ヲ小作セシム藍一晌ヲ栽培シ約六百斤ノ藍靛ヲ得之ヲ局子街ニ販賣ス一斤價格三百文ナリ局子街ノ北方約二十町延吉河ノ左岸ニ居住ス

大延吉河地方耕地一晌ノ賣價ハ百吊乃至二百吊ナリ

(三)小延吉河地方

大延吉河ト小ナル丘陵地ヲ隔テ清家十五戸韓家二十五戸現耕地百晌ト稱ス

清人齋某ハ二十一年前山東ヨリ移住シ來リ僅カニ半晌ヲ自作スルノミニテ他ヲ悉ク韓人十三戸ニ分チテ小作セシム馬某ハ二十二年前吉林ヨリ來リ現耕地二十二晌ヲ有シ七晌ヲ自作シ他ヲ同姓ノ清人馬某ニ小作セシム

韓人ハ七年前鏡城ヨリ移住シ來リ大抵二三晌ヲ小作ス此地方大麻ノ栽培多シ

一晌地ノ賣買價格ハ百吊內外ナリ清人ニハ馬ヲ多ク飼養スルモノアリ一頭ノ價格百二三十吊乃至二百吊ナリト云フ

五、壹兩溝流域

壹兩溝ハ一ニ依蘭溝ト云ヒ延吉河ノ東ニ之ト平行シテ流ルル河流ニシテ南北ニ狹長ナル平地ニシ

テ東西ノ幅平均千三四百米ニ過キス

戸口ハ

	戸數	人口 男	人口 女	人口 計
韓人	二〇二	六七二	五一五	一、一八七
清人	三六	六九	四七	一一六
計	二三八	七四一	五六二	一、三〇三

現時人煙頗ル稀薄ニシテ上流北壹兩溝地方ノ如キハ居住者甚タ稀ナリ

平地面積ハ二、四五方里約三千八百町歩ニ達ス中央河ニ沿ヒテ濕地多ク且ツ砂礫地少カラス上流ニ至レハ濕地四割以上ニ達ス土性ハ主トシテ沖積層ニ屬スル砂質壤土ニシテ表土ノ深サ五六十糎ニ達シ下層土ハ砂質又ハ礫質ナリ又往々岩石ノ崩壞セル粗剛ナル砂粒ヲ混スル處少カラス一般ニ地味良好ト云フヲ得ス平地ニ於ケル可耕地面積ハ全平地面積ノ約六割五分ニシテ約二千五百町歩ヲ算スヘシ百草溝ニ通スル分岐路龍岩坪以南ハ稍開拓セラレ居レトモ上流ハ居住者殆ント稀ニシテ徒ニ荊棘葦子ノ繁茂ニ委シツヽアリ現耕地ハ可耕地ノ約二割五分即チ六百二十町ト見做シテ大差ナカルヘク下流ニ於ケル丘陵地ノ耕地ヲ合シテ現耕地約七百町歩内外ノ概算ナリ

清人ハ大抵地主ニシテ普通十晌乃至二十晌ヲ有ス調査地主十二戸ノ所有耕地ヲ表示セハ左ノ如シ

所有耕地	戸數
三晌	一
四晌	一
六晌	一
十晌	一
十二晌	一
十五晌	一
二十晌	六

即チ總耕地數ハ百七十晌ニシテ一戸平均ノ所有耕地ハ十四晌餘ナリ而シテ小作農ハ調査戸數十三戸中一戸ニ過キス

韓人ハ概ネ小作人ニシテ三晌乃至七晌ヲ小作ス獨リ龍岩坪ニ於ケル韓人ハ共同シテ明治三十九年十二月未耕地二十四晌ヲ韓錢四千兩(日貨六百六十七圓)ニテ清人ヨリ買收シ目下三晌乃至六晌ノ耕地ヲ分有セリ明治四十二年更ラニ共同購入ヲ行ヒタルモノアリ小作料ハ收穫物ノ十分ノ三乃至四トス清人ノ最先住者ハ蘇湧秀ニシテ四十一年前遼陽ヨリ移住シ來レリト云ヒ耕地十五晌及未耕地二十五晌ヲ有シ客棧ヲ營ミ居レリ其他調査戸數十戸中移住者ハ

二十一年前　二戸　　十三年前　一戸
十年前　四戸　　七年前　一戸
三年前　一戸

ナリ鄕貫ハ山東人半數ヲ占メ他ハ奉天、遼陽、敦化及關裡人ナリ韓人ノ最先住者ハ孫凞烈ト云ヒ十一年前明川ヨリ移住シ來リ清官ヨリ當地在住韓人ノ百戸長ヲ命セラレタリト云フ他ハ三四年乃至五

年前ノ移住者ニシテ鏡城及明川人最モ多ク他ハ端川、富寧、利原、行營人ナリ
作物ハ粟及大豆最モ多ク高粱及玉蜀黍之ニ次ク一晌地ノ收量ハ左ノ如シ

壹兩溝口

作物	一晌地收量（石）	（日本一反歩換算）（石）
粟	五—六	約 一、〇〇—一、二〇
大豆	三	同 〇、六〇
玉蜀黍	四—五	同 〇、八〇—一、〇〇
小麥	二	同 〇、四〇
小豆	二	同 〇、四〇
黍	三	同 〇、六〇

壹兩溝中部蘇家店附近

作物	一晌地收量（石）	（日本一反歩換算）（石）
粟	五—六	約 一、〇〇—一、二〇
大豆	二—三	同 〇、四〇—〇、六〇
高粱	七—八	同 一、四〇—一、六〇
玉蜀黍	四—五	同 〇、八〇—一、〇〇
小豆	二—三	同 〇、四〇—〇、六〇

龍岩坪

粟	一五韓石	(日本一反歩換算)	約 一、三二日石
大豆	五―六	同	同 ○、四○―○、五○
大麥	八	同	同 ○、六五
高粱	五―六	同	同 ○、四○―○、五○
玉蜀黍	五―六	同	同 ○・四○―○、五○
黍	八	同	同 ○、六五

耕地一晌ノ賣買價格ハ五十吊乃至百吊ヲ常トス最上ト雖トモ百五十吊ヲ越エス

壹兩溝ハ局子街ヨリ百草溝汪青及蛤蟆塘方面ニ通スル交通路ニ衝ルヲ以テ路上所々ニ客棧アリ即チ蘇家店、李家店及呂家店ノ三アリ内李家店最モ大ニシテ局子街ヨリ約六十餘清里ニアリ皆客棧ノ傍農業ヲ營ム一飯ノ價粟又ハ玉蜀黍飯ナレハ三百文饅頭麵及燒餅等ヲ食スレハ五百文ヲ要シ外ニ泊料百文ノ規定ナリ

附

一、明治四十一年十月壹兩溝農産物價表

品名	數量	價額	日貨換算 數量	日貨換算 價格	備考
玄粟	一韓石	韓七兩	一日石	二、〇五〇	清貨ハ明治四十一年十月時價四吊文ヲ我壹圓ニ換算セリ
大豆	一	同九	一	二、六三〇	
大麥	一	同七	一	二、〇五〇	
高粱	一	同七	一	二、〇五〇	
玉蜀黍	一	同五	一	一、四六〇	
煙草	一清斤	清五〇〇文	一清斤	〇、一二五	
牛	一頭	韓一〇〇―四〇〇兩	一頭	一六、六七〇―六六、六六七	
馬	一	同一〇〇―三〇〇	一	一六、六七〇―五〇、〇〇〇	
豚	一	同二五―三〇	一	四、一七〇―五、〇〇〇	
鷄	一羽	清一吊	一羽	〇、二五〇	

二、明治四十二年十月壹兩溝農產物價表

品名	清貨 單位	清貨 價格	日貨 單位	日貨 價格	備考
精粟	一清石	二八、〇〇〇	一石	四、六五一	清一石ハ我一石四斗

品名	數量	價格（清貨）	數量	價格（圓）
玄粟	一	一五、〇〇〇	一	二、四九二
黍	一	一七、〇〇〇	一	二、八二四
小麥	一	二〇、〇〇〇	一	三、三二二
大麥	一	八、〇〇〇	一	一、三二九
高粱	一	一五、〇〇〇	一	二、四九二
玉蜀黍	一	一二、〇〇〇	一	一、九九三
大豆	一	一八、〇〇〇	一	二、九九〇
小豆	一	一四、〇〇〇	一	二、三二六
小麥粉	百清斤	一六、〇〇〇	百清斤	三、七二一
豆油	百	三六、〇〇〇	百	八、三七二
豆素麪	百	三〇、〇〇〇	百	六、九七七
燒酒	百	五〇、〇〇〇	百	一一、六二八
豆粕	一塊	一、〇〇〇	一塊	〇、二三三
稗稈	一把	〇、二〇〇	一把	〇、〇四七
鷄	一羽	一、五〇〇	一羽	〇、三四九

清貨四吊三百文ヲ我壹圓ニ換算（龍井市時價）

六、葦子溝

葦子溝ハ海蘭、布爾哈通兩河合流後壹兩溝ヲ合セ大灣曲ヲナシテ流ルル地點ニ會スル小支流ニシテ此附近及該灣曲部地方ヲ一般ニ葦子溝ト云フ平地面積（臺地ヲナセリ）約八百七十町歩內可耕地面積約七百町歩ヲ算シ得ヘク現耕地ハ其三割餘即チ二百餘町歩ニ過キサルヘシ

調査シタル戸數ハ河ノ左岸清人九戸韓人十一戸ニシテ人口ハ清人男四十四女二十九一戸平均男四、九女二、二韓人男二十五女二十二、一戸平均男二、二七女二、〇〇ノ割合ナリ總戸數ハ韓三十戸清二十戸ニシテ之ニ平均數ヲ乘スレハ

	戸數	人口		
		男	女	計
韓人	三〇	九八	六〇	一五八
清人	二〇	九八	四四	一四二
計	五〇	一九六	一〇四	三〇〇

韓人ハ三年前ニ來リシモノ最モ古ク多數ハ明治四十一年以後ノ移住者ナリ即チ調査戸數十二戸中七戸ハ同年ノ移住者ナリ郷貫ハ穩城八、鍾城吉州及永興各一ナリ悉ク清人ノ小作農ニシテ二晌乃至五晌ヲ耕作ス小作料ハ收穫物五割トス

清人ハ大地主多ク百晌ヲ有スルモノアリ三十晌乃至六十晌ヲ有スルモノアレトモ多クハ十晌內外ナリ小作料ハ粟大豆及高粱ヲ合シテ二清石ナリ移住ハ四十一年前ノモノ最モ古キカ如シ作物ハ粟及大豆大部分ヲ占ム高粱、小麥、玉蜀黍、黍之ニ次ク

當地韓人ノ十晌地ヲ作物栽培歩合ノ一例ハ次ノ如シ

粟　三晌　大豆　三晌
高粱　一晌　玉蜀黍　一晌
黍　〇・五晌　小豆　〇・三晌
其他　一・二

一晌地ノ作物收量ハ大約次ノ如シ

	（一晌地收量）	（日本一反歩換算）
粟	八—九清石	約一、六〇—一、八〇日石
大豆	同六—七	同一、二〇—一、四〇
高粱	同五—六	同一、〇〇—一、二〇
玉蜀黍	同六—七	同一、二〇—一、四〇
小豆	同三—四	同〇、六〇—〇、八〇

葦子溝ハ局子街ヨリ琿春ニ通スル街路ニ當ルヲ以テ客棧多シ就中孟慶元ハ其最大ナルモノニシテ二十一年前山東ヨリ移住シ來リ耕地六十晌ヲ有ス楊致山ハ關裡人ニシテ四十一年前移住シ來リ耕地三十晌ヲ有ス

主ナル穀價ハ次ノ如シ(明治四十一年十月調査)

	數量	價格	日貨換算		備考
			數量	價格	
粟	一清石	九·〇〇〇吊	一日石	一·六一〇円	我壹圓ニ付淸貨四吊文ノ換算
大豆	一	二〇·〇〇〇	一	一·七九〇	
大麥	一	一〇·〇〇〇	一	三·五七〇	
小麥	一	二七·〇〇〇	一	四·八二〇	

耕地一晌ノ價格ハ百五十吊乃至二百吊ナリ

七、布爾哈通上流域

(一)地勢、戶口、土性、及氣象

一、老頭溝嶺以北哈爾巴嶺ニ至ル地方ヲ假ニ布爾哈通上流域ト稱ス

地勢ハ布爾哈通本流ヲ幹線トシ東西ヨリ來ル各支流ハ兩岸ニ於テ左右相對シ葉脈狀ヲナシテ之ニ

會シ狹長ナル平地ヲナセリ

山脈ノ主要ナルモノハ西北兩境ヲ限ル老嶺山脈並ニ老爺嶺山脈及其支脈ニシテ老嶺山脈ハ窩集嶺及黃溝嶺附近ニ於テハ千二三百米ノ間ニアレトモ北行次第ニ低ク倒木溝ノ西方ニ於テハ八九百米トナリ哈爾巴嶺附近ニ到レハ更ニ低ク六七百米突ニ過キス黃溝嶺ノ北方ヨリ走ル一支脈ハ天寶山(一〇五四米)ヲ起シ更ニ二脈ニ分レ一ハ南下シテ頭道溝ト胡仙洞河(天寶山ヨリ發源ス)トノ分水嶺ヲナシ左折シテ丘陵地トナリ海蘭、布爾哈通兩河ノ分水嶺ヲナセリ馬鞍山、帽兒山ハ此丘陵地ニ突起セル瘤塊ナリ其一ハ天寶山ヨリ北方太宰嶺(五六二米)ニ連リ布爾哈通河岸ニ蟠屈シ五虎頂子嶺及老頭溝嶺ト相逼レリ

哈爾巴嶺ノ南方ヨリ分岐スル一支脈ハ標高七百米内外ニ過キス黑瞎子溝、倒木溝等ノ分水嶺ヲナセリ

老爺嶺ヨリ分岐スル支脈ハ最初北北東ヨリ南々西ニ走リ廟嶺ヲ經テ茶條溝ノ東北方ニ來リ分レテ二トナリ一ハ南下シテ朝陽河トノ分水嶺ヲナシ他ノ一ハ南々西ニ走リテ五虎頂子嶺及老頭溝嶺トナル

布爾哈通本流ハ哈爾巴嶺ノ東北方ヲ發シ之ヲ灣々溝ト云ヒ哈爾巴嶺ノ下ヲ過キ西方ヨリ來ル二道河ヲ合ス此附近ニ於テハ河幅僅カニ三四尺水深一尺内外ニ過キス之ヨリ南々東ニ流レ左ニ城廠溝右ニ黑瞎子溝ヲ合セ次第ニ大トナリ甕聲磖子ニ至リ東西ヨリ來ル二大支流大廟溝及倒木溝ニ會シ

河幅十四五間水深二尺餘ニ達ス更ニ進ンテ土門子平野ニ至レハ柳樹河西ヨリ來リ五虎頂子ニ近ツケハ茶條溝東ヨリ來リテ之ニ會シ五虎頂子嶺ノ左側ヲ紆餘屈折シテ老頭溝平野ニ出ツ二大支流大廟溝及倒木溝ハ本流ト延長略相若キ水量亦本流ニ讓ラス

平地ハ其面積約七、二三方里ニシテ之ヲ分チテ四トナス

一、土門子及甕壁磖子平地(柳樹河及茶條溝ヲ含ム)面積　二、二九方里

二、灰菜頂子地方及以北　同　一、八七

三、大廟溝(小廟溝ヲ含ム)　同　二、〇〇　以上

四、倒木溝平地　同　〇、九七

附　楡樹川附近　同　〇、一〇

二、戸口ハ實地調査ニヨレハ左表ノ如シ　(明治四十一年十一月調査)

	調査戸數	調査人口男	同上女	同上計	總戸數	總人口推算		
						男	女	計
清	一一七	三八八	二六七	六五五	二八四	九七六	六五七	一、六三三
韓	六	一七	一九	三六	一〇	二八	三一	五九
計	一二三	四〇五	三八七	六九一	二九四	一、〇〇四	六八八	一、六九二

備考

一、清人一戸平均　男　三、三一　女　二、二八

一、韓人一戸平均　男　二、八三　女　三、一七

一、未調査ノ人口ハ假リニ前項ノ男女平均數ヲ未調査ノ戸數ニ乘シ又鑿聲磖子ノ人口モ今回調査スルヲ得サリシカ假リニ男五、女三ノ割合ヲ總戸數ニ乘シテ總人口ヲ略算セリ

外ニ

一、兵及巡警數ハ左ノ如シ

鑿聲磖子

吉强軍　八〇名

巡警　一八名

哈爾巴嶺

吉强軍　八六名

楡樹川

吉强軍　五〇名

馬隊　一二〇名

計　二四六名

即チ總戸數約三百人口千七百ニ充タス平地面積ニ比シ人煙甚タ稀疎ナリト云フヘシ
三、地質ハ三崗地方ト等シク主トシテ花崗岩及片麻岩ニヨリテ構成セラレ土性ハ其崩壞沖積セル砂質壤土ニシテ土門子甕聲磘子、大廟溝口等ニ於テハ地味良好ナリ但シ礫ヲ混スルナキ處少カラス
四、氣象ハ三崗地方ト大差ナキモ稍寒冷ニシテ降雪量多キカ如シ左ニ踏査中聞キ得タル氣象表ヲ掲ク

地名	初霜	晩霜	降雪	融雪	結氷	融氷	降雨期
土門子	九月下 十月初	—	十一月上 二―二五尺	四月中下	十一月上旬乃至中旬	四月中下	七月下旬乃至九月上旬
大廟溝	九月中下	五月下	十月下 十一月上	四月中	十一月上旬	四月下	同右
二道河子	九月上中	—	十月下 十一月上	四月下	同右	四月下	同右
倒木溝	同右	—	十月下 十一月上	四月中	同右	四月下 五月上	同右
五虎頂子	九月下 十月上	—	十月下	四月中	同右	四月下	同右

(二)耕地未耕地ノ概算
前述ノ如ク當地方ハ人煙稀薄ニシテ僅カニ敦化及吉林ニ通スル街路ニ沿ヒタル甕聲磘子及土門子等ニ於テ人家稍集合シ耕地ニ富メルノミ他ハ何レモ開拓普カラス殊ニ各支流平地ニ於テ然リトス
現耕地ハ平地尚未耕地ニ富メルヲ以テ丘陵地ノ如キハ開拓稀ナリ一般ニ濕地多ク殆ント全平地面

積ノ四割ニ達ス左ニ地圖上ヨリ計算セル平地面積中踏査ニヨリテ概算セル耕地未耕地ノ數ヲ示サン

平地ニ於ケル耕地未耕地略算表

地名	平地面積		河床、砂礫地、濕地、宅地、道路		可耕地面積				
	方里	町歩	歩合	町歩	耕地 歩合	耕地 町歩	未耕地 歩合	未耕地 町歩	計
土門子及甕聲磘子（茶條溝ヲ含ム）	一・六二	二、五一九・四	約三〇	七五五・八	五〇	八八一・八	五〇	八八一・八	一、七六三・六
柳樹河子	〇・六七	一、〇四二・〇	同五〇	五二一・〇	八	四一・七	九二	四七九・三	五二一・〇
倒木溝	〇・九七	一、五〇八・五	同四〇	六〇三・四	二五	二二六・三	七五	六七八・八	九〇五・一
大廟溝（小廟溝ヲ含ム）	二・〇〇以上	三、一一〇・四	同四五	一、四〇〇・〇	二〇	三四二・一	八〇	一、三六八・三	一、七一〇・四
灰菜頂子以北	一・八七	二、九〇八・二	同五〇	一、四五四・一	二五	三六三・五	七五	一、〇九〇・六	一、四五四・一
附楡樹川	〇・一〇	一五五・五	同三〇	四六・七	三〇	三二・六	七〇	七六・二	一〇八・八
計	七・二三	一一、二四四・〇	—	四、七八一・〇	—	一、八八八・〇	—	四、五七五・〇	六、四六三・〇

即チ可耕地面積六千四百六十三町ニシテ現耕地ハ千八百八十八町歩ノ概算ナリ

可耕丘陵地ハ地形上比較的少シク平地全面積ノ約八割即チ八千町歩内外ニ過キサルヘシ

(三) 移住ノ沿革

當地方ノ移住沿革ニ就テハ正確ナル資料ヲ得サリシカ蓋シ吉林及敦化方面ヨリ間島ニ入ル交通路ニ當ルヲ以テ比較的古ク五十年前既ニ居住者ヲ見タルモノノ如シ土門子ニ於ケル一歸化韓人ノ言ニ據レハ彼ハ四十年前慶源ヨリ來リシカ其當時局子街東盛湧等ノ平野ハ居住者甚タ少ク殆ント無人ノ境ナリシカ土門子方面ニハ比較的清人多數居住シ土地開ケ居リシヲ以テ其被傭者トシテ勞働シ漸次資産ヲ爲シ土地ヲ所有スルニ至レリト云フ而シテ居住者ノ多クハ二十年來著シク増加シ殊ニ最近五年以來激増シ來リタルモノノ如シ即チ明治四十一年十一月ノ調査ニヨレハ次ノ如シ

（調査戸數百二十二戸）

五年以内	六―一〇年	一一―二〇年	二一―三〇年	三一―四〇年	四一―五〇年
四八	一七	三四	一五	五	三

清人ハ比較的遼東地方及吉林附近ノモノ多ク其他ハ山東省人ナリ韓人ハ調査戸數六戸中穩城三、慶源二、鏡城一ニシテ移住年度ハ四十年前一、三十九年前二、二十六年前一、一年前一ニシテ六戸悉ク薙髮易服シテ歸化ノ形式ヲナセリ

(四)耕地ノ分配價格及小作料

一、當地方耕地ノ分配ハ調査戸數百二十三中地主七十八、小作人三十一ニシテ其比ハ七ト三ノ割合ナリ調査地主中ノ最大ナルハ土門子ニ於ケル薄寶ニシテ五十晌ヲ有ス其他ニ二十晌以上ヲ有スルモ

ノヲ擧クレハ

地名	地主	面積
土門子	王忠平	二〇晌
大廟溝	老家	三〇同
同	孫白崗	二三同
茶條溝	李富	二〇同
倒木溝	葉長青	二〇同
同	河形春	三五同
王八脖子	翟正有	二〇同
蜂蜜頂子	粘鳳才	二八同
大咸廠溝	原長眞	二〇同

即チ二十晌以上ヲ有スルモノ十戶ニシテ調査地主ノ一割二分八厘ニ過キス次ニ調査表ヲ示サン

地名	總戶數	調査戶數	調査地主數	調査小作人數	調査總耕地數	地主一戶平均地耕	一戶平均耕地 最大	一戶平均耕地 最小	耕地分配 二〇晌以上	耕地分配 二一一九	耕地分配 六一一〇	耕地分配 五以下
土門子及壁摺子、平地	八一	四七	三一	一三	三四五晌	一一・一三晌	五〇晌	一晌	四	一〇	九	八
柳樹河子	九	四	三	一	一七	五・六七	一一	三	〇	一	〇	二

地名	總戸數	調査戸數	調査地主數	調査小作人數	調査總耕地數	地主一戸平均耕地	一戸所有耕地 最大	一戸所有耕地 最小	耕地分配 二〇晌以上	耕地分配 一一—一九	耕地分配 六—一〇	耕地分配 五以下
大廟溝	四二	二二	一五	七	一四四晌	九・六〇晌	三〇晌	三晌	二	二	五	六
倒木溝	三三	一一	九	二	七九・五	八・八三	三五	〇・五	二	〇	一	六
灰菜頂子地方	六八	三四	一六	一五	一七二	一〇・七五	二八	一	二	三	七	四
附 楡樹川	八	五	四	一	二〇	五・〇〇	一三	一	〇	一	〇	三
通計	二四一	一二三	七八	三九	七七七、五	九・八七	五〇	〇・五	一〇	一七	二二	二九

備考

一、地主ト小作人ノ百分率ハ六九ト三一ノ割合ナリ

一、調査地主數ト調査小作人數トノ和カ調査總戸數ヨリ少キハ客棧其他農業ヲ營マサルモノアルニヨル

大地主ハ全部其耕地ヲ耕作スル事少ク大部分ヲ小作セシメ自己ハ僅少ノ耕地ヲ耕作スルアリ或ハ全部ヲ小作セシメテ全ク耕作セサルモノアリ自作耕地ノ最大ナルハ倒木溝口ノ河形春ニシテ所有耕地三十五晌ヲ全部耕作セリ彼ハ又調査中ノ最大家族ヲ有シ男二十三、女十三アリ

自作耕地及小作耕地面積ノ大ナルハ土門子ニシテ其自作平均耕地ハ八晌八六ニシテ小作平均耕地亦八晌三三ニ當ル調査總平均ノ自作耕地面積數ハ七晌〇五ニシテ小作耕地面積ハ五晌八ナリ左ニ

之ヲ表示セン

自作地及小作地調査表

	自作農	自作耕地數	一戸平均自作耕地	自作地 最大	自作地 最小	小作農	小作耕地	一戸平均小作耕地	小作地 最大	小作地 最小
土門子及甕聲碣子、平野	二五	一九二・〇	晌 七・六四	晌 二〇・〇	晌 一・〇	一三	晌 九八・〇	晌 七・五四	晌 一二	晌 一
柳樹河子	三	一四・〇	四・六七	八・〇	二・〇	一	三・〇	三・〇〇	—	—
大廟溝	一四	九四・〇	六・七〇	一一・〇	三・〇	七	三〇・〇	四・三〇	一〇	一
倒木溝	八	七〇・五	八・八〇	三五・〇	〇・五	二	一一・〇	五・五〇	六	五
灰菜頂子地方	一四	九六・〇	六・八六	二〇・〇	一・〇	一五	八二・五	五・五〇	一〇	一
附 楡樹川	四	一一・〇	二・七五	五・〇	一・〇	一	一・〇	一・〇〇	—	—
通計	六八	四七七・五	七・五〇	三五・〇	〇・五	三九	二二五・五	五・八〇	一二	一

二、耕地賣買ノ價格ハ土地邊陬ニシテ且ツ土門子甕聲碣子及大廟溝口等ヲ除キテ一般ニ良好ナラサルヲ以テ三岔地方ニ比シテ頗ル廉ナリ調査セル處ニヨレハ左表ノ如シ

	上地	中地	下地
土門子及甕聲碣子地方 王八脖子	一〇〇吊	七〇—八〇吊	四〇—五〇吊

倒木溝　附	上地	中地	下地
茶條溝	一一〇吊	七〇—六〇吊	五〇—六〇吊
土門子及甕聲礌子地方	一五〇—一六〇	一〇〇	七〇—八〇
倒木溝	一〇〇	七〇—八〇	三〇—五〇
亮兵臺	一二〇—一三〇	七〇—八〇	四〇—五〇
二道河子	一〇〇	六〇—七〇	三〇—四〇
小城廠溝	一二〇	八〇—九〇	四〇—五〇
楡樹川	一四〇—一五〇	一〇〇	七〇—八〇

以上ハ踏査中清人ノ言ニ據リタルヲ以テ多少高價ニ答フルノ傾アレハ實際ノ賣買價格ハ以上ヨリ二三割ヲ減シタルモノナルヘシ

試ニ從前ノ賣買價格ヲ聞クニ左ノ如キモノアリ（明治四十一年十一月調査）

柳樹河	一、三年前家屋附耕地二晌及山林三箇所賣買價格七十吊
茶條溝	一、四年前耕地四晌及家屋附賣價二百吊
	二、十年前耕地五晌及家屋附賣價二十吊

	三、明治四十一年耕地三晌及家屋附賣價百吊
倒木溝	一、九年前耕地二十晌及大家屋附賣價千吊
	二、五年前耕地五晌及家屋附賣價二百吊
	三、五年前耕地三晌及家屋附賣價百八十吊
	四、明治四十一年耕地四晌賣價二百吊、
大廟溝	一、十年前耕地十七晌及家屋附賣價二百吊
	二、四年前耕地五晌及家屋附賣價五百五十吊
	三、明治四十一年耕地五晌及未耕地十耕賣價五百吊
土門子	一、四年前耕地八晌及家屋附賣價四百吊
	二、四年前耕地十三晌及大家屋附賣價千百五十吊
	三、三年前耕地七晌及家屋附賣價四百吊
	四、明治四十一年耕地九晌及大家屋附賣價七百吊
灰菜頂子	一、七年前耕地八晌及家屋附賣價三百吊
亮兵臺	一、三年前耕地六晌及家屋附賣價百八十吊

以テ實際ノ賣買價格及其價格ノ變遷ヲ見ルヘク又耕地ハ家屋附所有耕地全部ノ賣買セラルルコト

一般ノ慣習ナルヲ知ルヘシ

三、小作料ハ一般ニ穀納ニシテ粟一石乃至一石八斗ノ間ニアリ又粟大豆及玉蜀黍ヲ合セ納ムル慣習少カラサルカ如シ又稀ニ金納ノ場合アリ即チ二道河子ニ於テハ一晌半ニ對シ十五吊ヲ納ムルモノアリ又土地及家屋ノ借料ヲ合シテ金納スルモノ少カラス左ニ各地ニ於ケル小作料ヲ示サン

小作料調査表

地名 大別	地名 小別	穀納	其他
柳樹河	柳樹河子	一・四〇（粟石）	
	五虎頂子	一・五〇	
土門子及甕聲磖子平野	茶條溝	一・四〇—一・六〇	
	土門子	一・五〇—一・八〇	
大廟溝		一・二〇—一・三〇	
倒木溝		一・〇〇—一・三〇	
灰菜頂子以北	亮兵臺	一・〇〇—一・二〇 一・六〇	又一例トシテ四晌地及二炕家屋ナ合セテ四十吊ニテ借ルモノアリ
	小城廠溝	一・二〇—一・六〇	

			備考
大城廠溝	粟 大豆	一・〇〇 一・〇〇	(一) 一晌地半ニ對シ十五吊ヲ納ムルノ例アリ
二道河子		一・二〇	(二) 二晌地及三炕家屋ノ借料百吊ノ例アリ

五、主要作物ノ栽培率反別及收量

作物ノ主要ナルモノハ普通作物ニテハ粟、大豆、小麥、玉蜀黍、蕎麥、黍、稗、小豆等ニシテ高粱及大麥ハ甚タ少シ陸稻及水稻ハ全ク其栽培ヲ見ス特用作物ニテハ罌粟、煙草、荏、大麻及青麻等ナリ而シテ各種作物共品種ノ良好ナルモノ少シ殊ニ主穀タル粟ハ見ルヘキノ良種ナシ

作物栽培ノ歩合ハ收穫後ナリシヲ以テ實見スルヲ得サリシカ各地ニ於テ聞キ得タル處ヲ綜合スレハ大約左ノ如シ

作物	歩合	作物	歩合
粟	二二・〇%	大豆	一八・〇%
小麥	一七・〇	玉蜀黍	一二・〇
蕎麥	六・〇	黍	五・〇
稗	四・〇	大麥	二・〇
高粱	三・〇	小豆	一・五
罌粟	一・五	煙草	一・〇
其他	七・〇		

左ニ參考トシテ各地ニ於ケル栽培歩合ヲ示サン

作物栽培歩合百分率

地名	粟	玉蜀黍	大豆	小麥	大麥	高粱	小豆	稗	煙草	罌粟	蕎麥	黍	大麻
土門子	七・五%	一五・〇%	一五・〇%	一五・〇%	―%	―%	三・〇%	三・二%	三・二%	七・五%	一五・〇%	―%	―%
大廟溝	一九・二	九・六	九・六	一九・二	―	五・〇	―	九・六	五・〇	五・〇	五・〇	九・六	―
大城廠溝	一〇・〇	二・〇	一〇・〇	二〇・〇	―	五・〇	―	一〇・〇	五・〇	一〇・〇	五・〇	一〇・〇	―
亮兵臺	一三・二	一三・二	一三・二	二六・〇	―	四・〇	―	六・五	四・〇	―	六・五	一三・二	―
灰菜頂子	二〇・〇	一七・三	一一・六	一七・三	三・〇	六・〇	―	三・〇	―	八・五	六・〇	六・〇	二・〇
倒木溝	一一・四	一〇・〇	一七・〇	一七・〇	三・〇	八・五	―	三・〇	一・五	七・〇	八・五	三・〇	一・五
五虎頂子	一一・七	八〇・一	一六・五	二二・五	―	四・〇	―	八・三	―	八・三	四・〇	八・三	―

作物ノ收量ハ濕地多ク地味良好ナル處少キヲ以テ比較的少シ踏査中聞キ得タル各地一晌ニ對スル作物ノ收穫量ハ左ノ如シ

地名	粟	大豆	小麥	玉蜀黍	高粱	蕎麥	黍	稗	大麥	小豆	煙草	阿片
大廟溝	八―九石	四―五石	四―五石	七―八石	四―五石	三―四石	三―四石	三―四石	五―六石	三―四石	五〇〇斤	一六〇―一七〇斤

大城廠溝	六―七	四―五	二―三	六―七	三―四	二―三	二・五	三	五―六	二―三	四〇〇―五〇〇	二〇〇
亮兵臺	五―六	四―五	三―四	六―七	五―六	二―三	二―三	三―四	四―五	―	六〇〇―七〇〇	一六〇―一七〇
土門子及甕瓦磘子	一〇	四―五	三―四	七―八	五―六	三―四	三―四	―	五―六	―	六〇〇―七〇〇	二三〇
倒木溝	六―七	四―五	三―四	六―七	五―六	二―三	二―三	三―四	五―六	―	四〇〇―五〇〇	一五〇―一六〇
五虎頂子	五―六	四―五	三―四	六―七	五―六	三―四	二―三	三―四	―	―	―	一二〇
楡樹川	六―七	四―五	三―四	六―七	五―六	三―四	二―三	三―四	五―六	―	五〇〇―六〇〇	一四〇

備考　清一晌ヲ我七反歩清一石ヲ我壹石四斗トスレハ清一晌二石ハ我一反歩四斗尙清一晌七石ハ我一石四斗ニ相當スヘシ

以上ノ表ニヨリ當地方全體ノ作物收量ヲ我一反歩ニ換算スレハ大略次ノ如キ割合ヲ得ヘシ

	清一晌	日本一反歩
粟	六.五（石）	一.三〇（石）
大豆	四.五	〇.九〇
小麥	三.五	〇.七〇
玉蜀黍	六.五	一.三〇
高粱	五.五	一.一〇

蕎麦	三・〇	〇・六〇
黍	二・五	〇・五〇
稗	三・五	〇・七〇
大麦	五・〇	一・〇〇
小豆	二・五	〇・五〇
煙草	五〇〇斤	〇・七八斤（済）
阿片	一・七〇	〇・二四兩
大麻	四五〇斤	六四・二〇斤（済）

以上ニヨリテ主要作物ノ栽培歩合反別及收量ヲ換算スレハ左ノ如シ

主要作物栽培反別收量概算表（明治四十一年十一月調査）

	栽培率	栽培反別	一反歩收量概算	總收量
粟	二二・〇	三九八・〇町	一・三〇石	五、一四八石
小麦	一七・〇	三〇六・〇	〇・七〇	二、一四二
玉蜀黍	一二・〇	二一六・〇	一・三〇	二、八〇八
蕎麦	〇・六	一〇八・〇	〇・六〇	六四八

大豆	一八・〇	三二四・〇	〇・九〇	二、九一六
黍	五・〇	九〇・〇	〇・五〇	四五〇
稗	四・〇	七二・〇	〇・七〇	五〇四
高粱	三・〇	五四・〇	一・一〇	五九四
大麥	二・〇	三六・〇	一・〇〇	三六〇
小豆	一・五	二七・〇	〇・五〇	一三五
罌粟	一・五	二七・〇	阿片 二四兩	六、四八〇兩
煙草	一・〇	一八・〇	七八兩斤	一四、〇四〇斤
其他	七・〇	一二六・〇	—	—
合計	—	一、八〇二・〇	—	—

備考　一、其他トハ表外ノ大麻、青麻、荏、唐粟、蔬菜、菜豆等ヲ含ム

(六)農産物以外ノ物産

農産物以外ノ物産トシテハ木耳、花菜、黃耆、木材等ナリ木耳ハ森林中ニ產シ其產額詳ナラサレトモ每年敦化及吉林方面ニ輸出スル額少ナカラス

花菜ハ山野ニ自生スル草木ニシテ花ト共ニ乾菜トナシテ食料ニ供セラル草名未タ詳ナラス

黄耆モ亦山野ニ自生スル草本植物ノ根ニシテ薬用ニ供セラル毎年九月開花ノ期ニ堀リ取リ年々吉林及寛城子方面ニ輸出スル額少カラス

木材ハ各支流ノ上流ヨリ産ス樹種ハ主トシテ樅朝鮮松ニシテ其他ハ白楊、楢、楡等ノ雑種ナリ大城廠溝、大黒瞎子溝、大廟溝、倒木溝等ノ上流ハ皆森林ナリト云フ但シ密林ニアラサルカ如シ

鑛産ハ踏査區域中見聞ニ上ラス唯大廟溝口ヨリ石灰ヲ産スルノミ

(七) 家畜

家畜ハ牛馬多シ就中牛最モ多ク一戸十二三頭ヲ飼養スルモノ少ナカラス普通四五頭ヲ有ス主トシテ耕作用ニ供シ又運搬ニ用フ殊ニ冬期ノ橇ヲ牽カシム又賣買ノ目的ヲ以テ飼養スルモノモ少ナカラス

馬ハ普通三四頭ヲ有シ又七八頭ヲ有スルモノ少ナカラス

豚モ各戸之ヲ有セサルナク二十頭以上ヲ有スルモノアリ普通十頭餘ヲ飼養ス

家禽ハ鶏及家鴨ニシテ其數亦少ナカラス

家畜ノ價格ハ左ノ如シ

地名	牛			馬			驢			豚		
	上	中	下	上	中	下	上	中	下	上	中	下
土門子及甕聲磖子	二〇〇吊	一二〇—一三〇吊	五〇—六〇吊	一六〇—一七〇吊	八〇—九〇吊	三〇—四〇吊	六〇—七〇吊	四〇—五〇吊	二〇—三〇吊	三〇吊	一四—一五吊	五—六吊

大廟溝	一七〇—一八〇	一二〇—一三〇	七〇—八〇 三〇〇—四〇〇	一五〇—一六〇	一〇〇	四〇—五〇 八〇—九〇	上醬 一六〇—一七〇	三〇	—	—	—
小黑牌子溝	二一〇	一三〇—一四〇	四〇—五〇	一四〇—一五〇	一〇〇	三〇—四〇	—	—	三〇	六三—一三	六—七
亮兵臺	一八〇—一九〇	一二〇—一三〇	四〇—五〇	一五〇—一五〇	一〇〇	五〇—六〇	六〇—七〇	四〇—五〇	二〇—三〇	三五—三六	二〇	一〇
倒木溝	二〇〇	一二〇	四〇—五〇	一七〇—一八〇	一二〇—一三〇	五〇—六〇	上醬 二〇〇	中醬 一三〇—一四〇	五〇—六〇	—	—	—
茶條溝	一六〇—一七〇	一二〇	二〇—三〇	一三〇—一四〇	一〇〇	五〇—六〇	六〇—七〇	二〇—三〇	—	—	—	—

鷄一羽八百文乃至一吊文

（八）交通道路及地方ノ狀況

當地方ハ局子街ヨリ敦化及吉林ニ通スル本街路ニ當ルヲ以テ道路ハ一般ニ良好道幅約四間乃至五間ヲ有シ老頭溝嶺、五虎頂子嶺及哈爾巴嶺ノ三嶺アレトモ何レモ標高低ク傾斜比較的緩ナルヲ以テ車馬ノ往還ニ大ナル不便ヲ見ス老頭溝嶺ハ老頭溝平野ヨリ約三十町昇降十五清里傾斜比較的緩ニシテ四分ノ一以上ノ傾斜ヲ有スル處ハ僅カニ五六町ニ過キス道路礫多ク凹凸少ナカラス嶺ヲ少ク下レハ稍廣濶ナル丘陵地アリ開墾ニ適スヘシ之ヨリ約十清里ニシテ楡樹川ノ平地ニ達ス戶數八戶五虎頂子嶺ノ下ニアリ平、地面積僅カニ百六十町ニ過キス礫多ク濕地少ナカラス耕地トシテ良好ナラス吉林第二營ノ兵五十馬隊十二當地ニ駐在シ哨官ヲ張ト云フ年齒五十ニ近ク風彩頗ル揚ラス民屋二ヲ徵發シテ兵營トナセリ

楡樹川附近ハ奇岩聳立頗ル風景ニ富ム五虎頂子嶺ハ標高四八四米楡樹川ヨリ三十町餘ニシテ昇降

共ニ稍々急ニシテ三分ノ一乃至四分ノ一ノ傾斜ヲ有スル峻坂アレトモ昇降僅カニ半里ニ過キス降ルコト十五町ニシテ五虎頂子ノ部落ニ達ス之ヨリ半里弱ニシテ茶條溝口ニ達ス茶條溝ハ東西ニ狹長ナル平地ニシテ濕地多ク人家十餘戸ニ過キス開拓甚タ少シ

金佛寺ヲ經テ銅佛寺ニ通スル近路ハ茶條溝口ヨリ一里ニシテ右折ス溝口ヨリ約六十淸里ト稱ス、又左小廟溝ニ通スル小路アリ土門子平野ハ幅廣キ處半里平均約十町ニシテ道路ハ布爾哈通河ノ左岸ニアリ濕地比較的少ク地味良好ニシテ大農家多シ近時吳綠貞ハ土門子ヲ改メテ石門山ト稱セシメタリ吳ハ地名ノ改稱ヲ企テ尙五虎頂子ヲ五峯山、大廟溝ヲ大平溝ト名ケシメタリト云フ土門子ヨリ甕聲砬子ニ至ル間布爾哈通河ヲ渡ルコト二、前者ハ河幅約二十間水深一尺五寸渡船アリ、後者ハ河幅十間水深二尺乃至二尺五寸ニ達ス柳樹河ハ土門子平野ノ西方ニアル溪谷ニシテ平地面積千餘町歩濕地約其二分ノ一ヲ占ム南三里餘ニシテ天寶山銀鑛ニ達スヘシ

甕聲砬子ハ一ニ甕泉砬子トモ云ヒ當地方ニ於ケル唯一ノ物資集散地ニシテ南銅佛寺ニ約八十五淸里、北哈爾巴嶺ヲ越エテ敦化迄百五十淸里ナリ大廟溝及倒木溝ノ兩支流左右ヨリ布爾哈通本流ニ合流スル地點ニシテ地形上當地方ノ中心點ニ相當シ市場トシテ最モ其位置ヲ得タリ吉林街道ノ兩側ニ市街ヲナシ戸數ハ附近ヲ合シテ三十三人口約二百五十、兵營、警務局及山海稅局支局アリ兵營ハ街ノ西側ニアリテ南面シ東西約二十間南北約三十間ニシテ高サ八尺餘ノ土壘ヲ繞ラシ吉林前路第二營ノ兵八十名駐屯シ營官ヲ郭ト云ヒ哨官ヲ李ト云フ

警務局ハ街ノ東北約二百米ノ崖下ノ廟內ニアリ隊官ヲ要、巡長ヲ武紹唐、隊長ヲ黄ト云ヒ巡警十八名アリ山海局ノ支局ハ街ノ西北端客棧ノ一部ヲ占領セリ

市內雜貨店三、內豆油製造ヲ兼業スルモノ二、蹄鐵工二、材木屋一、麵屋一及客棧二アリ

商品ハ多ク敦化方面ヨリ輸入シ極メテ僅小ニ過キス從來當地方ハ敦化ニ近ク且ツ交通便ナルヲ以テ商品ノ供給ハ主ニ敦化方面ニ仰ク場合多ク銅佛寺方面ヨリスルハ其一部分ニ過キス高粱酒ノ如キモ敦化ヨリ來ルト云フ

土門子及甕聲摺子地方ハ道幅五間以上ノ坦々タル大道ニシテ車馬ノ交通頗ル便ナリ

大廟溝ハ各支流中最モ廣キ平地ヲ有シ其面積二方里以上ニシテ溝口ハ幅クシテ七八町ニ達ス濕地多ケレトモ人煙尚稀疎將來有望ナル未耕地ニ富メリ小廟溝ヨリ廟嶺ヲ越エ三頭崴(朝陽河上流)ヲ經テ百草溝及蛤蟆塘ニ通スル間道アリ約百五六十淸里ナリト云フ

倒木溝ハ甕聲摺子ノ西ニアリ狹キ溪谷ニ沿フテ進ムコト一里弱ニシテ稍廣キ平地ニ達ス倒木溝平地ノ中央ヲ流レ濕地三分ノ一ヲ占ムレトモ農地トシテ有望ノ地ナリ溝ニ沿ウテ遡リ一嶺ヲ越エ八十淸里ニシテ西部間島船渡房子ニ通スト云フ又南柳樹河子ヲ經テ約四十淸里ニシテ天寶山ニ達ス此溝人家三十三戶ヲ數フヘシ

甕聲摺子ヨリ北一里半ニシテ鐵板嶺ト稱スル小坂ヲ越ユレハ梱牛拉子ニ着ス谷幅八九百米ニ過キス最モ廣キハ灰菜頂子及大黑瞎子溝附近ナレトモ濕地其二分ノ一ヲ占メ耕地甚タ少ク葦子多ク繁

茂セリ亮兵臺ニハ山海税局支所アリ大城廠溝モ亦濕地多シ上流ニ森林アリ

哈爾巴嶺ハ甕聲摺子ヨリ約八里ニシテ標高僅カニ六百五十二米傾斜亦緩四分一以下ニシテ嶺下ヨリ頂上マテ十町ニ過キス嶺上ハ一ノ臺地ヲナシ敦化方面ヲ望ムヘシ破壞セル古廟及頌德碑二アリ

哈爾巴嶺下ニハ明治四十一年七月清國兵營一棟ヲ造リ且民屋二ヲ占領シテ目下吉强軍前路第二營ノ兵八十六名駐屯セリ當地方ニ於ケル苦力一日勞銀ハ八百文乃至一吊文ニシテ一ケ月十四五吊乃至十八九吊文ナリト云フ

街路上ニハ到ル處客桟ヲ營ムモノアリ其ノ數十八戸ニ達ス即チ

楡樹川	趙悳勝		
五虎頂子	李金鳳	董詳臣	
茶條溝口	李家店		
土門子	林家店	梁文方	武紹唐
甕聲磖子	王家店		

他ニ一アリ目下山海税局ノ支局トナレリ

王八脖子	李家店	
梱牛砬子	衣明西	
亮兵臺	段家店	張家店

峰蜜磊子　劉　喜　張家店

小城廠溝　王典籍　黃直詳

二道河子　周　喜

客棧ハ其大小ニ應シテ一ヶ年十五吊乃至四十吊ノ税金ヲ徴收セラル、宿錢ハ一人百文ニシテ外ニ飯錢トシテ粟、玉蜀黍ヲ食スレハ一食二百文、饅頭麵又ハ燒餅等ヲ食スレハ小麥粉一斤ニ對シ三百文乃至三百五十文ヲ要ス清人ノ慣習トシテ午後三四時頃客棧ニ着シ晩餐ヲ喫シテ直チニ寢ニ就キ翌朝未明ニ客棧ヲ發シ午前九時又ハ十時頃路傍ノ客棧ニ入リテ朝餐ヲナス又馬ヲ携フレハ一頭ニ付二百文ノ手數料ヲ要シ馬糧ハ別ニ持主ノ自辨ナリ大抵一頭ニ付粟稈二束三百文豆粕壹枚ノ三分ノ一二百文即チ合計七百文ヲ要ス

附

農產物價表

一、明治四十一年十月甕聲摺子農產物價表

品目	清貨		日貨		備考
	數量	價格	數量	價格	
玄粟	一清石	六・〇〇〇吊	一石	一・〇七・〇円錢	龍井村時貨日貨一圓ヲ清貨四吊文トシテ清一石ヲ日本一石四斗トシテ換算セリ
精粟	一	一二・〇〇〇	一	二・一四・〇	

品目	清貨		日貨		備考
	數量	價格	數量	價格	
小麥	一清石	一八・〇〇〇吊	一石	三円・二二錢・〇	又清一斤ハ百四十匁餘ナリ
高粱	一	九・〇〇〇	一	一・六一・〇	
玉蜀黍	一	五・〇〇〇	一	〇・八九・〇	
大豆	一	一八・〇〇〇	一	三・二一・〇	
精黍	一	一三・〇〇〇	一	二・三二・〇	
蕎麥	一	三・〇〇〇	一	〇・五四・〇	
豌豆	一	八・〇〇〇	一	一・四三・〇	
稗	一	三・〇〇〇	一	〇・五四・〇	
青麻	一斤	〇・八〇〇	一清斤	〇・二〇・〇	
木耳	一	〇・六〇〇	一	〇・一五・〇	
豆油	一〇〇	二二・〇〇〇	一	〇・〇五・五	
煙草	一	一八・〇〇〇	一	〇・〇四・五	
豚肉上	一	二八・〇〇〇	一	〇・〇七・五	

品目	清貨 收量	清貨 價格	日貨 收量	日貨 價格	備考
同皮	一〇〇	一八・〇〇〇	一	〇・〇四五	
粟稈	一〇〇把	五・〇〇〇	一〇〇把	一・二五・〇	
花菜	一斤	〇・八〇〇	一清斤	〇・二〇・〇	
黄耆	一〇〇	三〇・〇〇〇	一〇〇	七・五〇・〇	

二、明治四十一年十月楡樹川農産物價表

品目	清貨 收量	清貨 價格	日貨 收量	日貨 價格	備考
粟	一清石	六・〇〇〇吊	一石	二・〇七・〇円銭	日貨一圓ヲ清四吊文 清一石ヲ日本一石四斗ニ換算ス
高粱	一	七・〇〇〇	一	一・二五・〇	
黍	一	六・〇〇〇	一	一・〇七・〇	
玉蜀黍	一	六・〇〇〇	一	一・〇七・〇	
精粟	一	一二・〇〇〇	一	二・一四・〇	
精黍	一	一二・〇〇〇	一	二・一四・〇	
大豆	一	一二・〇〇〇	一	二・一四・〇	

三、明治四十二年十月甕聲摺子農産物價表

品目	清貨 數量	清貨 價額	日貨 數量	日貨 價額	備考
小豆	一清石	一二·〇〇〇吊	一石	二·一四〇円	
蕎麥	一	二·五〇〇	一	〇·四五〇	
豌豆	一	一〇·〇〇〇	一	一·七九〇	
稗	一	三·〇〇〇	一	〇·五四〇	
豚肉上	一斤	〇·三〇〇	一清斤	〇·〇七五	
同下	一	〇·二〇〇	一	〇·〇五〇	
煙草下	一〇〇	二〇·〇〇〇	一〇〇斤	五·〇〇〇	
煙草	一〇〇	三〇·〇〇〇	一〇〇	七·五〇〇	
荏油	一〇〇	二八·〇〇〇	一〇〇	七·〇〇〇	
豆油	一〇〇	三〇·〇〇〇	一〇〇	七·五〇〇	
粟稈	一〇〇把	五·〇〇〇	一〇〇把	一·二五〇	

品名	清貨 單位	清貨 價額	日貨換算 單位	日貨換算 價額	備考
精粟	一清石	三〇・〇〇〇吊	一石	四・九八・三円銭	日貨換算ハ龍井市時價清貨四吊三百文ヲ壹圓ニ換算セリ 清一石及清一斤ハ前同斷
玄粟	一	一五・〇〇〇	一	二・四九・二	
小麥	一	一八・〇〇〇	一	二・九九・〇	
大豆	一	二〇・〇〇〇	一	三・三二・二	
小豆	一	一二・〇〇〇	一	一・九九・三	
小麥粉	一〇〇清斤	一四・〇〇〇	一〇〇清斤	三・二五・六	
豆油	一塊	四〇・〇〇〇	一個	九・三〇・四	
豆粕	一〇〇清斤	一・〇〇〇	一〇〇清斤	〇・二三・三	
食鹽	一〇〇	二二・〇〇〇	一〇〇	五・一一・六	
豆素麵	一〇〇	二五・〇〇〇	一〇〇	五・八一・四	
稈稈	一把	〇・一六〇	一把	〇・〇三・七	

第二項　西崗（海蘭河流域ノ一）

西崗ハ海蘭河ノ上流ニ於ケル頭道溝二道溝、三道溝、四道溝及五道溝地方ノ總稱ニシテ頭道溝街附近

ニ於テ大平野ヲナシ平地面積十一方里四七、一萬七千八百三十八町歩餘ニ達ス

戸口ハ次ノ如シ

	戸數	人口			合計（人口ニ對スル百分率）
		男	女	計	
韓人	一、六五五	五、二一〇	三、八九四	九、一〇四	六六
清人	七七七	二、九九八	一、六九六	四、六九四	三四
合計	二、四三二	八、二〇八	五、五九〇	一三、七九八	一〇〇

即チ韓人ハ總人口ノ三分ノ二ヲ占ム

平地ニ於ケル可耕地面積約一萬三千二百三十四町歩ニ達シ現耕地約七千五百二十町歩ヲ算セラル可耕丘陵地亦頗ル多ク約四萬五千町歩ノ概算ヲ有シ内開墾セラレタル面積ハ僅カニ千三百五十町歩ニ過キス主トシテ四道溝及五道溝附近ニ多シ其大部分ハ有望ナル未耕地ナリ現耕地ノ合計約八千八百七十町歩一戸平均ノ耕作反別三町六反五畝弱ノ割合ニシテ間島東部ニ於ケル最モ重要ナル農産地ナリ

一、頭道溝平野

頭道溝、二道溝、三道溝、四道溝及五道溝ノ各支流ノ合流點ニシテ平地面積七、七方里一萬一千九百七十

五町ニ達シ東西長キ處七里平均五里半南北廣キ處二里平均一里半弱ノ廣袤ヲ有シ間島中最大ノ平野ナリ土地平坦地味膏腴農業地トシテ最モ優勝ノ地位ヲ占メ頗ル形勝ノ地區タリ東古城子及西古城子ノ舊址共ニ本平野ニアルハ蓋シ偶然ニ非ラス海蘭河ハ各支流ノ合流ニヨリテ漸ク大ヲ成シ迂餘屈曲シテ平野ヲ貫流シ東シテ關門咀子ヨリ六道溝平野ニ入ル頭道溝ハ平野ノ中部稍北ニ偏シ海蘭河畔ニアリ清人九十戸人口七百〇九局子街ニ次ケル大市場ニシテ製油業者四戸、製粉業者七戸、蔬菜栽培專業者三戸アリ

作物ハ粟、大豆、小麥及高粱最モ多ク品質良好ナリ蔬菜栽培亦盛ニシテ優良ナルモノヲ産ス

西古城子附近ハ有名ナル小麥ノ産地ニシテ琿春地方ニ輸出スト云フ清人ノ大地主多ク五六十晌以上ヲ有スルモノ少ナカラス自作耕地亦他地方ニ比シテ大ナリ平崗下里社青芝壚清人于萬海ハ三十一年前奉天ヨリ移住シ來リ家畜ハ馬二十六、騾四、驢三ヲ飼養シ所有耕地七十晌悉ク自作ス蓋シ東間島ニ於ケル自作面積ノ最大ナルモノナリ明治四十二年ニ於ケル作物栽培ノ割合ハ次ノ如シ

作物	面積	作物	面積
小麥	二〇晌	玉蜀黍	一三晌
高粱	一三	大豆	一〇
黍	六	粟	四
小豆	三	大麥	一

而シテ毎年輪作ノ關係上栽培歩合ヲ變更スト云フ韓人ハ本平野ニ於テハ土地所有者甚タ少キカ如

ク多クハ清人ノ小作農ナリ之レ清人ニ大地主多ク其勢力大ニシテ拮抗スヘカラサルモノアルニ歸セスンハアラス

二、頭道溝上流

平地面積六百三十八町歩地形狹隘ニシテ濕地多ク砂礫地少カラス可耕地ハ其六割三百六十三町歩ニシテ戸數二十餘現耕地ハ七十六町歩ニ過キス下流附近ノ丘陵地ハ開墾ニ適ス

三、二道溝上流

西古城子ヨリ溪谷漸ク狹マリ窩集嶺ニ向フ西部間島ニ通スル要路ナリ平地面積千四百十町歩可耕地面積九百十町現耕地ハ可耕地ノ一割五分即チ百三十七町ニ過キス茂山村ハ二道溝口ヨリ一里頭道溝街ヨリ約三里ノ村落ニシテ清家二韓家三十五アリ四五年前ノ移住ナルカ如シ茂山村ヨリ河身屈折シテS字形ヲナシ窩集嶺街道ノ岐點ニ達スレハ廣漠タル平地ニシテ三百餘町ニ亘リ將來頗ル有望ナル農地タルヘク現今清家二、韓家六戸ニ過キス茂山村ヨリ蜂蜜溝岐點ニ至ル間ハ甚タシキ砂礫地ニシテ砂金採集ノ跡地ナルヲ以テ耕地トシテノ價値乏シ

四、三道溝土山子

三道溝口子ヨリ谷ハ次第ニ狹マリ屈曲シテ止ルコト里餘稍廣キ窪地ニ達ス土山子平野之ナリ平地面積僅カニ六百七十七町歩三道溝其南ニ偏シテ流ル數年前迄砂金ヲ產シ採堀ノ跡河床ノ諸所ニアリ南側ノ丘陵地中腹ニ炭坑アリ近年迄採堀セラレシカ天寶山ノ廢鑛ト共ニ中止セラレタリト云フ

炭質甚タ不良ナリ可耕地面積四百三十五町歩現耕地ハ其半ニ過キサルカ如シ土性多ク砂礫質ニシテ農地トシテノ價値少シ張某ナルモノ二十年前山東省萊州府ヨリ移住シ來リ悉ク此附近ノ土地ヲ所有シ現今八十餘晌ヲ有シ巨屋ヲ構ヘ大農ヲ營ミツヽアリ外ニ清人十戸韓人十六戸アリ附近ノ丘陵地開拓ノ餘地多シ

五、三道溝靑山里

三道溝ノ上流ニシテ頭道溝ヨリ六里茂山ヘノ通路ナリ南北三里東西狹クシテ廣キ處十二三町ニ過キス三道溝其西邊ヲ流ル平地面積一方里半可耕地面積千八百四十町現耕地ハ略四百五六十町歩ニシテ可耕地ノ二割五分ニ過キス現今殆ント清人ノ居住ニシテ其七八十戸ニ達シ韓人ハ僅カニ數戸ニ過キス(近來漸次韓人ノ數ヲ增加シツヽアリ有望ノ地空シク)荊棘ノ跋扈ニ委シツヽアリ兩側ノ丘陵地ハ傾斜甚タ緩ニシテ悉ク開墾ニ適スヘシ思フニ將來牧場地トシテ利用セハ頗ル好適ナルヘシ唯タ交通不便ナルヲ恨ムノミ

牛心山側ノ一清人ハ五十年前山東省泰安府ヨリ吉林ニ到リ西部間島夾皮溝ヲ經窩集嶺ヲ越エテ當地ニ來リ荊棘ヲ開キテ初メテ開墾ニ從事シタリト云フ彼ニ就テ聞ケハ當時銀塊二個ト家僕六名ヲ伴ヒ家畜ヲ携ヘス着後牛ヲ西古城子附近ヨリ購ヒタリト云フ之レニ據レハ頭道溝平野ハ五十餘年前既ニ居住者アリシモノヽ如シト雖モ彼ノ云フ處往々虛言アリ未タ信ヲ措クニ足ラス開墾ノ當時地租ハ敦化縣ニ納メ後琿春ニ納メタリト云フ

六、四道溝平野

平地面積八百五十五町可耕地面積六百八十四町現耕地ハ其半ニ過キス上流黃直附近ニハ未耕地少カラサレトモ一般ニ幅狹ク砂礫地多ク農地トシテノ價値甚タ少シ下流ニ至レハ地形漏斗狀ヲナシ頭道溝平野ニ連リ地味頗ル肥沃ナリ上流ニハ三四ノ淸人居住スレトモ韓人大多數ヲ占ム但シ其過半ハ小作農ナルカ如シ下流地方ノ邱陵地ニハ耕地多シ

黃直ハ四道溝上流高麗崴子嶺ノ下ニアリ戶數十三戶(內淸人一戶)人口六十一、牛十頭アリ十五年前茂山ノ韓人來リテ土地ヲ開墾セシカ其翌年淸人黃希ナルモノ來リテ此附近ノ土地ハ自己ノ所有ナリト稱シ悉ク開拓セル土地ヲ奪ヒテ韓人ヲ小作人タラシメシヲ以テ韓人ハ黃ノ所爲ニ平ナラス幾若ナラスシテ歸鄕シ現今十年前更ニ茂山ヨリ移住セル韓人ニヨリ耕作セラレツツアリ此附近「アンペラ」草盛ニ谿間ノ濕地ニ自生シ住民ハ之ヲ採集シ來リテ「アンペラ」蓆ヲ編ミ頭道溝ニ販賣シテ雜貨ヲ購フ一枚ヲ編ムニ一人ニテ二日ヲ要シ賣價五十錢ナリト云フ其外ニ附近ノ山林ヨリ伐木製板シテ頭道溝ニ販賣ス樅板長韓三尺(我三尺五寸)幅韓一尺(我一尺一寸六分)厚二寸餘ノモノ一枚ノ代價二兩五錢(我四十二錢弱)ナリ韓人ハ平均三日耕ヲ耕作シツツアリ小作料ハ收穫物ノ三割ヲ地主ニ納ム戶稅一戶六兩(一圓)ヲ徵收セラルト云フ

七、五道溝

極メテ狹隘ナル谿間ニシテ平地ト稱スルニ足ルモノナシ村落ハ多クハ丘陵地ニアリ耕地亦丘陵地

ニアリ稀ニ清人ヲ見サルニアラサレトモ至ル處韓人ノ部落ナリ

五道溝口村ハ海蘭河ニ沿ヒタル平地ニシテ其附近ノ土地ハ東古城子清人楊某ノ所有ナリ清人多ク居住シ其多クハ十年前頃山東省登州府ヨリ來住シ楊ノ土地ヲ小作シ一戶平均二十晌ヲ耕作セリ

小五道溝ハ五道溝口村ヨリ南ニ二里弱ノ山間ニアリ戶數二十四戶內清人一戶アリ全耕地八十日耕悉ク清人ノ有ニシテ韓人ハ平均五日耕ヲ小作セリ該清人ハ二十一年前奉天府附近ヨリ移住シ來リ韓人ニ小作セシメシカ北清事變ニ際シ露兵ノ掠奪ニ遭ヒテ清韓人共ニ一時難ヲ他ニ避ケ現今ノ韓人ハ其後新タニ鏡城、明川、吉州ヨリ移住シ來リタリト云フ約三日耕ノ水田アリ水量甚タ不足ナルカ如シ四年前鏡城ヨリ種子ヲ持チ來リテ栽培セルモノニシテ一日耕ヨリ籾韓五石(我二石八斗五升)ヲ產シ價格ハ籾韓一斗一兩五錢(我二十五錢)即チ一日耕ヨリ拾八圓七十五錢ノ割合ナリ脫穀ニハ粟、精白用ノ碾子ヲ用ヒ三回ニシテ止ム一斗ノ籾ヨリ三四升ノ玄米(碾子ノ爲メ半ハ精白セラル)ヲ得ルニ過キス近來龍井村ニ持チ來リテ韓一斗四兩乃至五兩ノ價格ヲ有ス即チ我一升ハ拾七錢五厘乃至貳拾貳錢ナリ韓人ハ米食ヲ頗ル重ンシ一ケ年中陰曆正月元旦二月寒食及節句タル三月三日四月八日五月五日八月十五日ノ六回ニ食スルノミナリト云フ

一家四口トスレハ四日耕ヲ以テ生活シ得ヘク成人一人一ケ年韓六石(我三石四斗二升)ノ粟ヲ要スト云フ

白浦江中村ハ五道溝ヨリ東梁大村ニ通スル山間韓人ノ小部落ニシテ戶數十三七年前會寧ヨリ移住

セリ當時土地ハ清人宋某ノ有ナリシカ其翌年宋ヨリ耕地十晌及附近ノ未墾地全體ヲ四百吊文ニテ買收セリト云フ此ノ附近薪炭林ニ富ム清人ハ炭焼業ヲ營ミ龍井村ニ搬出シテ販賣ス一篭ニ千斤ヲ焼キ百斤三吊文即チ一貫目五錢ノ割合ナリ薪ハ頭道溝又ハ龍井市ニ販賣シ牛車一輛ノ價格四五兩ナリ

第三項　南崗（海蘭河流域ノ二）

六道溝東盛湧平野及附近一帶ノ總稱ニシテ平地面積七方里一二、約千六百八十町歩ニ達シ戸口最モ稠密ナリ

最近ノ調査ニヨレハ

	戸數	人口 男	人口 女	人口 計	合計（人口ニ對スル百分率）
韓人	五、三一二	一五、二三四	一一、四八二	二六、七一六	八五
清人	六二九	三、〇八一	一、五一二	四、五九三	一五
合計	五、九四一	一八、三一五	一二、九九四	三一、三〇九	一〇〇

即チ韓人約八割五分ヲ占メ三崗平野中韓人ノ最モ多數ニ居住スル地方ニシテ土地所有者亦比較的多シ、平地ニ於ケル可耕地面積ハ約八千七百五十七町歩ニシテ内現耕地六千八百八十二町歩ニ達シ

三崗平野中開墾最モ普キ地方ナリ邱陵地ハ平野ノ南北兩側ニ開弘シ約三萬町歩ニ達ス比較的多ク開拓セラレ約四千五百町ニ達ス之ヲ合シテ現耕地一萬一千三百八十二町一戸平均耕地反別一町九反餘ノ割合ナリ

一、六道溝及東盛湧平野

隨圓形ノ平野ニシテ平地約四、一四方里約六千四百四十町歩內耕地面積約五千百五十町歩其九割ハ開墾耕作セラレツツアリ土性ハ砂質壤土又ハ植質壤土ニシテ表土ノ深サ五六十糎下層土ハ砂質又ハ礫質トス地味一般ニ肥沃ニシテ各種作物ノ生育佳良ナリ水稻ハ六道溝畔ノ大敦洞及小佛寺ニ大面積ニ栽培セラレ合シテ三十四五町歩ニ達スヘク又東盛湧ヨリ鍾城間島ニ通スル溪谷小許門里附近及八道家子ニ五六町歩ノ水田アリ特用作物ニテハ煙草及大麻最モ多シ

東盛湧街ハ本平野東ノ中心點ニシテ龍井市ヲ距ル東ニ二十年前ニ設ケラレタル都邑ニシテ東盛湧ト稱スル有名ナル燒鍋業者アリ以テ街ニ冠シタルモノニシテ淸人十六戸八百五十二口韓人四十二戸二百二口アリ局子街ヲ距ルコト南ニ三里從來局子街ヨリ東盛湧ニ出テ邱陵地ヲ通過シ大拉子ヲ經テ會寧ニ通スル本街路ニシテ又龍井村方面ヨリ鍾城ニ出ツル一通路ナリ東盛湧號冠萬春ハ耕地四百餘晌ヲ所有シ附近殆ント彼ノ所有ナリ蓋シ間島ニ於ケル最大ノ地主ナリ

龍井村ハ即チ西ノ中心點ニ相當シ六道溝口ニアリ從來韓人ノ大部落ニシテ韓人百〇八戸四百二十八口、淸人五戸十六口ニ過キサリシカ明治四十年八月統監府派出所ノ玆ニ設置セラルルヤ急速ナル

發達ヲ遂ケ明治四十二年一月ニ於テハ韓人戸數二九〇人口一一八三ニ達シ外四十戸一四三人ノ日本居留民ヲ見ルニ至リ間島ニ於ケル重要ナル都邑ノ位置ヲ占メ毎月陰暦二、七ニ開カルル市場ノ如キハ益々隆盛ニ赴キ局子街ヲ壓倒スルノ勢アリ同村ヨリ局子街ヘ四里半頭道溝ヘ五里會寧ヘ十三里半物資集散地トシテ樞要ノ地ナリ將來同村ノ發達ト共ニ附近ノ農業亦一變スルノ機アラン

耕地一晌地ノ賣價ハ百五十吊乃至三百吊ニシテ近來龍井村附近ノ如キハ頓ニ騰貴シツツアリ龍井村及東盛湧ヨリ南長洞附近ニ至ル間一帶ノ丘陵地ハ傾斜二十度乃至二十五度ニ過キス起伏少ク一帶ノ高原地ヲナス土性ハ砂壤土ニシテ表土ノ深サ二十糎乃至三十糎ニ過キサレトモ大部分ハ農地トシテ充分ニ利用スルヲ得ヘシ現時ハ龍井市ヨリ東盛湧ニ至ル間及小許門里附近ノ丘陵地ニ多少ノ耕地ヲ見ルノミ將來有望ナル耕地タルヘシ

二、大拉子附近

平地面積約千町歩可耕地面積八百四十六町歩現耕地ハ六百三十四町有望ナル未耕地ニ富メリ

大拉子街ハ平地ノ西南隅ニアリ淸戸數三十三人口三百九十三アリ和龍峪分防衙門ノ所在地ニシテ光緒十年來官衙ヲ設ケラレ間島ヨリ輸出スル耕物ニ課稅セリト云フ現時豆滿江沿岸、茂山、會寧、鍾城三間島ノ行政支廳タリ

大拉子ノ背後ニ緩傾斜ノ丘耕地アリ殆ント未墾地ナレトモ悉ク開墾ニ適シ現今漸次開拓セラレツツアリ

大楡田洞ハ大拉子ヲ距ル西北ニ二里弱戸數百二十八戸悉韓人ノ居住ニシテ十九年前清人李年發(湖南人)ナルモノ清國官衙ヨリ此附近ノ土地分配ヲ受ケ吉州明川富寧、鏡城ノ韓人ヲ招キテ開墾セシメシカ十三年前韓人ハ共同シテ當時ノ耕地韓十八日耕及附近未耕地ヲ併セテ三千百兩ニテ之ヲ買收セリト云フ現耕地ハ清四百晌ト稱ス平地少キヲ以テ丘陵地ノ開拓盛ナリ當地方大麻ヲ多ク栽培シ婦人ノ業トシテ麻布ヲ織リ自家用ノ外大拉子ニ至リテ販賣ス一反(韓三十尺)ノ價格ハ上等十七八兩中等十五兩下等十兩ナリ又薪ヲ採リ大拉子ニ持行キ牛車一輛二三兩ニ販賣ス、天主敎行ハレ佛人宣敎師一回巡遊シ目下信徒二十戸アリ

三、長洞附近

大拉子ノ東北ニアリ平地面積僅カニ七百十五町内可耕地面積ハ其五割五分三百三十四町歩ニ達ス花岩村、絕障洞、長洞ノ三小谿谷ハ八道家子ノ南方一里ノ地點ニ合シ更ニ北方ニ亘リ青林洞近ニ至ル間稍廣キ平地ヲナセリ而シテ此等ノ小平地ハ多クハ卑濕ノ沼澤地ニ近シ將來排水ニヨリテ適當ナル耕地タルヲ得ヘシ

四、七道溝及東梁溪谷

狹長ナル平地ヲナセトモ多ク砂礫地ニシテ農地トシテノ價値甚少シ處々ニ砂金採集ノ跡地アリ
東梁李村、東梁谷ノ中央小佛洞ヨリ三里餘ニアリ耕地ハ主トシテ丘陵地ニ在リ戸數三十戸十八九年前茂山ヨリ移住シ來リタルモノニシテ鏡城ノ移住者ハ二戸ニ過キス耕地ハ悉ク大拉子在住ノ清

人朱某ノ所有ニシテ小作料ハ收穫物ノ四割ナリ牛車ヲ造リテ鍾城間島湖川浦ニ賣ルト云フ牛車製造税、牛税、戸税ヲ合シテ中産以上ノモノハ一戸一ヶ年三十兩乃至四十兩(五圓乃至六圓六拾八錢)ノ課税アリ中産以下ノモノ尙十五兩(貳圓五拾錢)ヲ納ムルヲ要ス牛税ハ牛ノ賣買税ニシテ賣買ノ如何ニ拘ハラス貧富ヲ論セス牛ヲ有セサルモノノ外ハ借リ居ルモノト雖モ一樣ニ之ヲ課シ一ヶ年當村ニ九十兩(約拾五圓)ノ牛税ノ賦課アリト云フ每年茂山方面ヨリ移住者アリ十年前ハ僅カニ十戸ニ過キサリシカ現今ハ三十戸ニ達セリ即チ十年間ニ二十戸ヲ增加セル割合ナリ耕地モ每年平均韓三四耕以上開墾セラルルト云フ

老房子　老房子ハ東梁李村ヨリ南一里餘門岩嶺ヲ越エテ咸朴洞ニ出ツヘシ、戸數三十三戸、二十四年前會寧及茂山ノ韓人來リテ清人王某ノ土地ヲ開墾セリト云フ

耕地三十清晌內九晌半ハ局子街在住ノ清人董ノ所有ナリト云フ韓人ハ悉ク小作農ニシテ小作料ハ收穫物ノ五割ナリ大麻ヲ產シ麻布ヲ織リ會寧ノ商人來リテ之ヲ購フト云フ一反(韓二十一尺乃至二十四尺)ノ價ハ製品ニ依リ七兩乃至二十兩(壹圓拾七錢乃至參圓參拾四錢)ノ差アリ老房子ヨリ門岩嶺ニ至ル間平地及丘陵地ニ未耕地多シ但シ平地ハ濕地少カラサルカ如シ

五、花田坪溪谷

東盛湧ノ東ニアル東西ニ狹長ナル平地ニシテ平地面積千六百八十町八道家子附近ヨリ來ル小河其中央ヲ貫キ海蘭河ニ注ク兩岸ニ砂礫地少カラス可耕地面積千三百四十四町步現耕地八百七十三町

歩ノ概算ナリ

清人ハ凡ソ三十戸ヲ數フヘシ十五晌乃至三十五晌ノ耕地ヲ有ス韓人ハ約二百餘戸ニシテ海蘭河ノ大屈曲部龍潭村附近ハ韓人ノ大部落ニシテ地味亦肥沃ナリ

當地方耕地一晌ノ賣買ハ百吊乃至二百吊ヲ普通トス

第四項　茂山間島

茂山間島ハ面積頗ル廣シト雖トモ山地多クシテ平地ニ乏シク豆滿江ノ上支流烏鳩江ニ約千八百町ノ平地面積ヲ有スルヲ最大トシ上廣浦及下廣浦地方ノ九百十八町歩之ニ亞キ他ハ僅カニ豆滿江ノ屈曲部所々ニ小面積ノ平地ヲ見ルノミ即チ南坪及龍淵附近ノ小平地ヲ合シ二、三四方里三千六百四十町ニ過キス

戸口ハ左ノ如シ

	戸數	人口			合計（人口ニ對スル百分率）
		男	女	計	
韓人	一、五〇四	四、〇九九	二、〇九九	七、〇〇四	九八・九
清人	三七	七七	三	八〇	一・一
合計	一、五四一	四、一七六	二、九〇八	七、〇八四	一〇〇・〇

即チ清人ハ極メテ少ク僅カニ合計人口ノ百分ノ一ニ過キス
平地ニ於ケル可耕地ハ約二千四百六十町現耕地約千百七十町ニシテ未耕地ノ大部分ハ上流烏鳩江ノ人煙稀薄ナル地方ニアリ而シテ大部分ノ耕地ハ山腹及丘陵地ニアリ即チ甚シキハ三十度乃至四十度ニ近キ急傾斜尚耕耘セラレ可耕地面積六千町歩中現耕地約二千町歩ニ達シ平地ニ於ケル耕地ヲ合シ約三千百七十町歩ヲ算セラレ一戸平均ノ耕作反別二町一反ノ割合ナリ移住ノ沿革ニ就テハ前章ニ記述セル處ナルカ當地方ニ盛ニ移住スルニ至リシハ二十五六年以後ナリ而シテ當時ハ地租ノ賦課ナカリシカ二十年前ヨリ清國官憲ハ一晌ニ付二兩五錢（我約四拾貳錢）ノ地租ヲ課スルニ至リ其後十三年前韓國ハ茂山ニ鎭衞隊ヲ置キシカ清國茂山間島守備隊ト衝突シテ清兵ヲ撃退セシ結果在清人ハ一般ニ恐惶ヲ來シ所有耕地ヲ廉價ニ賣却シテ西崗ニ退去シ且ツ爾後三年間鎭衞隊ノ威力ニヨリテ地租徴收ヲ免レシカ十年前清兵更ラニ五十名守備隊トシテ來リ駐屯シテ以來再ヒ地租ノ賦課ヲ見ルニ至レリト云フ現今吉地及東京臺ニ清兵若干駐屯セリ
當地方耕地ノ大部分ハ韓人ノ所有ナリ柳洞於口地方ノ如キハ元西崗三道溝青山里在住清人ノ所有ナリシカ近時韓人ハ共同シテ耕地全部ヲ買收セリト云フ作物ハ粟、大麥及大豆最モ多ク豆滿江沿岸ニハ煙草亦多ク栽培セラル水稻ハ沿岸諸處ニ栽培セラレ吉地ニハ二十七八町歩ノ水田アリ南崗大敎洞附近ニ次クノ水稻栽培地ナリ市場ハ茂山ナレトモ東京臺附近ハ寧ロ會寧ヲ便トスルカ如シ各地トモ時々開市アリ多クハ物々交換ニヨリテ被服其他ノ日用品ヲ辨スト云フ茂山間島ハ前述ノ如ク平地ニ乏シキヲ以テ移住者ハ丘陵地山腹ヲ厭ハス甚シキ急傾斜ト雖トモ能ク耕作シツツアリ即チ茂山間島全耕地ノ六割以上ハ邱陵地ニアルヲ以テ其一般ヲ察スルニ足ルヘシ殊ニ豆滿江沿岸ニ於テ最モ盛ニシテ其對岸韓國側ニ於テ耕地極メテ乏シキニ比シテ頗ル壯觀ナリ蓋シ地質土性略相同シキモ一方韓國側ハ山陰地帶ニ屬シ日光ノ映射少キニ反シ間島側ハ山陽ノ地ニシテ日光ノ充分ナル映射ヲ享ケ作物ノ生育佳良ナルニ歸セスンハアラス

一、南坪附近

茂山ヲ距ル東北ニ一里半豆滿江流ノ灣曲セル一小平地ニシテ平地面積二百三十三町歩可耕地面積約二百十町歩殆ント全部開墾セラレツツアリ土性ハ沖積層ニ屬スル砂質壤土ニシテ表土ノ深サ八十糎ニ達ス下層土ハ砂土ニシテ地味頗ル肥沃ナリ背後ノ丘陵地耕耘頗ル盛ナリ南坪ハ戶數四十九耕地數百二十晌ニシテ七晌五畝餘ヲ有スルモノアレトモ他ハ二三晌ヲ有スルニ過キス小作料ハ收穫物ノ五割ニシテ一日耕ノ賣買價格拾五圓乃至貳拾圓ナリ

二、釜洞地方

釜洞ハ南坪ヨリ上流一里半ノ山間ニアリ戶數七八十戶二十二年前明川ノ韓人移住シ最初淸人ノ土地ヲ小作開墾セシカ十三年前淸人ヨリ廉價ニ土地ヲ購ヒ悉ク地主トナレリ耕地ハ全部山腹及丘陵地ニアリ四五百米以上ノ山腹尙耕作セラレツツアルヲ見ル食餘ノ粟ハ之ヲ茂山方面ニ輸出ス

三、龍淵附近

南坪ヲ距ルコト下流ニ二里餘附近ヲ合シテ平地面積六百八十四町可耕地面積六百十八町殆ント餘地ナク耕作セラレツツアリ

土性其他ノ事情南坪附近ニ同シク背後ノ丘陵地亦盛ニ開墾セラレツツアリ

八年前茂山鎮衛隊二名私用ヲ以テ龍淵ニ來リ歸途江ヲ渡ラントスルニ際シ清兵五名ニ要撃銃殺セラレシカハ龍淵ニ於ケル韓人ノ頭目該清兵ヲ捕ヘテ之ヲ茂山ニ送リ斬ニ處セリ是ニ於テ清兵二百餘大拉子ヨリ來リテ威壓セシコトアリト云フ

四、上廣浦及下廣浦地方

頭道溝ヨリ四道溝ニ入リ高麗崴子嶺ヲ越エテ茂山ニ通スル交路ニ衝リ平地面積約九百十八町狹長屈曲セル平地ニシテ延長約二里ニ達ス濕地及砂礫地多ク約其四割ヲ占メ可耕地面積約五百五十町歩現耕地ハ約三百五十八町餘ニ過キス丘陵地ハ下廣浦地方ニ於テ開拓比較的少ク上廣浦地方ニ多シ土性ハ砂質壤土ニシテ礫ヲ混スル處少カラス當地方ハ二十五年前ノ開拓ナリト云フ下廣浦下村ニ於ケル耕地ハ百八晌五畝四歩ニシテ内六十七晌八畝八分ハ清人ノ所有ナリ茂山人最モ多ク他ハ鏡城、吉州、富寧等ノ移住者ナリ上廣浦鳳山洞及松口尾ニ於ケル耕地ハ二百二晌二畝二分ニシテ多ク韓人ノ所有ナリト云フ當地方ノ小作料ハ平地ニ於テハ收穫物ノ四割丘陵地及山腹ノ耕地ニ於テハ同三割ヲ普通トス但シ下廣浦下村ニ於テハ韓人九戸共同ニテ清人福某ノ耕地十六晌三畝八分ヲ一ケ年七十圓ノ小作料ヲ拂ウテ分耕スト云フ

作物ハ粟、大麥、大豆、黍、高粱ノ順序ニ多ク栽培ス當地方牛一頭一ヶ年使役料ハ壹圓貳拾錢ナリト云フ

韓一日耕ノ價格ハ拾圓乃至拾參圓ヲ普通トス

明治四十二年八月下旬ニ於ケル當地方ノ物價ハ次ノ如シ

但シ韓一石ヲ日本五斗七升トシテ換算セリ

品目	數量	價格
玄粟、玄黍、高粱、大豆	日本一石	二・四五六円
精粟、精黍	同	五・二六三
玉蜀黍	同	二・一〇五
大麥、蕎麥	同	二・一〇五

五、東京臺附近

東京臺ハ韓國下茂溪ノ對岸豆滿江ノ大灣曲部ノ高原ニシテ面積約千町歩ニ達シ土性ハ埴質壤土ニシテ悉ク農耕ニ適シ現今殆ント全部開墾セラレツツアリ龍井村ヨリ門岩洞嶺ヲ越エ茂山ニ通スル要路ニ衝リ頗ル形勝ノ地ニシテ我憲兵分遣所及清國派辦所此地ニ設置セラレタリ

六、大坪高原

大坪ハ東京臺ノ東ニアル玄武岩ノ大高原ニシテ標高八百米面積二千五百五十町歩ニ達ス殆ント樹木ナキ大草原ナリ未タ全ク犂耕セラレタル形跡ヲ見ス土性ハ壤土ニシテ表土ノ深サ三四十糎ヲ越エ農地トシテ價値充分ナレトモ標高高キニ過キ風害ヲ蒙ル恐アリ良好ト云フヲ得ス大豆、玉蜀黍、蕎

麥ノ如キ作物ハ之ヲ栽培スルヲ得ン但シ土地高ク寒風强キト飮用水ヲ得ルニ困難ナル爲メ村落ヲ成スニ難カラン現今附近ノ溪谷ニ淸人二戶アリ僅カニ溪谷ノ低地ヲ耕作シツツアルノミ

第五項　會寧間島

會寧間島ハ面積頗ル狹ク且ツ山地多ク極メテ平地ニ乏シ僅カニ會寧對岸ニ狹長ナル小平地アリ其他豆滿江沿岸ノ小平地ヲ合シテ一、三七方里二千百三十町歩餘ニ過キス耕地ノ大部分ハ丘陵地ニアリ戶口ハ次ノ如シ

	戶數	人口			合計（人口ニ對スル百分率）
		男	女	計	
韓人	一、八九五	五、一八二	三、九三三	九、一一五	九九・八
淸人	八	一四	三	一七	〇・二
合計	一、九〇三	五、一九六	三、九三六	九、一三二	一〇〇・〇

即チ淸人ノ居住者極メテ稀ニ殆ント全部韓人ナリ平地ニ於ケル可耕地ハ約千八百十一町歩現耕地千四百三十一町ニ達ス

丘陵地及山腹ノ開拓ハ茂山間島ヨリモ一層盛ニシテ可耕面積約六千町歩中、四割即チ二千四百町歩ノ概算ヲ有ス即チ總耕地反別三千八百三十一町歩一戶平均ノ耕作反別二町歩ノ割合ナリ

作物ハ粟最モ多ク其栽培面積ハ全耕地ノ約四割ニ達シ大麥、大豆、高粱、玉蜀黍、黍順次之ニ亞ク水稻ハ僅カニ豆滿江沿岸ニ小面積ノ栽培ヲ見ルノミ

一、會寧對岸ノ平地ハ面積〇、五五方里可耕地面積七百二十七町歩現耕地ハ其八割五分內外ナルヘシ會寧トノ間豆滿江ニ渡船場四アリ第一第二渡船場附近ハ良好ナル砂質壤土ニシテ表土ノ深サ七八十糎ニ達シ頗ル肥沃ナル農地ナルモ第三渡船場以下ハ礫ヲ混スルコト多ク殊ニ鶴城附近咸沙洞ノ如キハ石礫最モ多ク流石ニ無頓着ナル韓人モ之ヲ畦畔又ハ畑ノ中央ニ堆積シ其間ニ耕作シツツアルノ狀奇觀ナリ此附近豆滿江沿岸ニハ濕地多ク空シク草原ニ委セラルル處少カラス他日排水灌漑宜シキヲ得ハ水田タラシムルヲ得ン

文化社承珠洞ハ鶴城ノ南方ニアリ半丘陵地ニ存シ戶數百九戶耕地二百三十晌ト稱ス一晌ノ地租ハ二兩二錢五分ナレトモ統監府派出所設置以前ハ沙器洞稽査所駐在清兵ノ暴横最モ甚シク大麥、粟其他金品ヲ徵發シ其額一ヶ年洞內ヨリ四千兩乃至五千兩(六百六十八圓乃至八百三十五圓)ニ及ヒシカ近來我カ嚴重ナル保護監視ノ下ニ不正徵發ヲ免ルルニ至レリ

禹跡洞ハ我憲兵分遣所ノ所在地ニテ沙器洞及ヒ鶴城ハ清兵ノ駐在地ナリ

二、破峯覗ハ會寧ノ西方ニアル丘陵地ニシテ面積約千町歩ノ間殆ント耕作セラレ頗ル壯觀ナリ土性ハ大部分ハ埴質壤土ニシテ石礫ヲ混スル處少キニアラサレトモ丘陵地トシテ稀ニ見ル良好ノ農地ナリト云フヘシ

甑山下村ハ破峯覗ノ南方ニアリテ豆滿江ニ望ミ戶數三十九戶人口二百十六地租一淸晌ニ付二兩六錢五分其他ノ鷄醬油漬物薪牛車等ニ對シ夫々課税アリ二十八年前ノ開墾ニシテ會寧、鏡城、明川、茂山等移住者多シ耕地賣買ノ價格ハ韓一日耕三十兩(五圓餘)乃至百兩(十六圓七十錢)ナリト云フ

三、椽田洞ハ會寧ヨリ上流三里餘ノ沿岸ノ小平地ニアリ戶數三十、人口百餘悉ク韓人ナリ二十七年前會寧ノ韓人來リテ耕作セシカ定住スルニ至ラス二十四年前ヨリ漸次移住スルニ至レリ耕地八十餘日耕從來一晌二兩六錢(四十三錢)ノ地租ノ外每年一戶七八兩(一圓十七錢乃至一圓三十七錢)ノ戶税ヲ徵集セラレタリト云フ最大ノ地主ハ十五日耕ヲ有ス

第六項　鍾城間島

鍾城間島ハ面積狹ク平地ハ鍾城對岸下泉坪湖川街附近ノ一、三方里ヲ大トシ其他ハ下流沿岸岳沙坪時建坪馬派等ノ小平地ナキニアラサレトモ甚小ナリ平地面積合計ハ一、八方里約二千八百町歩ニ過キス耕地ノ大部分ハ丘陵地ニアリ戶口ハ次ノ如シ

	戶數	人口			合計(人口ニ對スル百分率)
		男	女	計	
韓人	三、三四五	九、二四五	七、四二九	一六、六七四	九九・八
淸人	二三	六四	一七	八一	〇・二
合計	三、三六八	九、三〇九	七、四四六	一六、七五五	一〇〇・〇

會寧間島ト等シク殆ント全ク韓人ノ居住地ナリ平地ニ於ケル可耕地面積ハ約二千百七十七町歩ニシテ開拓普ク現耕地千八百三十町歩ニ達スル地形一帶ノ丘陵地ヲナシ約一萬二千町歩ニ達シ下泉坪ノ西北方北夢氣洞、北獐洞方面及湖川浦附近ニ於テ開拓頗ル盛ニ約四千町歩ニ達ス即チ總耕地ハ五千八百三十町餘ニシテ一戸平均ノ耕作反別一町七反ノ割合ニテ間島中一戸平均ノ耕作反別最モ小ナル地方ナリ

作物栽培歩合ハ略會寧間島ニ同シ水稻ハ中泉坪及寺洞地方ニ若干馬派ニ三四町合計五六町歩ヲ栽培ス特用作物中煙草ノ栽培最モ盛ニシテ就中時建坪ノ如キハ有名ナル産地ニシテ十町歩餘ニ及ヒ會寧富寧慶源慶興方面ニ輸出セラルル額頗ル多シト云フ

一、湖川街及下泉坪平野

平地面積一、三方里可耕地面積千五百十六町歩殆ント普ク耕耘セラレツツアリ豆滿江沿岸中泉坪下泉坪附近ハ地味最モ肥沃ニシテ多クハ埴質壤土ニ屬シ表土ノ深サ九十糎以上ニ達ス中央部ニハ少シク濕地アリ

湖川街ハ鍾城間島ニ於ケル唯一ノ韓人市街ニシテ韓人四十五戸二百三十五人清人四戸八人アリ南崗ヨリ鍾城ニ通スル要衝ノ地ニシテ南崗ノ一部及此附近ノ物資集散地ニシテ毎月四九日六回ノ開市アリ清國ハ此地ニ派辨所ヲ設ケ街名ヲ懷慶街ト改メシメタリ

下泉坪附近ニハ清國光霽峪兵營アリ

大泉坪ヨリ學城ヲ經テ地坊ニ至ル間及學城ヨリ三屯子村ニ入ル谿間ハ殆ント礫質ニシテ可耕地一割ニ過キス主トシテ緩斜地ヲ耕作シツツアリ

鍾城間島ニ於テ最モ有名ナルモノヲ古島トス古島ハ鍾城ノ對岸豆滿江中流ニアル中洲ニシテ南北長サ三十七町幅廣キ處十六町平均十一町面積三百五十町歩ニ達シ現耕地韓五百日耕ト稱スレトモ殆ント全部耕地タリ三十年前新ニ中間ニ支流貫通シテ二分セラレ間島側ハ大ニシテ之ヲ古島又ハ古間島ト稱シ鍾城側ハ小ニシテ新島ト云フ耕地ニ乏シキ鍾城ノ邑民ハ久シク古島ノ地味肥沃ナルニ垂涎シ四十餘年前ヨリ江ヲ渡リ此地ヲ耕作セリ土壤ハ沖積層ニ屬スル細砂ヲ含メル壤土ニシテ表土ノ深サ九十糎以上ニ達シ最モ良好ナル農地タリ後年勘界問題ノ起ルヤ清國ハ古島ヲ以テ全然清國ノ有ナリト稱シ悉ク韓人ノ耕地ヲ奪ヒテ官有トセリ是ニ於テ鍾城郡守ハ止ヲ得ス爾後毎年古島ノ地ヲ大略次ノ如キ割合ニテ清國官憲ヨリ借地シ鍾城七郷ノ民ニ分配シテ耕作セシム

韓一日耕	上	三〇兩	我	五円〇一〇
同	中	二五	同	四・一七五
同	下	二〇	同	三・三四〇

而シテ之ヲ郡民ニ分配スルニハ毎春郡吏古島ニ出張シテ郡民約四百人ヨリ前記ノ割合ニテ前金ヲ以テ出願セシメ先着順ニヨリ土地ヲ撰定シテ貸與ス其際人民ハ土地ノ良否ヲ爭フテ頗ル混騷スト云フ

北蓼氣洞及北獐洞附近ハ起伏セル傾斜緩ナル丘陵地帶ヲナシ山頂附近ハ未タ開墾セラレサレトモ中腹以下ハ殆ント耕地ナリ湖川浦附近ノ丘陵地ハ土性一般ニ赭色ヲ帶ヒ石灰質ノ石塊ヲ混スルコト少カラス

地坊附近ノ丘陵地ハ礫質ニシテ耕地トシテ價値乏シ

二、丘沙坪及時建坪

丘沙坪ハ鍾城ヨリ下流三里餘ノ對岸ニアリ戸數八十耕地韓三百日耕三十七年前ノ移住ニシテ目下吉州鏡城明川鍾城ノ韓民ノ居留部落ナリ痲ヲ產シ婦人ノ業トシ痲布ヲ織リテ販賣シ韓一反ノ價十六兩(我二圓六十七錢)ナリ直接市場ハ對岸潼關ナレトモ鍾城トノ關係亦尠カラス

三、馬派及傑滿洞

馬派ハ岳沙坪ヨリ下流二里弱戸數百五十、耕地四百淸晌淸人數戸アリ韓人ノ移住者ハ二十年前穩城ヨリ來リシモノ最モ早シト云ヒ他ハ慶興、慶源、鏡城、會寧ノ移住者ナリ

水田三四町歩アリ一反歩玄米四斗ヲ產ス土人ハ之ヲ消費スルコト少ク主トシテ慶興、慶源方面ヘ輸出スト云フ馬派ヨリ西ニ折レ三洞ヲ經風渡嶺ヲ越エテ六里餘ニシテ局子街ニ通スヘシ近來淸國ハ我傑滿洞憲兵分遣所ニ對抗シテ派辦所ヲ當地ニ設ケタリ

傑滿洞ハ馬派ヨリ西ニ半里風渡嶺ヲ越エ七里ニシテ局子街ニ通スヘシ溪間ニアリテ地形廣濶ナラスト雖モ南方ハ緩傾斜ノ邱陵地帶ナリ韓人ノ大部落ニシテ戸數附近ヲ合シテ三百四五十戸ニ達シ

淸人ハ數戸ニ過キス南方ノ邱陵地ハ全部開墾ニ適スヘシ現時耕耘セラレタル處甚タ少シ
作物ハ粟、大麥、大豆、玉蜀黍及小豆最モ多シ
韓人ノ鄕貫ハ鍾城及穩城多數ヲ占ム當地方ノ耕地三千日耕ト稱ス大部分韓人ノ所有ニシテ二十日耕以上ヲ有スルモノ少カラス
鍾城人金平俊(又ハ金富貴ト稱ス)ハ三十一年前三洞ニ移住シ來リ淸國ニ歸化シ耕地百二十日耕ヲ所有シ悉ク韓人二十戸ニ分チテ小作セシメ富裕ナル生活ヲ營ミ當地方ニ雄視セリ蓋シ間島ニ於ケル韓人ノ最大地主ナリ
耕地一日耕ノ價格ハ約百六十兩乃至二百兩小作料ハ收穫物ノ五割ヲ普通トス當地方ノ明治四十二年十月ニ於ケル物價ハ次ノ如シ

	數量	價額		數量	價額
玄粟	日本一石	円 一・七五四	玉蜀黍	日本一石	円 一・七五四
精粟	同	三・五〇八	黍	同	二・一九三
大豆	同	二・二八〇	馬鈴薯	同	〇・八七七
大麥	同	二・一九三	粟稈	一把	〇・〇二〇
小麥	同	五・七九二	高粱酒	一淸斤	〇・二〇〇

高粱	同	二・〇〇〇
薪	牛車一輛(十五束)	〇・八〇〇
柴	牛車一輛(十八束)	〇・二〇〇
鹽	日本一升	〇・一〇五
朝鮮酒	同	〇・一〇〇
木炭	韓一升(韓十二斗入)	〇・六〇〇
鷄	一羽	〇・二五〇
鷄卵	一個	〇・〇一〇

備考　韓一石ヲ日本五斗七升韓貨六兩ヲ日貨壹圓トシテ換算セリ又鹽ト粟トノ交換ハ鹽韓一斗ニ對シ粟韓四斗ノ割合ナリトス

第七項　嘎呀河流域

嘎呀河流域ハ北崗ニ亞イテ土地最モ廣ク上流、汪青、蛤蟆塘、百草溝方面ニ九方里以上ノ平地面積ヲ有シ河口附近ヲ合シテ總平地面積一一、三四方里、一萬七千六百三十六町歩ニ達ス戶口ハ左ノ如シ

	戶數	人口 男	人口 女	人口 計	合計(人口ニ對スル百分率)
韓人	三六八	一、八三二	一、〇五六	二、八八八	六〇
清人	四二八	一、一七三	七四三	一、九一六	四〇
合計	七九六	三、〇〇五	一、七九九	四、八〇四	一〇〇

備考　上流地方ハ調査頗ル困難ナル事情アリシヲ以テ戶口調査充分ナラス實際戶口數ハ更ニ多キヲ疑ハス

即チ韓人其六割ヲ占ム主トシテ下流ニ多ク上流地方ニ至レハ韓人ノ居住甚タ少シ汪靑蛤蟆塘方面ハ踏査スルヲ得サリシカ人煙稀疎開拓普カラスト云フ平地ニ於ケル可耕地面積ノ推算ハ一萬二千二百町步弱ニシテ現耕地ハ約三千五百三十町步ニ過キサルヘシ丘陵地ニ於ケル可耕地面積概算ハ約二萬町步ニ逵ス現今平地尙未耕地ニ富ムヲ以テ丘陵地ノ如キハ開墾甚タ稀ニ僅カニ下流地方ニ存スルノミニシテ約五十町步ヲ出テサルヘシ即チ總耕地ハ約三千五百八十町步弱一戶平均ノ耕作反別四町五反ノ割合ナリ(但シ調査戶數少キニ失セルノ嫌アルヲ以テ直チニ他地方ト比較シテ大農多シト云フ能ハス)蛤蟆塘河リ老爺嶺山脈ノ老松嶺ヲ越エテ寧古塔ニ通ヌヘシ要スルニ同流域上流地方ハ將來有望ナル農產地タルヲ失ハス

一、牡丹川地方

牡丹川ハ源ヲ百草溝ノ西北牡丹嶺ニ發シ東南ニ流レ後屈曲シテ東流シ蛤蟆塘河ヲ併セ百草溝ノ北ニ於テ汪靑方面ヨリ來ル哈蟆蟆河本流ニ會ス

平地面積一、二三方里一千九百餘町步中流地方ニ砂礫地多ク可耕地面積其約七割即チ千三百四十町ニシテ現耕地ハ僅カニ四百町步ノ內外ニ過キス有望ナル未耕地ニ富ム

現戶口ハ次ノ如シ

	戸數	人口 男	人口 女	人口 計	合計（人口ニ對スル百分率）
韓人	一四	五〇	三五	八五	―
清人	六一	二三三	一三六	三六九	―
合計	七五	二八三	一七一	四五四	―

清人二十七戸ニ就テ其ノ移住年月ヲ調査セルニ左ノ如シ

三七―四〇年　三戸　　三〇―三三年　五戸

一九―二四年　六戸　　一〇―一六年　九戸

四―　七年　四戸

即チ四十年來ノ開拓ニシテ其多數ニ居住スルニ至リシハ十年前ナルカ如シ郷貫ハ吉林、奉天、山東及遼陽附近ノ者多シ地主小作人ノ數及耕地ノ分配ニ就テ調査セルニ左ノ如シ

總戸數六十一戸

調査戸數　二七戸

内

地主數　二二戸

小作人數	五戸
調査總耕地數	二三三晌・四
地主一戸平均所有耕地	一〇・六
最大地主	二九・〇
最小地主	一・五
耕地ノ分配	
一九―二九晌	四戸
一〇―一六晌	八戸
五―七〇	四戸
四晌以下	六戸

以テ該地方ニ於ケル清人ノ土地分配ノ一般ヲ知ルニ足ラン

自作耕地ノ大ナルニハ二十晌ヲ耕耘スルモノアレトモ普通十晌内外ニシテ又二三晌ニ過キサルモノアリ

韓人ハ下流平野ニ居住ス

穩城人王連ナルモノハ四十二年前當地ニ移住シ來リ清國ニ歸化シ耕地二十五晌ヲ所有ス蓋シ當地方ニ於ケル最先住者ノ一人ナリ牛二、馬五、驢二、豚十二頭ヲ有シ五晌ヲ耕作シ他ヲ小作セシメ安易ナ

ル生活ヲ營ミツツアリ他ハ多クハ三四年來ノ移住者ナリ即チ十戸ニ就テ調査セルニ

十年前	一〇	五年前	一
三年乃至四年前	五	一年前	三

鄕貫ハ富寧三、鍾城二、吉州二、鏡城、慶城、慶興、吉州各一ナリ彼等ハ悉ク小作人ニシテ多キハ八九晌少キハ二三晌ヲ小作シ牛ヲ多ク所有ス即チ九戸ニテ十五頭ヲ有シ全ク有セサルハ一戸(馬一頭ヲ有ス)ノミ

一晌地作物ノ收量ハ次ノ如シト云フ

粟	七—八(滿石)	小麥	三—四(滿石)
大麥	五—六	大豆	四—五
玉蜀黍	六—七	高粱	八—九
小豆	二—三	菜豆	四—五
稗	三—四	大麻及青麻(苧)	五〇〇—六〇〇

小作料ハ清人間ニ於テハ粟一石五斗乃至一石八斗ナレトモ韓人ハ粟二石ノ契約ナリ一晌地ノ賣買價格ハ八十吊乃至九十吊ヲ常トス

牡丹川ノ上流地方ハ森林帶ニシテ樅及朝鮮松楢楡等ノ老樹多シ嘎呀河ニ搬出シ流木シテ下流地方ノ需要ヲ充タシツツアリ

二、大百草溝平地

大百草溝ハ間島ニ關スル日清協約ニヨル開放地ノ一ニシテ其平地ハ南北二里東西廣キ處一里餘平均約二十町面積一方里半附近ヲ合シテ一、八方里約二千八百町歩ニ達ス嘎呀河北ヨリ來リテ貫流シ中央部ニ於テ大ナル中洲ヲ形成セリ土性ハ冲積層ニ屬スル砂質壤土ニシテ表土ノ深サ八九十糎以上ニ達シ下層土ハ砂質ナリ土地廣濶濕地比較的少ク地味膏腴嘎呀河流域中最モ優勝ナル農產地ナリ

戶口ハ踏査ニヨレハ中央平地ニ清人七十戶韓人四十戶ヲ算ス清國官憲ノ妨碍アリ種々ノ調査充分ナルヲ得サリシハ頗ル遺憾トスル處ナリ

平地總面積約二千八百町歩中河床砂礫地濕地及道路宅地等ノ潰地面積約二割五分ヲ減シタル可耕地面積ノ概算ハ約二千百町歩ニシテ內現耕地ハ其三割五分即チ七百三十五町歩ト見做シテ大差ナカルヘシ現今丘陵地ノ開墾ハ甚タ少シ

耕地ノ分配ニ就テハ充分ナル調查ヲ得サリシカ清人ノ大地主ト稱セラルルセノハ二十晌乃至三十晌ヲ有セリ清人ハ四十餘年前ニ移住シタルモノ最モ古キモノノ如ク多クハ二十年來ナリ粉條子(小豆素麵)ヲ製造スルモノ二家大豆油ヲ製造スルモノ一戶アリ前者ハ兩家ヲ合シテ四萬斤ヲ製造シ琿春方面ニ輸出シテ雜貨ヲ購ヒ後者ハ一ケ年約一萬四五千斤ノ豆油及約一萬塊ノ豆粕ヲ製造シ主トシテ地方ノ需用ヲ充ス清國ノ兵營ハ平野ノ中央稍東ニ偏シテ存ス隊長ハ管帶官門振中ニシテ吉

林前路右哨四十名アリ派辨所ハ平地ノ北方丘陵地ノ下ニアリ事務員ヲ歐本麒ト稱シ憲兵一、巡警三十名ヲ有セリ(明治四十二年間島問題解決ト共ニ廢シテ兵營ニ合セリ)

韓人ノ總戸數ハ四十戸人口二百二十四人ニシテ四五年以來ノ移住者ナリ即チ調査戸數十一戸中ノ移住者左ノ如シ

四―五年前	六戸	二―三年前	二戸
一年前	四戸		

近年漸次移住者ヲ増加シツツアリ土地所有者ハ十一戸中僅カニ會寧人車南極ノ七、七晌ヲ有スルアルノミ(五年前淸人ヨリ八百吊ニテ購ヒタリト云フ)郷貫ハ穩城人九戸會寧及富寧人各一アリ二三晌乃至六七晌ヲ小作ス小作料ハ一定セス少キハ一石二斗多キハ二石ナリ牛ハ比較的多ク十一戸十八頭ヲ有シ全ク之ナキハ二戸ニ過キス

作物ハ粟、大豆及小麥ノ栽培最モ多ク高粱及玉蜀黍之ニ次ク

一晌地ノ收量ハ大約左ノ如シ

粟	一擔石	大豆	五―六擔石
小麥	三―四	玉蜀黍	七―八
高粱	八	大麥	四―五
菜豆	四―五	黍	三―四

稗　三—四　大麻　四〇〇—五〇〇
小豆　二—三　荏　四

一晌地ノ地租ハ七百文ニシテ外ニ一晌地ニ對シ巡警費用トシテ九百文鄕約、牌頭費三百文乃至四百文ヲ要ス耕地ノ賣買價格ハ一晌地六十吊乃至百五十吊トス

氣象ハ

結霜	九月下旬
降雨	四月下旬ヨリ始マリ七八月雨期ニ入ル
降雪	十月上旬ニ始マリ一月二月最モ多シ
融雪	四月上旬
結氷	十一月中旬
融氷	四月上旬

(附)　小百草平地

大百草溝ノ西方ニアリ平地面積一方里餘狹長ナル支流平地三アリ現戶數ハ淸人僅カニ十戶ニ過キス濕地多ク農地タル價値ニ乏シ

(附)

一、明治四十一年十月百草溝農產物價表

品名	清貨 數量	清貨 價格	日貨換算 數量	日貨換算 價格	備考
粟	一清石	八・〇〇〇吊文	一日石	一・四三〇円	清四吊文ヲ日貨壹圓清一石ヲ一石四斗ニ換算ス
高粱	一	一五・〇〇〇	一	二・六八〇	
小麥	一	一八・〇〇〇	一	三・二一〇	
大麥	一	六・〇〇〇	一	一・〇七〇	
小豆	一	一五・〇〇〇	一	二・六八〇	
大豆	一	一六・〇〇〇	一	二・八六〇	
高粱酒	一清斤	〇・六〇〇	一清斤	〇・一五〇	
大豆油	一	〇・四〇〇	一	〇・一〇〇	
荏油	一	〇・五〇〇	一	〇・一二五	
醬油	一	〇・五〇〇	一	〇・一二五	
小豆素麵	一	〇・三六〇	一	〇・〇九〇	
豆粕	一塊（十三斤）	〇・七〇〇	一塊	〇・一七五	
牛	一頭	一〇〇―三〇〇	一頭	二五・〇〇〇―七五・〇〇〇	

品名	清貨 數量	清貨 價格	日貨換算 數量	日貨換算 價格	備考
馬	一頭	一〇〇—二〇〇吊	一頭	二五・〇〇〇—五〇・〇〇〇円	
豚肉	一清斤	〇・三〇〇吊	一清斤	〇・〇七五	
鶏	一羽	一・〇〇〇	一羽	〇・二五〇	

一、明治四十二年十月百草溝地方農産物價表

品目	清貨 單位	清貨 價格	日貨 單位	日貨 價格	備考
精粟	一清石	三四・〇〇〇吊文	一石	五・六四八円	貨幣換算ハ龍井市時價清價四吊三百文ヲ日貨一圓ニ換算ス 清一石ハ我一石四斗トス
玄米	一	一五・〇〇〇—一七・〇〇〇	一	二・四九二—二・八二四	
小麦	一	一〇・〇〇〇	一	三・三二二	
大麦	一	一〇・〇〇〇	一	一・六六一	
小麦粉	一〇〇清斤	二〇・〇〇〇	一〇〇清斤	四・六五一	
豆油	一〇〇	五〇・〇〇〇	一〇〇	一一・六二八	

燒酒	一〇〇	七〇・〇〇〇	一〇〇	一六・二七九
煙草	一〇〇	三八・〇〇〇	一〇〇	八・八三七
大麻苧	一〇〇	七〇・〇〇〇—八〇・〇〇〇	一〇〇	一六・二七九—一八・六〇五
鹽	一〇〇	二七・〇〇〇	一〇〇	六・二七九
大豆粕	一塊	一・〇〇〇	一個	〇・二三三
鶏	一羽	〇・七五〇	一羽	〇・一七四
稗	一把	〇・二〇〇	一把	〇・〇四七

三、嘎呀河河口地方

葦子溝ヨリ小盤嶺ヲ越エテ嘎呀河口及豆滿江トノ合流地點ニ至ル間ニ面積約二方里三千百餘町歩ノ平地アリ可耕地面積約其七割即チ二千二百餘町歩ヲ算シ得ヘク現耕地ハ可耕地ノ約六割即チ千三百餘町歩ニ達スヘシ戸數ハ踏査ニヨレハ大約左ノ如シ

	韓人	清人
小盤嶺東(河ノ兩岸ヲ含ム)	二〇戸	二〇戸
嘎呀河口附近(河東河西河南含ム)	一〇〇	一〇〇
英華甸子(一ニ艾亳甸子)	三〇	二五

計	一五〇	一四五

河西ノ北部河東ノ中央部及英葦甸子ノ西部ニハ濕地アレトモ他ハ孰レモ良好沖積層ニ屬スル砂質壤土ニシテ土地頗ル肥沃ナリ就中河南及英葦甸子ハ最モ膏腴ナルカ如シ但シ河東ノ中央部ハ附近ノ山地ヨリ崩壞流出シ來リタル土砂多ク從テ粗剛ナル砂粒多ク地味良好ナラス清人ノ多クハ山東人ニシテ其最先住者ハ四十一年前ニ來リタル河西ニ於ケル劉某ニシテ三十晌ヲ有シ悉ク韓人五戸ニ分チテ小作セシメ自己ハ客棧ヲ營メリ

河西ノ清人元之善ハ關裡人ニシテ二十六年前ニ移住シ來リ耕地六十晌ヲ有シ韓人六戸ニ分チテ小作セシメ同シク客棧ヲ業トセリ而シテ他ノ清人ノ多クハ十年前後ノ移住者ナルカ如シ英葦甸子ニ於ケル清人ノ四十晌以上ノ大地主ハ左ノ如シ

趙黑頭	七〇晌
吳發東	五〇
劉喜貞	五〇
馬十老	四五

韓人ハ穩城慶源及鍾城ノ者多ク三年以來ノ移住者ナリ悉ク小作農ニシテ二三晌乃至七八晌ヲ小作ス

小盤嶺東ニ陳魁ト稱スル歸化韓人アリ三十一年前ニ會寧ヨリ移住シ來リシト云フ韓姓ヲ南ト稱シ

耕地二十八晌ヲ有シ八晌ヲ自作傍客棧ヲ營ミ二十晌ヲ韓人三戸ニ分チテ小作セシメツツアリ
作物ハ粟、大豆及小麥最モ多ク玉蜀黍、高粱、大麥、黍、小豆等順次之ニ亞ク一例トシテ河西ニ於ケル一韓人ノ十晌地ニ對スル作物栽培ノ歩合ヲ左ニ示サン

作物	晌	作物	晌
粟	三・〇晌	大豆	二・〇晌
黍	一・〇	大麥	一・〇
高粱	五・〇	小豆	〇・五
蔬菜其他	一・〇		

清人ハ大麥ヲ栽培スルモノ少ク小麥ハ大豆ニ亞キテ廣ク栽培セラル一晌ノ作物收量ニ就テ聞ク處次ノ如シ

嘎呀河々西

作物	收量
粟	七―八石(一・四〇―一・六〇石)
大豆	五―六(一・〇〇―一・二〇)
小麥	三―四(〇・六〇―〇・八〇)
大麥	三―四(〇・六〇―〇・八〇)
高粱	七―八(一・四〇―一・六〇)
玉蜀黍	五―六(一・〇〇―一・二〇)

英華甸子

粟	一〇清石	(二・〇〇日石)
大豆	六	(一・二〇)
大麥	三—四	(〇・六〇—〇・八〇)
小麥	三—四	(〇・六〇—〇・八〇)
高粱	八	(一・六〇)
玉蜀黍	八—九	(一・六〇—一・八〇)
小豆	四—五	(〇・八〇—一・〇〇)

但シ括弧内ハ日本一反歩ニ換算セル收量日本石數ニテ示セル概算ナリ

小作料ハ韓人ハ收穫物ノ十分ノ五清人間ニテハ粟二清石又ハ粟大豆及高粱ヲ合シテ二清石ノ慣習ナリ

耕地一晌地ノ賣買時價ハ

河西附近		一〇〇—一五〇吊
英華甸子	上	二四〇—二五〇
	中	二〇〇
	下	一五〇

氣象ハ

結霜	九月下旬
降雪	十月下旬
融雪	三月下旬
結氷	十二月上旬
融氷	三月下旬
降雨	四月下旬ヨリ始マル

當地ニ於テ清韓人ノ生活費ニ就テ調査セル處左ノ如シ

一、清人成人一口ニ付

清粟	二清石(我二石八斗)	此代	五〇・〇吊
小麥粉	一〇〇清斤	同	二四・〇
鹽	四〇	同	八・八
被服料			五〇・〇―六〇・〇

即チ右ノミニテ百三十三吊乃至百四十三吊(日貨三十三圓乃至三十六圓)ヲ要ス當地方ノ市場ハ總テ琿春ニシテ小麥ヲ搬出シテ小麥粉鹽及被服其他ノ日用品ヲ購フト云フ

二、韓人成人一口ニ付

精粟	韓	二石六斗	(我一・三七升)	此代價	六・一一〇円
玉蜀黍	同	一石	(同〇・五七)	同	〇・八五〇
高粱	同	十斗	(同〇・三八)	同	〇・八八〇
大豆	同	六斗	(同〇・二三)	同	〇・六二〇
鹽	同	一斗	(同〇・三八)	同	〇・三四〇
被服料		五〇兩			八・三五〇
計					一七・一三〇

當地方韓人ノ用ユル鹽ハ慶源ニ至リ鹽一斗ニ對シ精粟二斗ニテ交換シ來ルト云フ韓人ハ清人ノ半額ニテ生活シ得ル割合ナリ

當地方亦琿春街道ニ當ルヲ以テ客棧ヲ營ムモノ多ク其稍大ナルモノハ

小盤嶺東	陳魁
河西	徐有成
河西	元之善
同	劉某
河東	陳某
其他	二

宿料ハ一人ニ付百文、飯錢一食三百文但シ麪、饅頭又ハ燒餅ヲ食スレハ六百文ヲ要ス

嘎呀河ニハ鐵線ヲ用フル大ナル渡船アリ渡船賃次ノ如シ

馬又牛	一頭	百文乃至二百文
馬車	大一輛	二吊五百文
同	小一輛	二吊文
人	一人	百文

附　明治四十一年嘎呀河々口地方農產物價表

附　穀價表

品名	小盤嶺東 清貨 數量	小盤嶺東 清貨 價格	小盤嶺東 日貨換算 數量	小盤嶺東 日貨換算 價格	嘎呀河東 清貨 數量	嘎呀河東 清貨 價格	嘎呀河東 日貨換算 數量	嘎呀河東 日貨換算 價格
	清石	吊文	日石	円	清石	吊文	日石	円
玄粟	一	一〇.〇〇〇	一	一.七九〇	一	八.〇〇〇	一	一.四三〇
精粟	一	一六.〇〇〇	一	二.八五七	一	二五.〇〇〇	一	四.四六〇
小麥	一	三〇.〇〇〇	一	五.三六〇	一	四〇.〇〇〇	一	七.一四〇
大豆	一	一六.〇〇〇	一	二.八五七	一	一五.〇〇〇	一	二.六八〇
高粱	一	九.〇〇〇	一	一.六一〇	一	一三.〇〇〇	一	二.三二〇

品名	小盤嶺東 清貨 數量	小盤嶺東 清貨 價格	小盤嶺東 日貨換算 數量	小盤嶺東 日貨換算 價格	嘎呀河東 清貨 數量	嘎呀河東 清貨 價格	嘎呀河東 日貨換算 數量	嘎呀河東 日貨換算 價格
精黍	—	清文 —	—	円 —	一 清石	二〇・〇〇〇 吊文	一 清石	三・五七〇 円
大麥	—	—	—	—	一	六・〇〇〇	一	一・〇七〇
小麥粉	一 清斤	〇・三五〇	一 清斤	〇・〇八〇	一 清斤	〇・二四〇	一 清斤	〇・六〇〇
柴	—	—	—	—	一、〇〇〇	一〇・〇〇〇	一、〇〇〇	二・五〇〇
薪	—	—	—	—	一 把	一五・〇〇〇	一 把	三・七五〇

備考　貨幣ノ換算ハ明治四十一年十月龍井村時價清貨四吊文ヲ日貨壹圓ニ換算ス清一石ハ我一石四斗ノ割合ナリ

第八項　穩城間島涼水泉子地方

涼水泉子地方トハ穩城對岸ニシテ東涼水泉子及西涼水泉子ノ二ニ分レ之ニ屬スル平地ハ窟隆山及英河佃子地方ヲ合シテ面積僅カニ二、二三方里約三千四百七十町歩ニ過キス

戸口ハ

戸數	人口 男	人口 女	人口 計	合計（人口ニ對スル百分率）

韓人	二九	五五	四四	九九	一二
清人	九二	五一三	二一一	七二四	八八
合計	一二一	五六八	二五五	八二三	一〇〇

ナルモ其調査粗漏ナリシモノノ如ク實數ハ更ニ多キヲ疑ハス當地方亦調査中清國官憲ノ妨碍ニ會シ少カラサル不便ヲ感シ充分ナル資料ヲ得サリシハ頗ル遺憾トスル處ナリ

土性ハ花崗岩及片麻岩ノ崩壞セル冲積層ニ屬スル砂質壤土又埴質壤土ニシテ地味頗ル肥沃ナリ平地ニ於ケル可耕地面積ハ約七割五分即チ約二千七百町歩ニシテ現耕地ハ約其三割即チ七百八十町歩丘陵地ニ於ケル耕地約百五十町歩ヲ合シテ九百三十町歩ニ過キサルヘシ窟隆山ノ北方ニ稍々丘陵地帶ヲナセル約二百町歩ノ未耕地アリ土質良好最モ有望ナル未耕地ナリ現時其小部分開墾セラレタルニ過キス

作物ハ粟、大豆及小麥最モ廣ク栽培セラレ高粱及玉蜀黍、黍之ニ亞グ就中粟ハ頗ル優良ナル品種ヲ産シ三崗平野ニ劣ラス

穩城ニ於テ聞ク處ニヨレハ在住韓人ハ

東涼水泉子　二二戸

西涼水泉子　一〇戸

窩隆山　　四〇戸

穩城在韓人ニシテ江ヲ越エテ涼水泉子地方ノ清人ノ耕地ヲ小作スルモノ三十三戸ニシテ其小作耕地ハ六十六晌ニ達スト云フ小作料ハ收穫物ノ十分ノ五ヲ普通トスレトモ又金納スルモノアリ

東涼水泉子ニハ緬羊及山羊數百ヲ飼養スル清人アリコレ東間島ニ於ケル唯一ノ大規模ノ羊飼養者ニシテ羊毛及羊皮ヲ琿春ニ販賣スト云フ東涼泉子ニハ又有名ナル大規模ノ豆油製造業者アリ

附　琿春

琿春ハ滿洲東南ノ邊陬ニアリテ露韓兩國ニ境界ヲ接シ清國ノ邊防上樞要ナル地區ノ一ニシテ光緒七年時ノ琿春副都統依克唐阿ハ琿春城ヲ改築シ滿洲旗人及一般清民ノ移住ヲ奬勵シ開拓ノ普及ヲ圖リ漸次發達シテ今日ノ盛況ヲ見ルニ至レリ

其位置ハ豆滿江ノ左岸北方約十五清里琿春平野ノ西北ニ邊シ琿春河其東部ヲ流レテ南豆滿江ヲ隔テテ韓國慶源及訓戎ニ對シ東ハ某山脈ヲ隔テテ露領沿海洲ニ接ス

所謂琿春城ハ東西五六丁南北三四丁ニ過キス高八尺ノ土壘ヲ繞ラシ門ヲ設クルコト四、戸口ハ城ノ內外ヲ通シテ七百三十戸七千餘人ト稱ス官衙ハ悉ク城內ニアリ

巨賈又城內ニ多シ近時漸次ニ城外ニ膨脹シ來リツツアリ市街商況等ニ就テハ商業調査中ニ詳述セル故茲ニ省略ス

琿春平野ハ豆滿江ノ底邊トスル一ノ不等邊三角形ヲナシ其面積ハ據ルヘキノ地圖ナキヲ以テ玆ニ

學クルヲ得サレトモ大約十餘方里ニ達スヘシ土性ハ三崗平野ト其構成ヲ同ウスル冲積層ニ屬スル埴質壤土又ハ砂質壤土ニシテ地味頗ル膏腴農產地トシテ頗ル優勝ノ位置ヲ占ム

韓人ハ清人ノ小作農ニシテ豆滿沿岸一帶ニ瀰漫シ又對岸韓人ニシテ江ヲ渡リテ耕作スルモノ少カラサルカ如シ作物ハ主トシテ粟及大豆ニシテ其栽培面積ハ全耕地ノ約五割ニ達シ其他小麥、玉蜀黍大麥、稗、小豆等之ニ次ク高粱ハ氣候ノ關係上優良ナルモノヲ產セスト云フ其原因ニ就テハ未タ明ナラス

農產ノ總額ハ如何程ニ達スヘキヤ平地面積明ナラス且實地踏査スルヲ得サリシヲ以テ玆ニ數示スルコト能ハス聞ク處ニ據レハ附近ヲ合シテ二萬餘晌（我約一萬三千町步）ノ耕地アリト云フ明治四十一年ノ調査ニ依レハ

大豆	四萬清石（六百斤一石）	我約九萬三千二百石	此代百三十三萬吊
粟	三萬清石（同）	同　七萬石	同　四十八萬吊
大麥	三千清石（五百六十斤一石）	同　七千石	同　六萬三千吊
小麥	二千清石（五百二十斤一石）	同　四千七百石	同　十二萬吊
玉蜀黍	五千清石（六百斤一石）	同　一萬千六百石	同　十七高吊

即チ其總價格二百十五萬三千吊日貨換算約六十萬圓トナル計算ナリ

蔬菜ハ其產額頗ル多量ニシテ且ツ優良ナルモノヲ產シ對岸韓國各地及浦港方面ニ輸出スル額少カ

ラス琿春商務會ノ調査ニヨレハ一ヶ年ノ蔬菜輸出額ハ約十萬斤二千吊ナリト云フ蓋シ更ニ多キヲ疑ハス

當地方ニ於ケル一晌地ハ五千弓ニシテ間島地方ニ比シ七十六弓少ク一清石ハ間島ニ於テ三百六十斤ナルニ反シ六百斤ヲ以テ一清石ノ規定ナリ即チ之ニヨレハ官定一晌ハ我六段三畝二十四歩一清石ハ我二石三斗三升トナル計算ナリ一晌地ノ賣買價格ハ百五十吊乃至二百吊トス

木材ハ琿春河上流土門子附近ニ多ク產シ琿春河ヲ流下シ來リ當地ノ需要ヲ充ス以外ニ北韓及露領沿海洲方面ニ輸出スル額頗ル多ク又樞楡ハ馬車轅材トシテ局子街ニ輸出ス其他ノ樹種ハ樅、朝鮮松楡、檜等ナリ

油房ハ城ノ內外ニ四十餘戶アリ大豆ノ供給ハ當地方對岸韓國及間島東北部地方ヨリシ豆油製造ハ頗ル盛ニシテ其大ナルヲ春盛湧、滙源水、福成永及世興隆ノ四家トナス一戶平均ノ製造高ヲ假リニ豆油二萬五千斤トスレハ百萬斤以上ノ豆油ヲ產シ大豆粕約七十萬塊以上（一塊十二斤乃至十五斤）ヲ產シ其價格ハ豆油二十六萬吊（日貨換算約七萬二千二百二十二圓）大豆粕約五十六萬吊日貨換算約二十五萬五千五百五十五圓）合計八十二萬吊（日貨換算二十二萬七千七百七十七圓）ノ計算ナリ

琿春市場ノ經濟範圍ハ東間島東部北韓地方及露領沿海洲地方ニシテ其附近平野及對岸韓國地方並ニ間島產ノ物資ヲ吸收シテポセット及浦港方面ニ輸出シ其大豆粕ノ如キハ浦港ヲ經過シテ遠ク我日本ニ輸出セラルル一方ニ於テ浦鹽ヨリ「ノーキウエンスコイ」ヲ經テ雜貨及果物ヲ輸入シテ附近及北

韓地方幷ニ間島ニ供給ス其輸出額ニ就テハ琿春商務會ノ調査ニヨレハ左ノ如シ

品目	仕向地	一ヶ月數量	全年數量	全年價格
大豆粕	浦港方面	四萬枚乃至六萬枚	六十萬枚	三六〇、〇〇〇吊
豆油	同	一萬斤乃至四萬斤	三十萬斤	一〇〇、〇〇〇
牛	同	四百頭內外	五千頭	四五〇、〇〇〇
豚	同	五百頭內外	六千頭	二〇〇、〇〇〇
蔬菜	同	八千斤乃至一萬斤	十萬斤	二、〇〇〇
木材	浦港及北韓	北韓ヘ千本以上烟秋ヘ二千枚以上	—	二五〇、〇〇〇
雜貨	局子街及北韓	一萬吊內外	十二萬斤	一二〇、〇〇〇
毛皮	浦港及韓國	—	—	一〇〇、〇〇〇
計	—	—	—	一、五八二、〇〇〇

其他零細ノ物資ヲ合計シテ約二百萬吊ト稱ス

琿春ハ間島ト最モ密接ナル經濟的關係ヲ有シ間島ヨリ大豆、小麥、綠豆、高粱酒、荏油、粉條子（豆麵）煙草、牛豚、鷄等ヲ輸入シ雜貨及果物（日本又ハ山東產ノ浦鹽經由物）ヲ輸出ス而シテ穀物ハ琿春附近ノ產物ニシテ優ニ其需用ヲ充シ得ルヲ以テ運賃ノ關係上間島ヨリ輸出スル種類及數量ハ甚少キカ如シ但シ嘎呀河流域及

涼水泉子地方ヨリハ其餘剩額ヲ琿春ニ輸出ス

附　明治四十一年十月琿春農產物市價表

品目	清貨		日貨換算		備考
	數量	價格	數量	價格	
玄米	清石 一	吊 一五六・〇〇〇	日石 一	円 一六・七七〇	琿春ニ於ケル一清石ヲ我二石三斗三升清三吊文百文ヲ我一圓トシテ換算
玄粟	一	一六・〇〇〇	一	一・九〇〇	
精粟	一	三七・〇〇〇	一	四・四〇七	
大豆	一	三三・〇〇〇	一	三・九三五	
小豆	一	四〇・〇〇〇	一	四・七七〇	
高粱	一	三〇・〇〇〇	一	三・五七五	
玉蜀黍	一	三四・〇〇〇	一	四・五一〇	
黍	一	三一・〇〇〇	一	三・六九〇	
大麥	一	二一・〇〇〇	一	二・五〇〇	
小麥	一	六〇・〇〇〇	一	七・一五〇	

菜豆	一	三・〇〇〇	一	三・五八〇
綠豆	一	六五・〇〇〇	一	七・七四〇
糯精粟	一	六七・〇〇〇	一	七・九九〇
精高粱	一	四〇・〇〇〇	一	四・七八〇
胡麻	一	六〇・〇〇〇	一	七・一五〇
高粱酒	一〇〇斤	五二・〇〇〇	一〇〇斤	一四・四四〇
豆油	一〇〇	二六・〇〇〇	一〇〇	七・二二〇
荏油	一〇〇	二五・〇〇〇	一〇〇	九・七二〇
煙草	一〇〇	一六・〇〇〇	一〇〇	四・四四〇
豆麵	一〇〇	二六・〇〇〇	一〇〇	七・二二〇
小麥粉	一〇〇	一六・〇〇〇	一〇〇	四・四四〇
大麻苧	一〇〇	六二・〇〇〇	一〇〇	一七・二二〇
青麻苧	一〇〇	二四・〇〇〇	一〇〇	六・六七〇
大豆粕	一〇〇個	八〇・〇〇〇	一〇〇個	二二・二二〇
阿片	一兩	一・六〇〇	一兩	〇・四四四

品目	清貨 數量	清貨 價格	日貨換算 數量	日貨換算 價格	備考
豚	一頭	吊 三〇・〇〇〇—四〇・〇〇〇	一頭	円 八・六一〇—一二・一二〇	
豚肉	一斤	〇・六〇〇	一斤	〇・一六七	
鶏	一羽	一・六〇〇	一羽	〇・四四四	

第五章　農産

第一節　作物

間島內ニ栽培セラルル作物ハ頗ル多ク特別溫熱ヲ要スル種類ノ外ハ殆ント栽培セラレサルハナシ但シ果樹類ニ至リテハ僅カニ梨、杏、桃等ノ二三アルニ過キス蓋シ適セサルニ非ス開拓後日尚淺ク之カ栽培ニ遑ナキニ歸スルモノノ如シ

第一項　作物ノ種類

栽培作物ヲ分類スレハ次ノ如シ

普通作物

一、禾穀類

水稻、陸稻、大麥、小麥、燕麥、稗、黍、粟、蜀黍(高粱)玉蜀黍、蕎麥、馬鈴薯等

二、菽　穀　類

大豆、小豆、菜豆、豌豆、綠豆、落花生、紅豆、豌豆等

三、飼　料　作　物

鷄冠花(韓名唐粟清名餧猪又ハ雞冠花)祥子(清名)共ニ豚ノ飼養

特用作物(又ハ工藝作物)

煙草、罌粟、藍、荏、胡麻、蓖麻、大麻、靑麻、瓢

園藝作物

一、蔬　菜　類

イ、根　菜　類

萊菔、蕪菁、胡蘿蔔、蒜

ロ、葉　菜　類

甘藍、白菜、山東菜、三ツ葉、葱、韮、茼蒿、菠薐草、芹菜

ハ、瓜　類　類

南瓜、西瓜、甜瓦、胡瓜、茄子、等

二、辛　香　類

蕃椒

二、果樹類

梨（韓人ノ稀ニ栽培シタルモノアリ）杏、

（外ニ局子街ノ一清人ノ桃ヲ栽培スルモノアリシカ品種劣惡ニシテ見ルニ足ラス）

三、草花類

百日紅、萬壽菊、蝦夷菊、ダーリヤ、フロックスドラモンヂー、松葉牡丹、朝顏、菊、蜀葵、ひなげし

第二項　耕種法大要及肥料

右普通作物中水稻及粟ニ就テ少シク詳述スヘシ

一、水稻

水稻ハ之ヲ栽培スルモノ獨リ韓人ニ限ラレ其栽培面積ハ東部全體ヲ通シテ約百町歩ニ過キス其最モ大面積ニ栽培スルモノハ南崗平野ノ大敎洞及小佛洞地方ニシテ三十四五町歩ニ達ス而シテ茂山間島、吉地ニ於ケル二十七八町歩ハ之ニ次ケル大栽培地ナリ其他南崗、小許門里、西崗、虚來城附近及小五道溝、北崗、銅佛寺附近（細林河口）及朝陽河、八道溝、鍾城間島馬派、及嘎呀流域ノ百草溝地方ニ少キハ二三反多キハ七八町歩ヲ栽培セリ

品種ハ粳糯アリ粳ヲ多ク栽培ス

粳 一、有芒早生種、— 稃色黃褐色（韓名黃褐色ノ意「ヌクサチル」）
　 二、有芒中生種、— 稃色暗黑色（韓名スッペ）

糯　無芒又ハ短芒ノ早生種ニシテ稃色黃白色

種子、選種ヲ行フコトナク前年作中成熟ノ良好ナル地區ヲ選ヒテ刈リ取リ之ヲ調製シ天然風力ニヨリテ籾ノ良否ヲ分ツニ過キサレハ一品種ノ內ニ他品種ノ混在スルヲ免レス種子ハ俵樣ノモノニ納メテ貯藏ス

播種、下種スルニ際シ俵ニ入レタル儘四月下旬乃至五月上旬甕ニ容レテ浸水シ室內溫暖ノ場所ニ置クコト約一週日種子膨大スルニ及ヒ豫メ整地セル本田ニ撒播シ苗代ヲ設クルコトナシ一反步ニ要スル播種量ハ約一斗五升ヲ要シ行程ハ一日耕ニ五人ヲ要ス

整地、五月上旬乃至五月中旬牛耕ヲ行フコト二回一日耕ヲ耕スニ三日ヲ要ス五月下旬灌水ヲ行ヒ朳ヲ以テ更ラニ一二回攪拌シ土塊ヲ粉碎シ均平シ灌水三寸位ニ及ヒ種子ヲ粗播ス

施肥、肥料トシテハ二三月ノ頃牛豚ノ糞尿ヲ土ト混シヨク腐熟セルモノヲ施シ田面ニ撒布ス或ハ無肥料ナルアリ

間引及除草、六月中旬苗ノ生長四五寸ニ及ヘハ第一回間引ヲ行ヒ一寸ノ距離トナシ後十日餘リ經テ第二回間引ヲ行ヒ凡ソ二三寸ノ距離ニ二三本立トナス此際兼テ除草ヲ行フ七月上中旬ニ更ラニ二回ノ除草ヲナシ都合四回ニテ終ハル間引及除草ハ一日耕ニ對シ十五日ヲ要スト云フ

灌水及排水、下種後糊熟期ニ至ルマテ絶エス灌水シテ其深サヲ四五寸トス

開花及收穫、八月上旬ニ至レハ早生種ノモノハ抽穗開花シ九月上旬成熟期ニ入ル九月下旬ニ至リテ完熟シ收穫ヲ始ム收穫ハ一日耕ニ十人ヲ要ス刈リ取リタルモノハ三四日間田面ニ擴ケテ乾燥セシメ之ヲ周圍一尺五寸位ノ束トナシ十二束宛穗ヲ上方ニシテ積ミ重ネ暫ク放置シ後收納場ニ運搬ス

調製、農閑ニ際シ隨時ニ調製ヲ行フ普通徑二尺長サ三四尺許ノ丸木ヲ横ヘ穗部ヲ打チツケ尙脫粒セサルモノハ脫穗ト共ニ地上ニ擴ケ連枷ニテ打チテ脫粒ス脫粒セルモノハ木杴ヲ以テ高ク打チ揚ケ風ヲ利用シテ塵芥及粃ヲ分離ス

脫穀スルニハ石臼又ハ碾子ヲ用ヒ普通籾ヨリ直チニ白米トナスヲ以テ碎米多ク其減耗率三分二以上ニ達ス甚タ粗ナリ即チ我一石ニ對シ三斗乃至三斗三升ヲ得ルニ過キス一反步ノ收量ハ五斗乃至七斗ノ間ニアリ

二、粟

粟ハ間島ニ於ケル最大ノ農產物ニシテ其栽培面積ハ約一萬六千六百町ニシテ總耕地面積ノ三割强ニ達シ收量二十五萬石ノ計算ナリ品種ハ十數種ニ達スレトモ著名ナルモノヲ擧クレハ

糯粟

一、稃色黄白ナルモノ　（韓語ヒンタイ）

イ、ムルッアンゾ　（濕地ニ適スル粟ノ意）

ロ、ノルトクバル　（粒黄色ヲ帯フルモノ）

ハ、ミヨンゾ　（木綿ノ如ク白キ粟ノ意）芒長ク穂大ナリ

二、稈色暗紫ナルモノ　（韓名ブルクンタイ）

ジエヂユッゾ　（濟洲島産粟ノ意）無芒ニシテ大粒穂長シ

糯粟

一、稈色黄白ナルモノ　（韓名ヒンタイ）

イ、ブヲンツアル　（灰白色ノ粟ノ意）芒長ク穂太クシテ且ツ長シ

ロ、ヨヲツオルイ

ハ、ボクタクツアル

ニ、オルツアル　（穂ナルモノ多收ノ意）穂細長クシテ花梗短ナリ

二、稈色暗紫ナルモノ　（ブルクンタイ）

イ、サムツアル　（麻ノ如ク長稈ナル粟ノ意）

ロ、コッチツアル

栽培法ハ秋收後又四月下旬融雪後一回犂起シ五月中旬更ニ牛耕ヲ行ヒテ畦上ニ播種器ヲ以テ一反歩二升内外ノ割合ニ條播シツヽ覆土シテ其上ヲ踏ム一週間乃至十日以内ニ發芽シ其後七月中旬ニ

至ル間ニ三回間引及除草ヲ行フ八月上旬ヨリ抽穗シ始メ八月下旬ニ至リ早生種ハ成熟シ初メ晩生種ハ九月中旬ニ至リテ完熟ス九月下旬ヨリ收穫ニ着手シ十月上旬ニ至リテ全ク終ハル刈取後ハ兩三日間地上ニ横ヘ後束ネテ四五束ヲ集メ穗ヲ上ニシテ乾燥ス十月中旬ヨリ漸次自家ニ運搬シ來リ農閑ヲ利用シテ調製ス調製ハ連枷ヲ用ヒテ穗ヲ打落ス

精白スルニハ水車「バッタン」又ハ碾子ヲ用フ一反歩ノ收量ハ上地ハ二石五斗以上ニ達スレトモ普通一石七八斗ニシテ丘陵地ニ於テハ八斗乃至一石二三斗ノ間ニアルモノノ如シ

左ニ他各種作物ノ耕種法一般ヲ表示セン

但シ蔬菜及特用作物ハ第三編ニ詳述セル故茲ニ記述セス

各種作物耕種法一般　其一

種別 日名	韓名	清名	耕耘期	整地及播種期	播種法
水稻	ベー	粳子	五月上旬中旬	五月下旬	撒播
粟	ゾイ	穀子	秋收後又ハ五月上旬	五月中旬	條播
高粱	バブスユツキ	紅糧	同上	同上	同上
玉蜀黍	オッシユツキ	包米	同上	同上	同上
黍	キザンイ	黍子	同上	五月中旬	同上
大麥	ボリ	大麥子	秋收後又ハ四月下旬一回	四月下旬又ハ五月中旬	同上
小麥	ツアイミル	小麥子	同上	同上	同上
燕麥	クイミル		同上	五月上旬	同上
稗	ピナツ	稗子	同上	同上	同上

播種量(一反歩)	畦幅	間引及除草	株間	中耕	開花期	收穫期	灌水	施肥
一斗五升	―	六月中旬乃至七月中旬三回	一本立二寸距離	除草ノ際三回	八月中旬下旬	九月下旬	整地期日ヨリ開花期迄	牛豚糞ノ土ト混セク者
二升	二尺	六月上旬乃至七月中旬三回	一本立八分距離	七月中旬同下旬三回	七月下旬八月上旬	同上	―	同上
一升五合	同上	六月上旬七月上旬二回	一本立五寸	六月下旬七月上旬二回	七月下旬	九月中旬	―	同上
二升	同上	同上	一本立一尺	六月上旬同下旬二回	六月中旬	八月中旬收穫シ始メ九月中旬成熟	―	同上
三升	同上	六月中旬七月上旬二回	―	五月下旬乃至七月上旬二回	八月上旬	九月下旬	―	―
六、七升	同上	五月下旬六月下旬二回	―	同上	七月上旬	八月上旬	―	―
五、六升	同上	同上	―	同上	七月上旬中旬	八月中旬	―	―
同上	同上	同上	―	同上	七月中旬	八月下旬	―	―
二升	同上	六月中旬一回	―	六月中旬一回	七月下旬八月上旬	九月下旬	―	―

各種作物耕種法一般　其二

行事 種目 日名	韓名	清名	耕耘期
蕎麦	マイミル	蕎麦	六月中旬
大豆	コンイ	元豆	五月上旬
小豆	パッキ	小豆	同上
緑豆	ロクプ	吉豆	同上
豌豆	ウヲンツ	莞豆	四月下旬
菜豆	ヨルコン	芸豆	四、五月上旬

種目 日名	韓名	清名	整理及播種期	播種法	播種量（一反歩）	畦幅	株間	間引及除草	中耕	開花期	收穫期	施肥
蕎麥	マイミル	蕎麥	六月下旬	條播	二舛五合	二尺	—	六月中旬 七月下旬 二回	六月中旬一回	八月中上旬	九月中旬	—
大豆	コンイ	元豆	五月中、下旬	同上	三舛	同上	一本立 一寸ノ稜リ蒔	六月中旬 七月中旬 三回	六月中旬 七月中旬 二回	七月下旬	九月下旬	—
小豆	パッキ	小豆	同上	同上	二舛五合	同上	同上	同上	同上	同上	九月下旬 十月上旬	—
綠豆	ロクプ	吉豆	同上	同上	一舛七合	同上	同上	同上	同上	同上	同上	—
豌豆	ウフンツ	莞豆	四月下旬	點播	四舛	同上	一尺	五月中旬 五月下旬 二回	—	六月下旬	七月中旬	—
菜豆	ヨルコン	芸豆	五月上、中旬	條播	三舛	同上	—	六月下旬 七月上旬 二回	七月上旬一回	七月上旬	七月下旬莢ヲナトル 八月中旬成熟	—

肥料トシテハ家畜ノ糞尿ニ土ヲ混シタルモノヲ施スノミ而シテ家畜ノ糞尿ハ下土ト共ニ屋外ニ曝露スルコト滿韓地方ニ同シ但シ雨期以外ニハ降水量少キヲ以テ常ニ乾固シ「アンモニヤ」ノ如キ揮發

成分ノ外ハ比較的漏失少カルヘシト雖モ將來農業ノ改良發達ヲ圖ラント欲セハ其第一著手ハ肥料ノ改良ニアリ而シテ當地方ノ如キ家畜ヲ多數飼養スル地方ニアリテハ厩肥ハ極メテ貴重ナル肥料ニシテ粗造ニテモ厩肥舍ノ設置ヲ奬勵シテ肥料トシテノ價値ヲ高ムルハ頗ル急務ナリト云フヘシ又人糞尿貯藏ノ設備ヲナサシムルハ啻ニ衞生上ノ必要ナルノミナラス貴重ナル肥料ヲ得ル所以ナルカ清韓人共ニ毫モ其考慮ナキカ如シ而シテ將來肥料トシテ最モ必要ナルヘキハ過燐酸石灰ナルヘケレトモ此地帶未タ燐礦ノ發見セラレタルヲ聞カス輸入スルモ其價廉ナラス當地ノ如キ穀價卑キ地方ニ在ツテ用キラルヘキニアラス家畜ノ骨ヲ集メテ骨粉ヲ製スルアラハ頗ル其ノ宜敷ヲ得タルモノナルヘシ

第三項　主要作物ノ栽培反別收量及價格概算

踏査セル處ニヨリ又附屬農園成績及龍井市附近普通作物坪刈試驗成績等ヲ參照シテ作成セル各地方ニ於ケル粟外十種ノ主要作物ノ栽培反別及收量ノ概算表ハ次ノ如シ

一、北崗

平地反別約　一二、九三〇町
丘陵地約　三、六〇〇町

品名	作付歩合	一反歩收量		平地		丘陵地		合計	
		平地	丘陵地	反別	收量	反別	收量	反別	收量
粟	二五・〇%	一・八〇石	一・二〇石	三、二三三町	五八、一九四石	九〇〇町	一〇、八〇〇石	四、一三三町	六八、九九四石

品名	作付歩合	一反歩收量 平地	一反歩收量 丘陵地	平地 反別	平地 收量	丘陵地 反別	丘陵地 收量	合計 反別	合計 收量
大豆	一八・〇%	一・〇〇石	〇・六五石	二、三二七町	二三、二七〇石	六四八町	四、二一二石	二、九七五町	二七、四八二石
小豆	二・〇	〇・六五	〇・四五	二五九	一、六八三	七二	三二四	三三一	二、〇〇七
大麥	五・〇	一・二〇	〇・七〇	六四七	七、七六四	一八〇	二、二六〇	八二七	九、〇二四
小麥	一五・〇	〇・七〇	〇・五〇	一、九四〇	一三、五八〇	五四〇	二、七〇〇	二、四八〇	一六、二八〇
蜀黍（高粱）	一二・〇	一・八〇	一・二〇	一、五五二	二七、九三六	四三二	五、一八四	一、九八四	三三、一二〇
玉蜀黍	八・〇	一・五〇	一・〇〇	一、〇三四	一五、五一〇	二八八	二、八八〇	一、三二二	一八、三九〇
黍	四・〇	〇・八〇	〇・五五	五一七	四、一三六	一四四	七九二	六六一	四、九二八
水稻	—	〇・六〇	—	一〇	六〇	—	—	一〇	六〇
蕎麥	三・〇	一・〇〇	〇・七〇	三八八	三、八八〇	一〇八	七五六	四九六	四、六三六
綠豆	〇・五	〇・五〇	〇・三五	六五	三二五	一八	六三	八三	三八八

二、西崗

耕地 平地約七、五二〇町 丘陵地約一、三五〇町

品名	作付歩合	一反歩收量 平地	一反歩收量 丘陵地	平地 反別	平地 收量	丘陵地 反別	丘陵地 收量	合計 反別	合計 收量

品名	作付歩合	一反歩收量 平地	一反歩收量 丘陵地	平地 反別	平地 收量	丘陵地 反別	丘陵地 收量	合計 反別	合計 收量
粟	二八・〇%	一・八〇石	一・二〇石	二、一〇六町	三七、九〇八石	三七八町	四、五三六石	二、四八四町	四二、四四四石
大豆	一六・〇	一・〇〇	〇・六五	一、二〇三	一二、〇三〇	二一六	一、四〇四	一、四一九	一三、四三四
小豆	三・〇	〇・六五	〇・四五	二二六	一、四六九	四〇	一八〇	二六六	一、六四九
大麥	五・〇	一・二〇	〇・七〇	三七六	四、五一二	六七	四六九	四四三	四、九八一
小麥	一二・〇	〇・七〇	〇・五〇	九〇二	六、三一四	一六二	八一〇	一、〇六四	七、一二四
蜀黍（高粱）	一〇・〇	一・八〇	一・二〇	七五二	一三、五三六	一三五	一、六二〇	八八七	一五、一五六
玉蜀黍	八・〇	一・五〇	一・〇〇	六〇二	九、〇三〇	一〇八	一、〇八〇	七一〇	一〇、一一〇
黍	六・〇	〇・八〇	〇・五五	四五一	三、六〇八	八一	四四五	五三二	四、〇五三
水稻	｜	〇・六〇	｜	七	四二	｜	｜	七	四二
蕎麥	二・〇	一・〇〇	〇・七〇	一五〇	一、五〇〇	二七	一八九	一七七	一、六八九
綠豆	一・〇	〇・五〇	〇・三〇	七五	三七五	一三	三九〇	八八	四一四

三、南崗

耕地平地約六、八〇〇町
丘陵地約四、五〇〇町

品名	作付歩合	一反歩收量 平地	一反歩收量 丘陵地	平地 反別	平地 收量	丘陵地 反別	丘陵地 收量	合計 反別	合計 收量
粟	三三・〇%	一・八〇石	一・二〇石	二、二七〇町	四〇、八六〇石	一、四八五町	一七、八二〇石	三、七五五町	五八、六八〇石

品名	作付歩合	一反歩收里		平地		丘陵地		合計	
		平地	丘陵地	反別	收量	反別	收量	反別	收量
大豆	一五・〇%	一・〇〇石	〇・六五石	一、〇三二町	一〇、三二〇石	六七五町	四、三八七石	一、七〇七町	一四、七〇七石
小豆	二・五	〇・六五	〇・四五	一七二	一、一一八	一一二	五〇四	二八四	一、六二二
大麦	一〇・〇	一・二〇	〇・七〇	六八八	八、二五六	四五〇	三、一五〇	一、一三八	一一、四〇六
小麦	六・〇	〇・七〇	〇・五〇	四一三	二、八九一	二七〇	一、三五〇	六八三	四、二四一
蜀黍（高粱）	一〇・〇	一・八〇	一・二〇	六八八	一二、三八四	四五〇	五、四〇〇	一、一三八	一七、七八四
黍	五・〇	〇・八〇	〇・五五	三四四	二、七五二	二二五	一、二三七	五六九	三、九八九
玉蜀黍	八・〇	一・五〇	一・〇〇	五五〇	八、二五〇	三六〇	三、六〇〇	九一〇	一一、八五〇
水稲	―	〇・六〇	―	四〇	二四〇	―	―	四〇	二四〇
蕎麦	二・〇	一・〇〇	〇・七〇	一三八	一、三八〇	九〇	六三〇	二二八	二、〇一〇
綠豆	一・五	〇・五〇	〇・三五	一〇三	五一五	六七	二三四	一七〇	七四九

四、茂山間島

耕地 平地約 一、一七〇町
丘陵地約 二、〇〇〇町

品名	作付歩合	一反歩收量		平地		丘陵地		合計	
		平地	丘陵地	反別	收量	反別	收量	反別	收量

品名	作付歩合	一反歩收量 平地	一反歩收量 丘陵地	平地 反別	平地 收量	丘陵地 反別	丘陵地 收量	合計 反別	合計 收量
粟	四〇・〇%	一・八〇石	〇・七〇石	四六八町	八、四二四石	八〇〇町	五、六〇〇石	一、二六八町	一四、〇二四石
大豆	一〇・〇	一・〇〇	〇・五五	一一七	一、一七〇	二〇〇	一、一〇〇	三一七	二、二七〇
蜀黍（高粱）	五・〇	一・八〇	〇・八〇	五八	一、〇四四	一〇〇	八〇〇	一五八	一、八四四
玉蜀黍	七・〇	一・五〇	〇・七〇	八二	一、二三〇	一四〇	九八〇	二二二	二、二一〇
大麥	二〇・〇	一・二〇	〇・六〇	二三四	二、八〇八	四〇〇	二、四〇〇	六三四	五、二〇八
小麥	一・〇	〇・七〇	〇・三五	一二	八四	二〇	七〇	三二	一五四
黍	六・〇	〇・八〇	〇・五〇	七〇	五六〇	一二〇	六〇〇	一九〇	一、一六〇
小豆	二・〇	〇・六五	〇・三〇	二三	一五〇	四〇	一二〇	六三	二七〇
水稻	―	〇・六〇	―	二八	一六八	―	―	二八	一六八
蕎麥	一・五	一・〇〇	〇・六〇	一八	一八〇	三〇	一八〇	四八	三六〇
綠豆	一・〇	〇・五〇	〇・二〇	一二	六〇	二〇	四〇	三二	一〇〇

五、會寧間島

平地約一、四三〇町
丘陵地約二、四〇〇町

品名	作付歩合	一反歩收量 平地	一反歩收量 丘陵地	平地 反別	平地 收量	丘陵地 反別	丘陵地 收量	合計 反別	合計 收量
粟	四〇・〇%	一・五〇町	〇・八〇石	五七二町	八、五八〇石	九六〇町	七、六八〇石	一、五三二町	一六、九六〇石

品名	作付歩合	一反歩收量 平地	一反歩收量 丘陵地	平地 反別	平地 收量	丘陵地 反別	丘陵地 收量	合計 反別	合計 收量
大豆	一〇・〇%	〇・八〇石	〇・五五石	一四三町	一、一四四石	二四〇町	一、三二〇石	三八三町	二、四六四石
蜀黍(高粱)	五・〇	一・二〇	〇・八〇	七一	八五二	一二〇	九六〇	一九一	一、八一二
玉蜀黍	七・〇	一・二〇	〇・七〇	一〇〇	一、二〇〇	一六八	一、一七六	二六八	二、三七六
大麥	二〇・〇	一・〇〇	〇・六〇	二八六	二、八六〇	四八〇	二、八八〇	七六六	五、七四〇
小麥	一・〇	〇・五〇	〇・三五	一四	七〇	二四	八四	三八	一五四
黍	六・〇	〇・七〇	〇・五〇	八六	六〇二	一四四	七二〇	二三〇	一、三二二
小豆	二・〇	〇・五〇	〇・三〇	二九	一四五	四八	一四四	七七	二八九
水稻	―	〇・五〇	―	三	一五	―	―	三	一五
蕎麥	一・五	一・〇〇	〇・六〇	二一	二一〇	三六	二一六	五七	四二六
綠豆	一・〇	〇・四五	〇・三〇	一四	六三	二四	七二	三八	一三五

六、鍾城間島

平地約一、八三〇町
丘陵地約四、〇〇〇町

品名	作付歩合	一反歩收量 平地	一反歩收量 丘陵地	平地 反別	平地 收量	丘陵地 反別	丘陵地 收量	合計 反別	合計 收量

品名	作付歩合	一反歩収量 平地	一反歩収量 丘陵地	平地 反別	平地 収量	丘陵地 反別	丘陵地 収量	合計 反別	合計 収量
粟	四〇・〇%	一・八〇石	一・〇〇石	七三二町	一三、一七六石	一、六〇〇町	一六、〇〇〇石	二、三三二町	二九、一七六石
大豆	一〇・〇	一・〇〇	〇・六〇	一八三	一、八三〇	四〇〇	二、四〇〇	五八三	四、二三〇
蜀黍(高粱)	五・〇	一・八〇	一・〇〇	九一	一、六三八	二〇〇	二、〇〇〇	二九一	三、六三八
玉蜀黍	〇・七〇	一・五〇	一・〇〇	一二八	一、九二〇	二八〇	二、八〇〇	四〇八	四、七二〇
大麥	二〇・〇	一・二〇	〇・六〇	三六六	四、三九二	八〇〇	四、八〇〇	一、一六六	九、一九二
小麥	一・〇	〇・七〇	〇・四〇	一八	一二六	四〇	一六〇	五八	二八六
黍	六・〇	〇・八〇	〇・五〇	一一〇	八八〇	二四〇	一、二〇〇	三五〇	二、〇八〇
小豆	二・〇	〇・六五	〇・四〇	三七	二四〇	八〇	三二〇	一一七	五六〇
水稻	—	〇・五〇	—	八	四〇	—	—	八	四五
蕎麥	一・五	一・〇〇	〇・六〇	二七	二七〇	六〇	三六〇	八七	六三〇
綠豆	一・〇	〇・五〇	〇・三五	一八	九〇	四〇	一四〇	五八	一三〇

七、嘎呀河流域

平地約三、五三〇町
丘陵地約五〇〇町

品名	作付歩合	一反歩収量 平地	一反歩収量 丘陵地	平地 反別	平地 収量	丘陵地 反別	丘陵地 収量	合計 反別	合計 収量
粟	二・五%	一・八〇石	—石	—町	—石	—町	—石	八九五町	一六、一〇〇石

品名	作付歩合	一反歩收量 平地	一反歩收量 丘陵地	平地 反別	平地 收量	丘陵地 反別	丘陵地 收量	合計 反別	合計 收量
大豆	一・八%	〇・九〇石	―石	―町	―石	―町	―石	六四四町	五、七九六石
小麦	一・五	〇・七〇	―	―	―	―	―	五三七	三、七五九
蜀黍(高粱)	一・二	一・五〇	―	―	―	―	―	四三〇	六、四五〇
玉蜀黍	一・〇	一・四〇	―	―	―	―	―	三五八	五、〇一二
大麦	〇・二	一・〇〇	―	―	―	―	―	七二	七二〇
黍	〇・五	〇・七〇	―	―	―	―	―	一七九	一、二五三
小豆	〇・二	〇・六〇	―	―	―	―	―	七二	四三二
水稲	―	〇・六〇	―	―	―	―	―	二	一二
蕎麦	三・〇	一・〇〇	―	―	―	―	―	一〇七	一、〇七〇
綠豆	〇・五	〇・五〇	―	―	―	―	―	一八	九〇

備考　丘陵地ニ於ケル耕地ハ僅少ナルヲ以テ全部平地ト見做シテ計算セリ

八、穩城間島

平地約　七八〇町
丘陵地約　一五〇〇町

品名	作付歩合	一反歩收量 平地	一反歩收量 丘陵地	平地 反別	平地 收量	丘陵地 反別	丘陵地 收量	合計 反別	合計 收量

粟	二・八%	一・八〇石	一・二〇石	二一八町	三、九二四石	四二町	五〇四石	二六〇町	四、四二八石
大豆	一・六	一・〇〇	〇・六五	一二五	一、二五〇	二四	一五六	一四九	一、四〇六
小麦	一・二	〇・七〇	〇・五〇	九四	六五八	一八	九〇	一一二	七四八
蜀黍（高粱）	一・〇	一・八〇	一・二〇	七八	一、四〇四	一五	一八〇	九三	一、五八四
玉蜀黍	〇・八	一・五〇	一・二〇	六二	九三〇	一二	一四四	七四	一、〇七四
大麦	〇・五	一・二〇	〇・七〇	三九	四六八	七	四九	四六	五一七
黍	〇・六	〇・八〇	〇・五五	四七	三七六	九	五〇	五六	四二六
小豆	〇・三	〇・六五	〇・四五	二三	一五〇	五	二三	二八	一七三
緑豆	一・〇	〇・五〇	〇・三〇	八	四〇	二	六	一〇	四六
水稲	｜	｜	｜	｜	｜	｜	｜	｜	｜
蕎麦	一・五	一・〇〇	〇・七〇	一二	一二〇	二	一四	一四	一三四

以上ヲ合計シテ價格ヲ計算スレハ左ノ如シ

主要作物栽培反別收量及價額表

品名	栽培反別	收量	單價	價額
粟	一六、六五九町	二五〇、八〇六石	二・一〇〇円	五二六、六九三円

品名	栽培反別	收量	單價	價格
大豆	八、一七七町	七一、七八九石	三・〇〇〇円	二一五、三六七円
大麥	五、〇九二	四六、七八八	二・一〇〇	九八、二五五
小麥	五、〇〇四	三二、七四六	三・六〇〇	一一七、八八六
蜀黍(高粱)	五、一七二	八一・三八八	三・〇〇〇	二四四、一六四
玉蜀黍	四、二七二	五五、七四二	二・一〇〇	一一七、〇五八
黍	二、七六七	一九、二一一	二・九九〇	五七、四四一
小豆	一、二三八	七、〇〇二	五・二〇〇	三六、四一四
綠豆	四九七	二、〇五二	二・一五〇	四、四一二
蕎麥	一、二一四	一〇、九五五	三・〇〇〇	三二、八六五
水稻	九八	五五五	一六・五〇〇	九、一七五
計	五〇、二九〇	—	—	一、四五九、七三〇

備考　穀價ハ明治四十一年十二月龍井村市場ニ於ケル賣買價格ニ準據セリ

第四項　蔬菜特用作物及其他作物ノ栽培反別及價額概算

蔬菜、特用作物及其他作物ノ栽培段別ハ踏査セル處ニヨリテ推算スレハ次ノ如シ

品名	栽培歩合	栽培反別
蔬菜	五・〇%	二、七〇五
馬鈴薯	一・二	六四九
荏	〇・六	三二五
稗	〇・二	一〇八
菜豆及豌豆	二・〇	一、〇八二
煙草	一・二	六四九
大麻	〇・八	四三三
青麻	〇・五	二七〇
唐粟、藍、胡麻其他	一・五	八一二
計	一三・〇	七、〇三三

主要作物栽培反別五萬百九十町歩ヲ合スレハ作物總栽培反別ハ五萬七千二百二十三町歩ニ達シ總耕地面積ヨリ多キコト二千百町歩ナリ是レ蕎麥蔬菜等ノ二毛作アルト菜豆ノ如キ玉蜀黍ト混作ス

ル場合少カラサルトニ歸スルモノナリ

此等作物ノ價格ハ明ナラサレトモ大約左ノ如シ

品名	産額	價額	
荏	二、一二二・五石	三、七六〇円	第四特用作物栽培調査參照
煙草	一、二九八、〇〇〇斤	五八、四一〇	
大麻(苧)	一、二四六、四〇〇	三四、六四〇	
青麻(同)	一六二、〇〇〇	一〇、一二五	
蔬菜、馬鈴薯、菜豆及豌豆等	—	三一〇、五二〇	栽培四千四百三十六町歩一反歩生産價格ヲ七圓ト見做シテ計算セリ
稗、唐粟、藍其他	—	三二、二〇〇	栽培反別九百二十町歩一反歩生産價格ヲ三圓五拾錢トシテ計算セリ
計	—	四四九、六五五	

即チ約四十四萬九千六百五十五圓ナリ

第二節　農産製造業

農産製造業ノ大ナルモノヲ燒酒製造業及製油業トナス前者ニ就テハ第五間島燒鍋業調査ニ於テ詳述セリ後者ハ大豆油及荏油ノ製造ニシテ其製法ハ滿洲地方ニ同シ唯大豆粕ノ斤量小ナルノミ其他

小麥粉及豆素麵ノ製造アリ左ニ其概略ヲ記述スヘシ

第一項　豆油製造業

豆油ハ庖厨用及燈用トシ其副產物タルノ豆粕ハ家畜ノ飼料トシテ其需要頗ル多ク從テ豆油製造業ヲ專門トスルモノ少カラス重ナル製造業者ヲ擧クレハ左ノ如シ

			一ケ年使用原料大豆	一ケ年製油高
西崗	頭道溝	春日棧	約五〇〇積石	約一八、〇〇〇斤
	同	天興源	同五〇〇	同一八、〇〇〇
	同	老曲家	同二五〇	同一〇、〇〇〇
北崗	銅佛寺	永和順	同六〇〇	同二〇、〇〇〇
	同	孫永	同六〇〇	同二〇、〇〇〇
	同	高龍泰	同六〇〇	同二〇、〇〇〇
	朝陽川	永和堂	同八〇〇	同三〇、〇〇〇
	局子街	東盛海	同三五〇	同一二、〇〇〇
	同	聚成和	同六〇〇	同二〇、〇〇〇

			一ヶ年使用原料大豆	一ヶ年製油高
	同	同興泉	約四〇〇石	約一五、〇〇〇斤
	同	興順永	同六〇〇	同二〇、〇〇〇
	同	趙王林	同五〇〇	同一八、〇〇〇
南嶺	東盛勇	冠萬春	同一、五〇〇	同五四、〇〇〇
	六道溝	陳雨	同五〇〇	同一八、〇〇〇
嘎呀河流域	百草溝	宗振魁	同五〇〇	同一八、〇〇〇

製造法ハ先ヅ大形ノ輥軸ヲ有スル石臼（碾子ト稱ス）ニテ畜力ヲ用ヒ大豆ヲ壓搾シテ扁平狀トナシ次ニ之ヲ蒸甑ニ入レ約十分間蒸シ後徑一尺四五寸高サ四五寸ノ木製ノ輪ニ入レ下ニ洋草ヲ敷キテ之ヲ包ミ足ニテ踏ミ固メ木輪ヲ取リ代フルニ同徑ノ鐵輪二個ヲ以テス斯クシテ造リタル六個ヲ一回ノ搾油用トナシ壓搾器ノ下ニ置ク壓搾器ノ構造ハ一尺二三寸角高サ一丈五尺位ノ丈夫ナル柱ヲ建テ其間ニ石臺アリ豆塊ヲ其上ニ載セ兩柱間ノ楔ヲ以テ强壓ヲ加ヘ搾油スルコト我國ノ種油搾取法ニ同シ搾油ニハ一回約二時間ヲ要ス

一清石ノ大豆ヨリ豆油三十五斤乃至四十斤豆粕二十三四枚ヲ得豆粕一枚ノ大サハ最小十三斤最大十八斤普通十四五斤ニシテ徑一尺四五寸厚サ二寸内外トス之ヲ南滿地方產ノモノニ比スレハ約三分ノ一ニ過キス大豆ト豆油トノ交換率ハ大豆一清石ニ對シ豆油四十斤乃至四十五斤トス稅金ハ原料大豆買入ノ際一清石ニ付二百文豆油賣上高百吊文ニ一吊ヲ徵收セラルト云フ

東部ニ於テ豆油製造高ハ詳カナラサレトモ製造業者ノ數ハ五十戶ヲ下ラサルヘク一戶平均ノ製油高ヲ一萬二千斤原料大豆三百四十清石(我四百六十七石)トスレハ製造高及價格ハ次ノ如シ

	數量	單價	價格 清貨	價格 日貨換算
一原料大豆	一七、〇〇〇清石	一八吊	三〇六、〇〇〇吊	七一、一六三円
一製造物	—	—	五三〇、〇〇〇	一二三、二五六
內譯 豆油	六〇〇、〇〇〇斤	百斤 三五	二一〇、〇〇〇	四八、八三七
豆粕	四〇〇、〇〇〇枚	八〇	三二〇、〇〇〇	七四、四一九

備考　清貨四吊三百文ヲ日貨一圓ニ換算ス以下同シ

即チ豆油六十萬斤豆粕四十萬枚ニシテ原料ノ價格ヲ差引キタル製造利益ハ二十二萬四千吊(日貨換算五萬二千九十三圓ナリ

第二項　荏油製造業

荏油ノ製造ハ豆油製造業者カ旁ラ之ヲ行ヒ專業トスルモノナシ東部ニ於ケル荏ノ栽培反別ハ甚タ少ク荏油ノ製造高モ亦從テ小ナリ製造法ハ豆油ノ製造ト全ク同法ニシテ一淸石ヨリ荏油約九十斤及荏粕十五枚ヲ得ト云フ東部ニ於ケル荏栽培反別概算ハ三百二十四町歩ニシテ一反歩收量六斗五升トセハ荏ノ總産額ハ二千百餘石ナリ韓人ハ熬リテ之ヲ挽キ割リ藥味トシテ食ス今荏産額ノ二分一、千石ヲ製油用ニ供スルモノトスレハ其製産額ハ左ノ如シ

	數量	單價	價額 淸貨	價額 日貨換算
一 原料荏	一、〇〇〇石	一石 一、七八〇吊	｜吊	一、七八〇円
二 製産物	｜	｜	三〇、八六二	七、一七七
內譯 荏油	約六四、三〇〇斤	百斤 三八	二四、四三〇	五、六八一
荏粕	一〇、七二〇枚	一枚 六〇〇文	六、四三二	一、四九六

即チ荏油六萬四千三百斤荏粕、一萬七百二十枚ヲ産シ原料ノ價格ヲ差引キタル益金ハ約五千四百圓ニ過キス

第三項　製紛業

小麥粉製造業ハ小規模ニシテ見ルニ足ラサレトモ之ヲ專業トスルモノ局子街ニ十七戸頭道溝ニ七戸銅佛寺ニ八戸アリ其地方ノ大地主ハ多ク磨房ヲ有シテ自家ノ需要ヲ充ス

製粉業者ノ大ナルモノハ一日ニ四斗(淸量)ノ小麥ヲ製粉シテ百斤內外ノ粉及約八升ノ粉粕ヲ得一ケ年ニ百淸石ノ原料ヲ用ヒ二萬五千斤ノ粉及約二十淸石ノ粉粕ヲ製產ス

東部ニ於ケル小麥ノ收量ハ約三萬二千七百石ニシテ其一部ハ其儘琿春ニ輸出セラル又味噌醬油酢等製造用其他ニ使用セラル然レトモ全體ニ於テ小麥ノ產量ハ未タ全ク住民ノ需要ヲ充スニ足ラス其一部ハ西部ヨリ輸入シ來ルカ如キ情況ニアリ今假リニ小麥二萬石ヲ製粉スルモノトスレハ次ノ如シ

	數量	單價	價格
一、原麥小麥	二〇、〇〇〇石	一石 三・六〇〇円	七二、〇〇〇円
二、製造物	―	―	一三八、一二四
內譯 小麥粉	三、五七〇、〇〇〇斤	百斤 三・七二〇	一三二、八〇四
粉粕	四、〇〇〇石	一石 一・三三〇	五、三二〇

即チ小麥粉三百五十七萬斤粉粕四千石ヲ產シ原料ヲ控除シタル益金ハ六萬六千百二十四圓

第四項　豆素麵製造

小豆ヨリ一種ノ素麵ヲ製造ス淸人ハ之ヲ粉條子ト稱シ豚肉料理ニ多ク用フ製造業者甚タ少シ製法ハ簡單ニシテ恰モ豆腐製造ノ如ク小豆ヲ一晝夜位浸水シテ膨軟ナラシメ水ヲ加ヘツツ石臼ニテ磨リ碎キ水甕ニ入レテ沈澱セシメ上水ヲ去リ半流動體トナシ徑四五分ノ小孔ヲ有スル板又ハ同上ノ小孔ヲ穿チタル瓢ヲ折半シタルモノノ中ニ手ヲ以テ壓迫シテ突キ出シ煮沸セル熱湯中ニ入レテ數分間ノ後取リ上ケテ冷水ニ浸シ後干場ニ乾燥ス

一日ニ二斗(淸量)ノ小豆ヲ用ヒテ三十斤ノ豆素麵ヲ得ト云フ其產額ハ詳カナラサレトモ其一部ハ吉林及琿春方面ニ輸出セラルル百斤ノ價格ハ二十五吊乃三十吊ナリ

第三節　畜　產

家畜ハ淸韓人共能ク之ヲ愛育シ牛馬亦極メテ柔順ニシテ婦人兒童尙能ク之ヲ御シツツアリ牛馬ハ實ニ彼レ等カ農業上ノ大資本ニシテ耕作運搬一ニ其力ヲ藉リ御馭頗ル巧ナリ

而シテ家畜ハ淸韓人共移住ノ際各其鄕里ヨリ之ヲ携ヘ來ルヲ以テ自ラ大別シテ二トナル即チ淸人ハ滿州種ヲ飼養シ韓人ハ韓國種ヲ飼育ス今少シク其特質飼養管理等ニ就テ述ヘントス

一、牛

イ、韓牛

咸鏡道產ナリ由來咸鏡道ハ韓牛ノ產地ニシテ國內各地ニ輸出セラルルノミナラス年々浦鹽方面ニ

輸出セラルル數亦少カラス間島ヨリモ亦琿春ヲ經テ露領ニ輸出セラル體軀長大能ク力役ニ堪エ殊ニ輓曳ノ用ニ供シテ可ナリ毛色ハ鈍赤色ヲ普通トシ黑赤褐黑白又ハ赤白色鮫虎斑等ノモノアリ頭部ハ躰軀ニ比シテ割合ニ小ニ顏面短小柔和ノ相ヲ呈シ眼ハ圓ク大ナレトモ猛觀ナシ牡ハ前頭ニ縮毛アリ角ハ蠟色ニシテ短少其方向一ナラス鼻鏡ハ肉色ヲ呈シ頭ハ短クシテ廣ク胸垂ハ大ナリ肩胸部ハ深廣ニシテ肉付ヨク背線長クシテ平直又ハ少ク凹メリ後體ノ發育亦惡カラサルモ前體ニ比シテ稍劣レリ四肢ハ長サ中位ニシテ緊實シ蹄ハ圓形ニシテ暗褐色ヲ呈ス性質極メテ溫良ニシテ怜悧且ツ持久力ニ富メリ牝牡ノ差ハ甚タ少ク其高ノ如キ往々ニシテ牝ノ牡ヲ凌クモノアリ即チ牝牛ノ高ハ三尺八寸乃至四尺ヲ普通トスレトモ其大ナルモノハ四尺三四寸ナルモノアリ牡牛ハ四尺ヨリ四尺二三寸ノモノ多シ挽引力ハ約六百清斤ナリ

ロ、清國牛

主トシテ滿洲產ニシテ蒙古種モ亦少カラサルカ如シ毛色ハ赤黃色ヲ普通トシテ赤褐色赤白斑稀ニ虎斑ノモノアリ頭部短小ニシテ額狹ク角ハ蠟色ニシテ稍長ク其方向前外方ニ灣曲シ尖端相對セリ骨骼逞クシテ韓牛ト相匹敵セリ性質溫和ニシテ怜悧ナル亦韓牛ニ劣ラスト雖モ持久力ハ稍劣レリト云フ牝牡共高ハ韓牛ト大差ナキカ如シ挽引力ハ約五百清斤ナリ

飼養管理、韓人ハ北韓地方ト同シク住屋內ニ土間ヲ隔テテ牛舍ヲ設ケ厨房ニ接スレトモ厭フコトナシ人畜同居ノ狀ハ我東北地方ノ產馬地ニ似タリ但狹隘不潔甚シキ差アルノミ畜舍ノ廣サハ間口六七尺奥行七八尺ヲ普通トシ横ニ幅二尺四五寸高サ四尺位ノ出入口ヲ切リ木製ノ戸ヲ設ケ他ニ窓ヲ穿タサルヲ以テ全ク光線ノ透射ナシ床ハ厚サ二寸位ノ板ヲ以テ張リ緩傾斜ノ勾配ヲ附シテ糞尿ヲ後方ノ小口ヨリ舍外ニ排除ス食糟ハ直徑一尺四五寸長サ一間餘ノ自然木ヲ穿テルモノヲ前方ニ横ヘ兼ネテ楉柜(マセ)トナス

三方ノ壁ニハ五尺高ニ板ヲ張リ春ヨリ秋ニ至ル間ハ草原地ノ河邊堤塘畦畔等ノ適宜ノ草地ニ長キ綱ヲツケテ繫飼シ自由ニ草ヲ食セシメ夜間ハ舍内ニ收容ス使用スル時ハ隨時繫飼地ヨリ伴ヒ來ルヲ例トス冬間ハ粟稈稗稈豆稈ヲ細剉シ庖厨ノ殘滓ヲ加ヘ又ハ諸種ノ穀類等ヲ煮又ハ其儘之ニ多量ノ水ヲ加ヘテ與フ一日三回飼ニシテ毎日三把乃至四把一把約八百匁ヲ給ス尤モ夏間ト雖モ勞役セシムル時ハ此等ノ飼料ヲ與フ冬季モ日中ハ大抵屋外ニ繫留シテ寒風凛烈ノ候ニ曝露シツツアリ之レ新鮮ナル空氣ヲ呼吸シ且ツ寒氣ニ堪エ外界ノ諸感作ニ抵抗シ得ルノ體力ヲ養成セシムルニ外ナラス要スルニ飼養法頗ル單簡ニシテ蹄ヲ整ヘ鐵ヲ裝スルノ外何等ノ管理ヲ施スコトナシ

清人ハ韓人ニ比シ一層放牧主義ニシテ春ヨリ秋ニ至ル間晝間ハ監理者一名ヲ附シテ多數ノ家畜ヲ適宜ノ山野又ハ山邊ニ放牧シ自由ニ逍遙シ自ラ養ヒ自ラ蕃殖セシメテ敢テ干渉スルコトナシ冬季舍飼ニ移レハ韓人ト大同小異ナル飼料ヲ給スト雖モ畜舍ハ構内別ニ棟ヲ隔テテ之レヲ造リ奥行六七尺幅二間乃至四間ノ長方形ノ粗造ナル茅屋ヲ設ケ或ハ納舍ト同様ナルアリ三方ハ細木ヲ以テ離トシ入口ノ一方ハ開放セリ中央ニ丸木ヲ穿チタル食槽ヲ設ケ其上ニ高ク繫木ヲ横ヒ牛馬ヲ合シテ

之ニ繋留ス
屋外ニモ別ニ食槽アリ晝間使役ノ際ニハ屋外ニテ飼養ス肉ハ食用ニ供セラルレトモ淸韓人ハ主トシテ豚肉ヲ愛重スルヲ以テ一般ニ珍重セラレス生肉一斤ノ市價貳拾錢內外ナリ牛皮ハ重要ナル畜產品ニシテ淸人ハ之ヲ鞣メシテ馬具用又ハ靴ヲ製スルニ用ヒ其一部ハ琿春方面ニ輸出ス一枚ノ價小ハ壹圓五拾錢乃至參圓大ハ參圓乃至八圓ナリ

牛ハ韓人ノ農業資本中隨一ニ屬シ耕作運搬又ハ穀物ノ精白等一ニ其力ヲ藉ラサルヘカラスサレハ大抵一頭ヲ有セサルモノナキモ小作農ノ貧ナルモノハ購フノ資力ナク共同シテ飼養スルカ又ハ地主タル淸人ヨリ借ルモノモ少カラサルヲ以テ平均十戶八頭ノ割合ニ過キス

淸人ハ主トシテ耕耘用ニ供シ運搬調製等ニハ牛馬ヲ併用シ山間ニ至レハ馬ヨリモ牛ヲ多ク飼養セリ大抵ノ小農家ト雖モ牛二三頭ヲ有セサルハナク中農ハ七八頭大農ハ十五六頭以上ヲ有スルモノ少カラス一戶平均四五頭ノ割合ナリ

牛疫ニ就テハ第九章ニ記述セリ

ニ、馬

馬ニハ韓馬支那馬及小數ノ露西亞馬アリ

イ、韓馬

韓馬ハ毛色靑毛又ハ鹿毛多ク其體骼甚タ矮少ニシテ高サ三尺二三寸乃至三尺四五寸ニ過キズサレ

トモ割合ニ强壯ニシテ粗食ニ堪エ脚力亦强キヲ以テ險峻ニシテ牛車ヲ通スル能ハサル處ニハ駄用トシテ頗ル便利ナリ耕作用ニハ全ク用キラレサルヲ以テ資本ニ乏キ韓人馬ヲ有スルモノ甚タ少ク平均十戶一頭ニ過キサルカ如シ飼養管理ハ牛ト大同小異ナリ一頭ノ挽引力ハ二百斤ニシテ擔荷力ハ百八十斤ナリ

ロ、支那馬

支那馬ニ至テハ韓馬ニ比シ月竈ノ差アリ滿洲種ニシテ毛色葦毛河原毛多ク栗毛之ニ亞キ青毛斑毛駁毛亦少シトセス軀幹ハ一般ニ短少ニシテ被毛粗剛ナルヲ以テ其外觀甚タ揚ラスト雖モ體格强壯各部ノ均槩能ク諧調ヲ得又能ク粗食ニ堪エ外來ノ感作ニ抗シテ疾病ニ罹ルコト少ク性質怯懦ニシテ驚キ易キモ溫良ニシテ能ク人意ニ從ヒ比較的力量多ク持久力富ムヲ以テ農馬又ハ輓馬トシテ最モ適當ナリ但シ步尺短縮ニシテ速度駿速ナラサルヲ以テ速力ヲ要スル乘馬ニハ不適當ナルカ如シ清人ハ主トシテ輓馬トシテ用ヒ大馬車ニ六頭乃至八頭ヲ繫キ二千斤以上ノ重量ヲ運搬シツツアリ一頭ノ輓引力ハ四百斤ニシテ擔荷力ハ二百斤ヲ普通トス

皮ハ清人ノ手ニヨリテ賣買セラレ吉林及琿春方面ニ輸出セラルルモノノ如シ其價格ハ牛皮ニ比シテ廉ニ一枚二三圓ナリ

大農家ハ十頭以上十五六頭ヲ有スルモノ少カラス一戶平均五頭ヲ有スルモノト見テ大差ナカラン飼養管理ハ牛ニ同シ唯清人ハ馬ニハ大豆粕及稗稈ヲ多ク與フ交尾ハ三月又ハ八月ニ行フ分娩ノ前

後各一ヶ月ハ使役セサルヲ常トスレトモ往々ニシテ臨月ニ至ル迄使役シ曳車又ハ運搬ノ途上ニ分娩スル奇觀ヲ目擊スルコトアリ其際仔畜ハ母畜ノ背上又ハ馬車上ニ乘セテ歸リ數日ノ後母畜ヲ使役シ仔畜亦之ニ隨伴シテ遠路ヲ往復シ江河ヲ徒渉スル等幼畜ノ育成亦頗ル放任的ナリ

三、驢

驢ハ滿洲產ニシテ毛色灰褐色被毛粗剛背線アリ頭部大ニシテ顏面楔狀ヲ呈シ眼潤大ニシテ四肢ハ脚部白ク細ケレトモ强健性頗ル溫順ナルヲ以テ穀物ノ精白製粉用ノ石臼ヲ挽カシムルノ用ニ供セラル韓人ハ亦乘用トスルモノ尠カラス其飼養數ハ清韓人共甚タ少シ

四、騾

騾ハ滿洲產ナリ元來騾ハ馬ノ牝ニ驢ノ牡ヲ配シテ產シタルモノニシテ馬ニ比シテ却テ軀幹長大ニ四尺五寸乃至四尺七八寸ノ高アリ頭部ハ大ニシテ耳長ク肢部尾等ハ驢ニ類ス其性怯懦ナレトモ溫順ニシテ能ク人意ニ從ヒ堅忍ニシテ重役ニ堪エ疾病ニ罹ルコト殆ント稀ナリ

使役年間モ馬ヨリ長ク飼料量ノ如キモ馬ノ三分ノ二ニテ足ルヲ以テ馬ニ比シテ頗ル德用ナリ

當地方ニハ其數少ク韓人ハ全ク之レヲ有スルモノナク清人ニ一戶平均二頭ニ過キサルヘシ主トシテ駄用又ハ穀物ノ精白用又ハ製粉用ノ石臼ヲ挽カシム燒酒ヲ琿春ニ輸出スルニ主トシテ騾背ニヨル其他馬ト併セテ馬車用ニ使役セリ但シ騾馬ニハ繁殖力ナシ

五、豚

豚ハ支那豚韓豚アリ共ニ酷似スレトモ前者ハ後者ニ比シテ稍々優等ニシテ肥滿セリ淸韓人共ニ每戶殆ント飼養セサルナク殊ニ淸人ハ五六十頭ヲ有スルモノ珍ラシカラス畜舍ハ屋外ノ一隅ニ粗末ナル丸木ヲ以テ柵トシ其一隅ニ僅カニ雨露ヲ凌クニ足ル屋根ヲ設クルニ過キス韓人ハ單ニ小石ヲ積ミ土ヲ以テ塗リ固メ其內ニ穴居セシムルモノアリ何レモ極メテ粗造ナリ

毛ハ一樣ニ純黑色ニシテ中ニハ鼻端脚部又ハ腹部ニ白色ナルモノアリ（白色種ハ鍾城間島時建坪附近ニテ僅カニ牝牡二頭ヲ見タルノミ露人ヨリ得タリト云フ）被毛粗剛ニシテ長ク頭ハ廣大ニシテ口端突出シ喇叭狀ヲナシ脚ハ短ケレトモ强ク步行速カナリ腹部ハ粗物暴食ノ結果著シク懸垂シ牝ノ如キハ腹部常ニ地ニ垂レツツアリ思フニ北韓滿洲共ニ同一種ニ屬スルモノノ如ク畜產學上優等ノ品種ニアラス韓人ハ多ク日中ハ宅地內ニ放養セシムルナレトモ淸人ハ小孩ノ業務トシテ之ヲ郊外ノ作物收穫後ノ畑ニ驅リ食物ヲ漁ラシメ且ツ運動ヲナサシメツツアリ生後七八月ニシテ三十貫內外ノ體量ヲ有ス韓人ハ一戶平均二頭ニ過キサルヘキモ淸人一戶平均十五頭ニ達ス

飼料トシテハ雞冠花（唐粟又ハ餧猪ト云フ）及稗子ノ種實ヲ與ヘ又農產製造物ノ殘滓ヲ與フ其他庖廚ノ殘滓汚物殆ンド食ハサルナク飼養頗ル單簡ナリ蕃殖法ハ自然ニ放任シテ敢テ干涉セス春秋二回七八頭乃至十五六頭ヲ產ム

豚肉ハ庖廚用トシテ淸人ノ一日モ缺クヘカラサルモノニシテ彼等ノ唯一ノ珍味ナリ韓人亦之ヲ珍重ス一斤ノ肉ノ市價ハ五百文我十二錢ナリ毛、皮、骨等未ダ利用スル途ヲ知ラス支那豚ハ今尙敎化方

面ヨリ輸入セラレツツアリ

六、緬羊及山羊

共ニ吉林附近ヨリ輸入セルモノニシテ少數ノ淸人ノ飼養スルアルノミ

緬羊ハ短毛ノ邱陵種ニ屬スヘキモノニシテ體質頑健能ク風土ノ變化飼育ノ粗惡ニ堪エ骨格大ナラスシテ頸長ク肢ハ短クシテ丈ケ低ク牡ノ大ナルモノト雖モ其高サ二尺二三寸ニ過キス毛色灰白色ヲ帶ヒ長サ二寸乃至三寸アリ捲縮シ毛量三四百匁アリ稀ニ頭耳脚等ニ黑色ナルモノアリ

山羊ハ頭部小ニシテ耳ノ尖端稍曲リ角ハ捲曲シ體ノ外面ハ長毛ヲ以テ被ハレ白色黑色又ハ灰白色ヲ呈シ其下ニ軟毛アリ

性質溫良體强健ニシテ能ク寒氣ニ堪エ穩城間島凉水泉子ニハ一淸人ノ緬羊及山羊ヲ合シテ三四百頭ヲ飼養スルモノアリ之レ間島ニ於ケル最大ノ養羊家ナリ他ハ局子街ノ知府衙門朝陽河頭道溝及大粒子ニ各三四十頭ヲ飼養スルモノアルヲ見ルノミ一般ニ飼養行ハレス價格ハ三圓乃至八圓ナレトモ外ニ賣買稅五百文ヲ要ス其中二百文ハ賣買證票買入ノ費用ナリト云フ羊舍ノ構造ハ豚舍ト異ルコトナク徑三四寸長サ丈餘ノ丸太ヲ以テ柵ヲ繞シ屋根ハ稍高ク床ハ厚サ三寸許ノ板ヲ張リ約六十分ノ一ノ勾配ヲ附シ排尿ニ便ニス舍内區劃ノ設ケアルモ嚴ナラス牝牡幼羊ヲ混棲セシム

毎日一二回舍内ヲ掃除スルヲ以テ比較的淸潔ナリ春四月ヨリ秋十一月ニ至ル間ハ監視者一名ヲ附シテ附近ノ山野ニ放牧シ夜間ハ舍内ニ於テ各種ノ殘滓穀麩荏油粕大豆粕等ヲ適宜ニ與フ各季舍飼

ニ移レハ一日三回前記諸殘滓ニ粟稈稗稈高粱稈等ヲ細剉シテ給ス冬間ト雖モ毎日一回ハ舍外ニ出シテ運動セシム

陰曆四月及七月ノ二回剪毛スルモ豫メ毛ヲ洗フコトナシ蕃殖及生育ニ至リテハ諸家畜ト同シク何等ノ干渉ヲナサス

毛ハ防寒用トシテ帽子足袋等ノ中ニ入レテ愛用セラレ一斤ノ價五百文ナリ毛皮ハ防寒又ハ敷物等ニ用ヒテ廣ク珍重セラル

羊脂モ亦清人ノ特種ノ料理ニ揚物用トシテ賞用セラル肉ハ食用ニ供セラレ一斤八百文ニ値ス山羊ノ搾乳ハ未タ行ハルルニ至ラス

七、犬及猫

犬ハ滿洲在來種及韓國種ノ二アリ滿洲種ハ體格偉大ニシテ長毛蜜生シ耳ハ多クハ直立セリ毛色ハ黑白、赤、灰白、灰褐又ハ狸白ノ駁等種々アリ清韓人共番犬トシテ毎戸殆ント之ヲ飼養セサルナリ清人ノ大農家又ハ燒鍋業者ノ如キハ十數頭ヲ飼養スルモノアリ肉ハ食料ニ供セラル殊ニ韓人ハ陰曆七月ノ交盛ニ狗肉ヲ食用ニ供スルノ習慣アリ一頭五十錢乃至一圓ノ價格ヲ以テ賣買セラル犬皮亦清韓人共之ヲ愛用シ韓人ハ之ヲ唯一ノ防寒衣トナス彼等ハ毛皮ヲ裏トナシ袖無シ樣ノ上着ヲ製シ上ニ纒フ

猫ハ愛翫用トシテ飼養セラルレトモ其數甚タ少シ肉ハ食用ニ供セラレ毛皮亦重用セラル一匹ノ價

二十錢內外ナリ

八、家禽

イ、鷄

鷄モ亦韓國種及滿洲種ノ二種アレトモ淸韓人雜居シ互ニ放飼ノ結果雜駮混淆シテ明ニ種類ヲ區別シ難シ著シキ例ヲ擧クレハ

一、コーチン種ノ加ク頭小ク中位ノ單冠ヲ有シ尾極メテ短ク殆ント軟毛ノ中ニ隱レ脛短クシテ黃色ヲ呈シ脚羽生スルモノアリ

二、烏骨鷄ニ似テ鬆軟ナル羽毛ヲ被リ桑實狀ノ肉冠ノ外ニ小サキ毛冠ヲ有シ脛ハ青黑色ナルアリ

三、肉冠稍々大キク體狹長ニシテ緊着シタル輝黑色ノ羽毛ヲ被リ脛褐色ニシテ脚羽甚タ少ク「ラングシャン」種ニ酷似シタルアリ

四、單冠ニシテ肉髯ハ著大ナラサルモ能ク發育シ赤褐色ニシテ光輝アル長キ頸羽及鞍羽ト綠光ヲ放テル黑色ノ羽毛ヲ有シ體細長胸ハ穹隆シ脛ハ黃色ニシテ裸、下體ノ羽毛ハ黑色ニシテ風姿優麗ナル韓國在來種ノ如キアリ

一般ニ擧動輕快體質亦强健ニシテ殊ニ寒氣ニ堪ユルノ性著シク勤勉ニ產卵シ就中冬季ニ多シ一ケ年ノ產卵百顆內外ニ達スルモノノ如シ卵ハ大ナラス其重サ十二匁內外アリ卵殼ハ黃褐色ナルモノ多ク灰白色ナルモノ之ニ亞ク就巢性强ク育雛巧ナレトモ肥育性ニ乏シキヲ以テ體格小、ニ雄鷄ト雖

モ體量五百匁ヲ超ユルモノ稀ナリ

鷄舍ハ韓人ハ別ニ設クルコトナク畜舍ノ上又ハ臺所ノ隅ニ棚ヲ架シテ就眠セシム就眠所若シクハ納舍ノ一部分ニ粟稈又ハ稻藁ニテ巢ヲ設ケ淸人ハ南側ノ軒下ニ幅三尺長サ四尺高サ一尺五寸位ノ鷄舍ヲ設ケ屋根及ヒ兩側ハ土ヲ塗ル入口ノ一方僅カニ小ナル入口ヲ設ケ又地下ヲ一尺餘堀リ下ケテ石及土ヲ以テ塗リ固メテ鷄舍トナスコトアリ何レモ防寒用ノ爲メナリ就巢所ハ韓人ニ同シ飼料ハ冬季間ハ粟稈等ノ穀類ヲ小量ユ給スルコトァレトモ春ヨリ秋ノ間ハ全ク放飼ナリ

ロ、鶩

支那種ニシテ淸人ノミ之ヲ飼養ス頸細ク尾短ク雄ノ頭及頸ハ濃紫色ヲ呈シ下頭部ニ白色ノ輪ヲ有スルモノアリ或ハ全體純白ナルアリ嘴及脛ハ濃黃色ヲ呈シ體頗ル强健能ク氣候ノ變及粗飼ニ堪エ肥育シ體量一貫以上ニ達ス產卵性亦强ク一ケ年平均七十顆ヲ產ム卵ノ重量二十匁內外アリ產卵期ハ春ハ三月ヨリ五月マテ秋ハ八九月ヲ最モ多シトス鷄ニ抱セシメテ孵化セシム禽舍ハ鷄舍ト同シク又持ニ地下ヲ堀リ下ケタルモノ多シ之レ防寒ヲ充分ナラシメンカ爲ナリ飼養ハ全ク放任主義ニシテ附近ノ河邊又ハ沼地ニ自由ニ浮游セシメ飼料トシテハ庖厨ノ殘滓及農產ノ殘滓ヲ槽ニ入レ水ヲ多量ニ入レテ與フ其他支那種ノ鶩ヲ飼養スルモノアレトモ其數甚タ少シ

ハ、家畜及家禽ノ價格

家禽及家畜ノ價格ハ農作ノ豐凶ニヨリテ高下アリ即チ豐年ニ際スレハ一般ニ價格下落ス之韓人カ

平素蓄財ノ念ナク一朝凶歉ニ會スレハ自家ノ食料ヲ求ムルスラ尙困難ナルヲ以テ家畜ノ飼料ヲ他ヨリ購フカ如キハ彼等ノ到底能ハサル處ナルノミナラス賣リテ以テ自家ノ生計ヲ助ケサルヘカラサルヲ以テ收穫後ハ競ウテ放賣スルニヨリ忽チ價格ノ低落ヲ成ス之ニ反シ豐作ニ際スレハ悠々自適家畜ヲ鬻カントスルモノ極メテ少キヲ以テ價格ノ暴騰ヲ來シ突飛ナル相場ヲ現ハスニ至ル然レトモ每年秋收後ハ幾分ノ低落ヲ免レサルモノノ如シ是レ蓋シ貧農ノ冬季間ニ於ケル飼養ヲ顧慮シテ市場ニ出スモノ多キニヨル本年ノ如ク虫害ノ爲メ粟ノ數量著シク減シタル年ニアリテハ家畜特ニ牛畜ノ如キハ其價格頗ル低落シテ平年ノ四分ノ三ニ充タサルカ如キ狀況ニアリ今左ニ各種ニ就テ價格ヲ表示セン

韓牛及淸牛	一頭	貳拾五圓乃至五拾圓
同犢(滿一歲內外)	同	七圓乃至拾圓
同犢(生後六ケ月以內)	同	貳圓乃至四圓
韓馬	同	貳拾圓乃至四拾圓
支那馬	同	參拾圓乃至貳百圓
驢	同	拾圓乃至貳拾圓
騾	同	四拾圓乃至百五拾圓
豚	同	參圓乃至九圓

綿羊及山羊	一頭	參圓乃至八圓
犬	一匹	五拾錢乃至壹圓
猫	同	拾五錢乃至參拾錢
鷄	一羽	拾錢乃至參拾錢
鷄卵	一個	壹錢乃至壹錢五厘
鵞	一羽	參拾五錢乃至七拾錢
同卵	一個	貳錢乃至參錢

九、家畜及家禽ノ總數及一ヶ年ノ生産額略算

間島内ニ於ケル家畜及家禽ノ總數ハ如何程ナルヘキカ一ヶ年ノ生産額ハ如何程ニ達スヘキカ未タ正確ナル資料ヲ得スト雖モ調査セル處ト戸口表ニヨリテ推斷スレハ大約左ノ如シ(但犬猫ヲ省ク)

一、韓人所有　總戸數一萬六千百一戸

	一戸平均所有數	總頭數	單價	總價額	總價格ニ對スル生算率	一ヶ年生産額
牛	〇・八〇	一二、八八一	三〇・〇〇〇円	三八六、四三〇円	五分ノ一	七七、二八六円
馬	〇・一〇	一、六一〇	二五・〇〇〇	四〇、二五〇	七分ノ一	五、七五〇
驢	〇・〇五	八〇五	一五・〇〇〇	一二、〇七五	七分ノ一	一、七二五

	一戸平均所有數	總頭數	單價	總價格	總價格ニ對スル生產率	一ケ年生產額
豚	三・〇〇	四八、三〇三	四・五〇〇	二一七、三六四	五分ノ三	一三〇、四一八
鷄	五・〇〇	八〇、五〇五	〇・一五〇	一二、〇七六	三倍	三六、二二八
計	｜	｜	｜	六六八、一九五	｜	二五一、四〇七

二、清人所有　總戸數三千九百戸

	一戸平均所有數	總頭數	單價	總價格	總價格ニ對スル生產率	一ケ年生產額
牛	四・〇	一五、六〇〇	三〇・〇〇〇	四六七、〇〇〇円	五分ノ一	九三、六〇〇円
馬	五・〇	一九、五〇〇	四〇・〇〇〇	七八〇、〇〇〇	七分ノ一	一一一、四二九
騾	二・〇	七、八〇〇	五〇・〇〇〇	三九〇、〇〇〇	｜	｜
驢	〇・一	三九〇	一五・〇〇〇	五、八五〇	七分ノ一	八三六
豚	一五・〇	五八、五〇〇	四・五〇〇	二六三、二五〇	五分ノ三	一五七、六五〇
緬羊及山羊	｜	約六〇〇	六・〇〇〇	三、六〇〇	四分ノ一	九〇〇
鷄	一〇・〇	三九、〇〇〇	〇・一五〇	五、八五〇	三倍	一七、五五〇
鵞	三・〇	一一、七〇〇	〇・四〇〇	四、六八〇	二倍	九、三六〇
計	｜	｜	｜	一、九二一、二三〇	｜	三九一、六二五

以上ヲ合計スレハ

	總數	總價格	一ヶ年生産額
牛	二八、四八一	八五四、四三〇円	一七〇、八八六円
馬	二一、一一〇	八二〇、二五〇	一一七、一七九
騾	七、八〇〇	三九〇、〇〇〇	—
驢	一、一九五	一七、九二五	二、五六一
豚	一〇六、八〇三	四八〇、六一四	二八八、三六八
緬羊及山羊	六〇〇	三、六〇〇	九〇〇
鶏	一一七、五〇五	一七、九二六	五三、七七八
鵞	七、八〇〇	四、六八〇	九、三六〇
合計	—	二、五八九、四二五	六四三、〇三二

即チ家畜家禽ノ總價格ハ貳百五拾八萬九千四百貳拾五圓ニシテ一ヶ年ノ總生産額ハ六拾四萬參千參拾貳圓ニ達ス

第四節　農産物ノ總價額

前述セル處ニヨリ農產物ノ總價格ヲ表示スレハ左ノ如シ

一、主要作物收量及價格　百四拾五萬九千七百參拾圓

内譯

品名	收量	價格	備考
粟	二五〇、八〇六石	五二六、六九三円	穀價ハ明治四十一年十二月龍井市ニ於ケル賣買價格ヲ準用セリ
大豆	七一、七八九	二一五、三六七	
大麥	四六、七八八	九八、二五五	
小麥	三二、七四六	一一七、八八六	
蜀黍（高粱）	八一、三八八	二四四、一六四	
玉蜀黍	五五、七四二	一一七、〇五八	
黍	一九、二一一	五七、四四一	
小豆	七、〇〇二	三六、四一四	
綠豆	二、〇五二	四、四一二	
蕎麥	一〇、九五五	三二、八六五	

品名	收量	價額	備考
水稻	五五五石	九、一七五円	
計	—	一、四五九、七三〇	

二、蔬菜特用作物其他ノ價格　四拾四萬九千六百五拾五圓

內譯

品名	產額	價額	備考
荏	二、一一二·五石	三、七六〇円	第四特用作物栽培調査參照
煙草	一、二九八、〇〇〇斤	五八、四一〇	同上
大麻	三四六、四〇〇	三四、六四〇	同上
青麻	一六二、〇〇〇	一〇、一二五	同上
蔬菜、馬鈴薯、菜豆及豌豆	—	三一〇、五二〇	栽培反別四千四百三十六町步一反步生產價格ヲ七圓ト見做シテ計算ス
稈、唐粟、藍其他	—	三二、二〇〇	栽培反別九百二十町一反步生產價格ヲ參圓五拾錢トシテ計算ス
計	—	四四九、六五五	

三、農産製造業利益　　貳拾萬八千六百八拾圓

內譯

	價格	備考
燒鍋業收益	八五、〇六三円	明治四十一年調査燒酒製産額百十二萬斤ヨリ原料高粱一萬八千四百五十石ノ價格ヲ減ス（第五燒鍋業調査參照）
豆油製造業收益	五二、〇九三	豆油六十萬斤豆粕四十萬枚ノ製産價格ヨリ原料大豆一萬四千清石ノ價格ヲ減ス
荏油製造業收益	五、四〇〇	荏油六萬四千三百斤荏粕一萬七百二十枚ノ製産價格ヨリ原料荏千石ノ價格ヲ減ス
製粉業收益	六六、一二四	小麥粉三百五十七萬斤粉粕四千石ノ製産價格ヨリ原料小麥二萬石ノ價格ヲ減ス
計	二〇八、六八〇	

四、家畜生産高　　六拾四萬參千參拾貳圓

即チ總額貳百七拾六萬壹千〇九拾七圓ナリ而シテ此外ニ各種作物ノ穀稈例ヘハ粟稈、高粱稈、黍稈、大小麥稈等ハ或ハ屋根ヲ葺キ或ハ家畜ノ飼料トシ或ハ垣根ヲ造リ壁ノ心トナス等頗ル重要ナル物資ニシテ其價格ハ數拾萬圓ニ達スヘシ然レトモ茲ニ家畜ノ生産高中其飼料ハ全ク計算セサリシヲ以テ暫ク省略セリ

第六章　山林附採集植物ノ分類

東間島東部ハ地勢ノ部ニ述ヘタルカ如ク西南ニ白頭山連峯群立シ西ニ老嶺山脈北ニ老爺嶺アリ南ニ偏シテ兀良哈嶺ノ横ハルアリ山岳地ノ面積ハ小クトモ全面積ノ八割弱即チ約百二十七萬町歩ニ達スルモノノ如シ三四十年前即チ移住ノ初期ニアリテハ至ル處山岳丘陵河畔樹木ヲ見シカ漸次移住者ヲ增シ開墾ノ進ムニ從ヒテ樹木ヲ伐採シ又燒畑ヲナシテ漸ク禿山ヲ生シ現時有樹林ハ中央部ニアリテハ僅カニ兀良哈嶺中七道溝繡紋浦附近大坪附近四道溝嶺附近及北甑山方面ニ存スルニ過キズ薪炭林ハ兀良哈嶺ノ海拔四五百米突以上ノ山林ニ乏シカラサルカ如シ而シテ主要ナル森林ハ白頭山附近老嶺山脈及老爺嶺山脈方面ニアリトス思フニ森林ト稱スヘキモノハ山地面積ノ約三割即チ四十萬町以下ニ過キサルヘシ今踏査セル地方ニ就テ主要ナル樹種ヲ擧クレハ

一、七道溝繡紋浦附近

南崗ニ於ケル唯一ノ有材林ト云フヘク海拔八百二三十米突方二里ノ間樅落葉松赤松朝鮮松ノ密生セル森林ニシテ樅樹最モ多ク殆ント總テノ建築及器具材用トシテ需用セラレ其高サ四十尺目通リ四五尺乃至七八尺ニ達ス落葉松ハ一般ニ若ク高サ二十六尺目通リ四尺朝鮮松ハ高サ四十尺目通リ四尺乃至五尺五寸ノモノ多シ材ハ多ク現場ニテ挽キ割リテ板トナシ牛車ニテ需用地ニ運搬ス板ハ長サ十四尺巾一尺二三寸乃至一尺七八寸厚二寸ヲ普通トス

濶葉樹ノ主ナルモノハ椴「シナノキ」白樺菩提樹黄蘗楡ノ類多シ

二、四道溝嶺

四道溝嶺ハ三道溝ヨリ茂山間島ニ通スル嶺ニシテ楢楡白樺山楊等ノ濶葉樹多ク繁茂セリ而シテ附近ノ嶺ニハ樅及赤松ノ森林アリ但シ運搬ノ便頗ル不利ナルヲ以テ伐採ノ利益少キカ如シ

三、朝陽河三道崴及牡丹川方面

朝陽河ノ上流三道崴及牡丹川地方ハ有名ナル森林地帶ニシテ主要ナル樹種ハ樅ニシテ朝鮮松之ニ次ク濶葉樹ノ主ナルモノハ楢白樺白楊等ニシテ三道崴地方ノモノハ朝陽河ヲ利用シ流木シテ局子街方面ノ需用ヲ充タシ牡丹川地方ハ嘎呀河地方ニ供給セラル蓋シ間島東部ニ於ケル最モ重要ナル森林地帶ナリ

四、老嶺

老嶺山脈一帶ハ森林ニシテ樹種樹齢等ニ就テハ西部農業一般調査中ニ記述シタレハ茲ニ省略ス

五、薪炭林

薪炭林ハ四道溝嶺七道溝老房子黄直五道溝白浦江村咸朴洞上村大坪南坪洞等ノ山林ニ多ク樹種ハ槲楢楡赤楊樹白楊白樺シナノキ黄蘗等ニシテ就中楢白樺白楊楡槲等最モ普通ナリ四道溝嶺及大坪南坪洞附近ニアルモノハ古木多ク諸種建築材用トシテ使用セラルヘシ殊ニ南坪洞附近ハ豆滿江ニ近ク筏ニヨリテ會寧方面ニ輸出シ得ルヲ以テ有望ナラン

炭焼ノ方法ハ頗ル不完全ナリ當地ノ如キ寒國ニシテ木炭ノ需用將來益々增加スル地方ニアリテ炭焼ノ改良急務ナリト云ハサルヘカラス會寧間島勢井洞ニ於テ見タル處ニヨレハ其製炭法ハ頗ル簡

單ナリ即チ地面ニ巾二尺深サ一尺長サ四五間ノ溝ヲ堀リ此上ニ材ヲ五尺程ノ長サニ伐リタルモノヲ縱横ニ積ミ高サ中央部ハ一丈兩端ハ四五尺巾五尺ノ山形ノモノヲ造リ一方ノ口ヨリ燒ク燃燒後ハ直チニ全體土ヲ以テ蔽フコト一尺餘最初水分ノ蒸發多キ爲メ赤煙ヲ發スルコト略二日其後白煙ヲ放ツ其間漸次ニ土ヲ盛リ最後青煙ヲ發スルニ至ル迄益々土ヲ盛リ遂ニ全ク煙ノ發セサルマテ厚ク蔽ヒ十日ニシテ終ハル其後一兩日ヲ經テ崩シテ土ヲ以テ全ク消火ス

製炭量ハ一竈ニ百俵一俵ハ六七貫ニシテ一ケ月ニ三竈ヲ燒キ得ト云フ製炭ハ牛車ニテ八里ヲ隔ツル會寧ニ輸出ス此等ノ薪炭林ニ存スル主ナル灌木ハ次ノ如シ

杏梅、ハシバミ、サンザシ、萩、ウリハダノキ（木皮ヲ以テ縄ヲ造ル）等其他各地ニ存スル主ナル樹種ハ次ノ如シ

一、上官道溝附近ニハ楡、槲、白楊、サンザシ、ハシバミ等多ク其他赤楊、梣（トネリコ）、白樺、マユミ、クロウメモドキ、等散見セラル

一、天寳山ニハ碱胡桃赤楊槲赤松サンザシ等最モ多ク接骨木（ニハトコ）、懐槐、白樺、タラノキ、楡黄蘗等之ニ次ク

一、頭道溝附近ニハ楢、槲、楡、白楊ハシバミ等普通ニシテ懐槐サンザシ梣白樺黄蘗等亦散見セラル

一、三道溝土山子附近ニハ楢楡白楊（ヤマナラシ）、サンザシ、ハシバミ、クロウメモドキ、ノ類最モ多ク白樺黄蘗等之ニ次ク

之ニヨリテ間島各地ニ於ケル主種ヲ知ルヲ得ヘシ

山林ノ價値殖林等ノ調査ニ就テハ他日專門家ノ精査ヲ俟タサルヘカラス

思フニ約百二十七萬町歩ノ面積ヲ有スル山岳地ハ殖林ノ經營其宜シキヲ得交通運搬ノ便開クルニ至ラハ間島ニ於ケル一大富源タルニ至ルヘシ

第七章　農民生活ノ狀態

農民生活ノ狀態ハ其程度頗ル低ク殊ニ韓人ニアリテハ居住ノ狀態寧ロ憐ムヘキモノアリ是間島ノミナラス北韓ニ於ケル農民ノ生活皆然リ此等可憐ナル北韓ノ窮民ハ生活ノ難日ニ迫リ姻戚隣朋相誘ウテ江ヲ渡リ甘ンシテ清人ノ小作人トナルヤ附近ノ樹林ヨリ適宜ノ樹木ヲ伐採シ來リテ粗造ナル家屋ヲ造リ自ラ溫突ヲ設ケ壁ヲ塗リ力耕數年漸ク生ニ安スルニ至レハ彼等ノ多クハ進取ノ氣象全ク銷磨シ常ニ清人ノ壓迫侮慢ヲ受ケテ小國人ニ甘ンシ悠々トシテ徒ラニ生ヲ送リ生活ノ程度ヲ高ムルノ念アルコトナシ彼等ノ內稍貯蓄ノ念ヲ有シ營々刻苦スルモノアルモ其居ヲ飾リ裝ヲ整フルハ徒ラニ清人ノ誅求ニ會ハンコトヲ恐レテ故ラニ生活低度ヲ低ウスルアリ加之從來交通ノ便極メテ不良貨物ノ輸入甚タ少クスルコトアルモ極メテ不廉而カモ唯一ノ收入ニシシ且ツ餘剩アル農產物ハ價格甚廉殊ニ豐作ニ際スレハ平年價格ノ二分一ニ低減スルカ如キ境遇ニアツテハ勢自家經濟ニ依ラサルヲ得ス農民生活程度ノ低キ怪ムニ足ラサルナリ

嘗テ豆滿江沿岸ヲ踏査シテ最モ注目ヲ惹キタルハ韓國側ニアツテハ粗造ナル家屋モ尙ホ大抵瓦葺屋根ナルモ其對岸間島ニアツテハ一屋ノ瓦ヲ用ユルモノアルヲ見サルコトニシテ最モ興味アル對照ナリ此事實ハ間島內部ニ入ルモ常ニ然リ之レ彼等カ移住後久シカラス貯財乏シク居ヲ廬ルニ遑

アラサルト永住ノ考ヲ有スルモノ稀ナルコトヲ證スルモノナレトモ又以テ移住韓人ノ生活程度ノ一般ヲ知ルニ足ランサレトモ元來生活程度極メテ低ク自家經濟ニ滿足シ得ル韓人ニハ間島ハ極メテ生活ニ安易ナル樂天地ト云ハサルヲ得ス何トナレハ土地肥沃ニシテ各種ノ作物ハ特別氣溫ヲ要スルモノノ外ハ殆ント適セサルナク又穀價極メテ廉ナルカ爲メニ冬期ハ一ケ月約我一圓內外ノ食料ヲ拂ヘハ韓人ハ喜ンテ同居セシムルヲ以テ露領方面ニ出稼スル韓人勞働者ハ冬期閑ナル時ハ歸鄕セス間島ニ來リテ安逸ニ越冬シ翌春融雪ノ候ヲ待ツテ再ヒ露領ニ入ルモノ頗ル多シト云フ

淸人ハ多ク山東若シクハ南滿來住ノ民ナルコトハ前述ノ如ク其數少ナシト雖トモ能ク韓人ヲ壓倒シ土地ヲ併呑シテ大地主若クハ中地主トナリ小地主ト雖トモ亦七八晌以上ヲ所有ス中地主以上ノモノハ殆ント韓人ニ小作セシメ或ハ之ヲ使役シ生活程度韓人ノ比ニ非ス其家屋ハ構造比較的大規模ニシテ繞ラスニ土塀ヲ以テシ宅地ノ廣サ町餘ニ達スルモノ罕ナラス其他家畜ノ數ニ於テ觀ルモ韓人ヨリ遙カニ多シ韓人ハ一頭牽ノ牛車ヲ用ヒ淸人ハ五頭乃至八頭牽ノ大馬車ヲ用フルヲ見ルモ一見生活程度ノ如何ニ逕庭アルカヲ知ルニ足ラン加フルニ淸人ハ性甚タ勤勉ニシテ能ク力耕シ倦怠ノ念ヲ生セス亦蓄財ニ黽ムルヲ以テ富裕ノ程度自ラ韓人ノ企及スル所ニアラス

從ツテ生活費ハ淸韓人ニヨリ之ヲ異ニシ衣食及家屋ノ修繕費等ヲ加ヘ韓人ニ於テハ一年僅カニ二十圓內外ニテ足ルト云フ淸人ニ於テハ韓人ニ比シ遙カニ多シ左ニ衣食住ノ三項ニ分チ少ク述フル所アルヘシ

一、家屋

宅地ノ廣サハ韓人側ニ在ツテハ多クハ劃然タル區劃ナク圃場ノ一隅ニ一家ヲ構ヘ僅カニ調製場ヲ殘シテ直ニ圃場ニ連續ス而シテ中地主以上ニ至レハ繞ラスニ粗造ナル柳枝ヲ以テ編ミタル柵又ハ低キ土塀ヲ以テ宅地ノ境界トナシ廣キモ三四畝ニ過キス清人ノ大農ニ於テハ多クハ高サ八尺乃至丈餘ノ厚サ數尺ニワタル土塀ヲ繞ラシテ宅地ノ境界トナシ四隅高櫓ヲ築キ銃眼ヲ設ケ武器ヲ備ヘテ馬賊ノ防禦トナス宅地ノ廣サハ普通三四反歩ヲ有スレトモ大ナルニ至レハ二町歩ニ達シ何レモ堅固ナル門構ヲ建ツ

家屋ノ構造ハ大略下圖ノ如シ

韓人家屋ノ圖

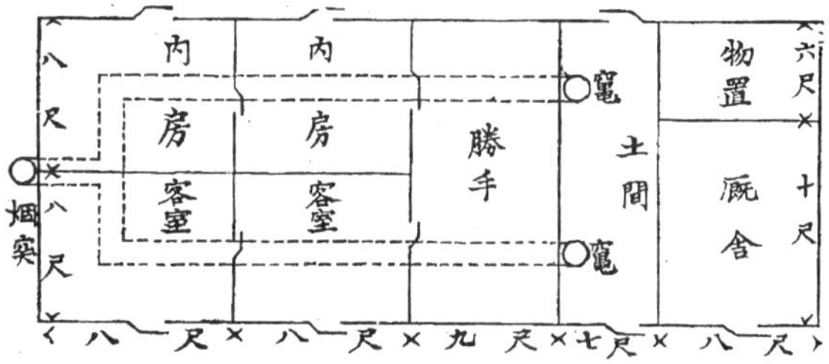

勝手ハ土間ヨリモ一尺五寸高シ

厩舍トハ普通牛馬ニノミ用ヒ豚ヲ入レヌ

豚舍ハ屋外ニ屋根形ニ粗朶ヲ組ミ土泥ヲ塗リ之ニ連續シテ二坪許ノ運動場ヲ設ク

勝手ト厩舍トハ單ニ土間ヲ隔ツルノミニテ隔壁ナシ

清人農家略圖

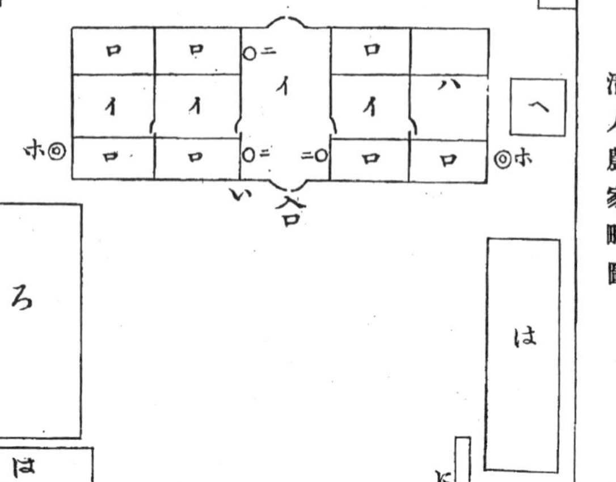

備考　一、清人家屋及建物ハ二百分一ノ縮圖

二、土塀ノ周圍ハ紙面ノ小ナルニヨリ三百分一ノ縮圖トセリ

い、家屋

イ、土間

ロ、屋室

ハ、物置

ニ、竈

ホ、煙突

ろ、收納及農產調製室

は、畜舍

に、牛馬飼養槽

ほ、豚舍

へ、玉蜀黍收納所ニシテ普通三四尺ノ高サニ床ヲ設ク

清人ノ調製場ハ宅地外ニ設ケラル

二、衣類及裝飾品

韓人ノ衣類ハ普通金巾ヲ用ユレトモ夏季ハ麻布ヲ用フ中等生活ヲ爲ス者ハ

冬服(三着一揃)　五圓五拾錢
夏服(同)　貳圓五拾錢

上等生活ヲ爲ス者ハ絹又ハ絹緞ヲ用フ

冬服(一揃)　拾五圓乃至拾六圓
夏服(一揃)　拾圓

近來冬服地ニ灰色又ハ黑色ノ繻子地流行ス

冬服(一揃)　八圓

装飾品及雜品(男子)

草鞋(上等物ハ三四ケ月間用ヒラル)五足乃至六足即チ貳圓乃至參圓
靴　一足　貳圓五拾錢乃至參圓
足袋　三足乃至四足壹圓貳拾錢乃至壹圓六拾錢
冠　一　壹圓乃至貳圓
同(上等物)　一　五圓乃至六圓
鉢卷(冠ノ下ニ用フ)　一　八拾錢乃至參圓
冠被(油紙製)　一　拾錢乃至六拾錢
帶　一　拾錢乃至四拾錢

同(上等)　　一　　壹圓

計金　　八圓七拾錢乃至拾五圓拾錢

即チ中等生活ヲナスモノハ衣服及裝飾品雜品ニテ十四五圓ニテ足ルモノノ如シ煙草ハ一般韓人ニ缺クヘカラサル嗜好品ニシテ一ヶ月二把(一把八錢)ヲ要スト云フ

婦人ノ衣服及裝飾品ハ次ノ如シ

婦人ノ衣服ハ夏冬ノ差ナク冬引廻ヲ用フルノ差アルノミ冬ハ腰卷トモ金巾ナレハ三四圓ニテ足ル絹地ヲ用フレハ

上着　　貳圓五拾錢

上ヨリ下ニ纒フモノ　　四圓

裝飾品トシテハ盛裝ノ時ニ銀製ノ簪ヲ着ク其代價普通拾圓ナリ其他南韓地方ニ至リテハ上流ノ婦人ハ胸輪トシテ銀製ノ四五拾圓ノモノヲ用フルモノアレトモ間島ノ如キ生活程度低キ地方ニ用ヒラルルコトナシ總シテ絹地ヲ用フルモノ殆ント稀ナルカ如シ

清人ハ普通紺色ノ布ヲ用ヒ冬間毛皮類ヲ用ヒテ防寒シ用ヲナス中流以上ニ至レハ四季絹地ヲ被フモノ稀ナラス今勞働者一ヶ年ノ被服料見積ハ次ノ如シ

一、夏服(上下二着及帶一筋)　　六圓

一、冬服(上着二、下着一共ニ短キ綿入)　　拾圓

一、防寒用帽子　一個　壹圓五拾錢
一、襪子及靴　五圓
一、剃髮料　壹圓貳拾錢
一、頸卷及雜品　貳圓參拾錢
計金　貳拾六圓

備考　夏服ハ冬季下ニ着ケ上ニ冬服ヲ纏フ

三、食料

清韓人共ニ粟ヲ常食トナスト雖モ副食物ニ於テ多少異ルヲ見ル韓人ハ粟ノ外之レト混シテ黍、大麥、玉蜀黍ヲ食ス普通二食ニシテ中食ノ代ハリ夏季ハ甜瓜或ハ玉蜀黍ヲ用フ其量例令一家五口アリトスレハ一年間ニ粟十五韓石(我八石五斗五舛)及雜穀十五韓石ヲ要ス外ニ馬鈴薯其他蔬菜類及豚肉ヲ食スルコト多シ殊ニ蕃椒韮、蒜ヲ嗜好スルコト彼等ノ特性ナリト云フヘシ

清人ハ粟ノ外玉蜀黍ノ挽割、大麥、高粱、菜豆等ヲ常食トナス玉蜀黍ハ挽割ノ外煎餅樣ノ油揚トナシテ食スルコト多シ普通三食ナレトモ下等生活ヲ營ムモノニ至レハ中食ハ韓人ト同シク夏季瓜類、玉蜀黍等ヲ用フ清人ハ一般ニ蔬菜殊ニ白菜、馬鈴薯、韮等ヲ副食トス又豚肉ヲ食スルコト韓人ノ比ニアラス凡テ料理法豚脂ヲ用ヒサルハナキヲ見之ヲ推知スルニ足ル勞働者一人一日ノ食料ハ高粱粟孰レモ清五合(我約七合)麵一斤半外ニ肉類野菜類若干ヲ要スト云フ

右ノ外日用消耗品(即チ紙、墨、油、薪料等)ノ雜費及冠婚葬祭等ノ費用ハ韓人ハ清人ニ比シ少額ニテ足ルト雖モ尚一年三百兩我約五拾圓ニ達スト云フ

第八章　農産物ノ輸出可能額概算

現在農産物ノ輸出セラルル額ハ如何程ニ達スヘキカ從來稅關ノ設ケナク四邊何レヨリモ自由ニ搬出セラルルカ如キ當地方ニアリテ正確ナル價格ヲ算定スルハ頗ル困難ナリ今假リニ農産物ノ産額、戶口調査及住民生活ノ狀態等ヨリ推算シタル輸出可能額概算ハ大約次ノ如シ

第一節　穀物ノ輸出可能額

一、粟

粟ハ間島ニ於ケル最モ重要ナル農産物ニシテ農作物總價格ノ約三割六分ヲ占メ輸出穀物中ノ最大ナルモノナリ其栽培反別ハ一萬六千六百五十九町歩ニシテ收量二十五萬八百六石價格五拾貳萬六千六百九拾參圓ニ達ス內間島內ニ於テ消費セラルル額ヲ概算センニ粟ハ韓人ノ主食物ニシテ一家五口トスレハ一ケ年玄粟韓十五石即チ我八石五斗五升ニシテ一人平均一石七斗一升ヲ消費スル割合ナリ清人ハ粟ヲ主食トスレトモ又玉蜀黍、高粱及麵類ヲ食スル量多ク粟ハ全食穀ノ約二分ノ一ノ比例ニ過キス平均一人ノ消費高ハ韓人ノ約三分ノ二ニ過キス即チ清人一人一ケ年平均一石三斗二升ノ割合ト見ルヲ得ヘシ之ニ依テ間島內ニ於ケル粟ノ消費高ヲ計算スルニ左ノ如シ

	人口	平均一人ノ粟消費高	總消費高
韓人	八二、九九九	一、七一 石升	約 一四一、九二八 石
淸人	二七、三七一	一、三二	同 三六、一三〇
合計	一一〇、三七〇	—	一七八、〇五八

即チ粟ノ消費總額ハ約十七萬八千〇五十八石ニシテ差引餘剩額ハ七萬二千七百四十八石ノ計算ナリ即チ更ラニ韓人四萬二千五百餘口ヲ養ヒ得ル割合ニシテ豐凶ニヨリ差異アルハ勿論ナレトモ粟ノ輸出可能額ハ平年ニ於テ約七萬三千石、價格拾五萬參千參百圓ナリ

而シテ粟ハ間島ニ於テ精白セラレタル後輸出セラルヽモノ少カラサルヲ以テ價格ハ其以上ニ上ルヘシ

二、大　豆

大豆ハ粟ニ次ケル輸出穀物ナレトモ現時ニ於テ其額ハ世人ノ想像スル如ク大ナラス即チ栽培反別八千一百七十七町歩收量七萬一千七百八十九石、價格貳拾壹萬五千參百六拾七圓ニシテ內豆油製造用ニ供セラル數量ハ一萬七千淸石(我二萬三千八百石)ノ推算ナリ其他豆腐及味噌醬油製造用ニ供シ又韓淸人共食料ニ供スルヲ以テ消費額ハ三分ノ二以上ニ達スヘク餘剩額ハ約二萬四千一百石、價格七萬貳千圓ナリ

三、高粱(蜀黍)

高粱ノ栽培反別ハ五千百七十三町歩收量八萬一千三百八十八石ナリ內高粱酒(燒酒)製造ノ原料ニ約一萬八千石ヲ消費セラレ清人ハ粟及玉蜀黍ト共ニ常食ニ供シ一人一ヶ年平均約一石ヲ要シ約二萬七千三百七十石ヲ消費シ韓人モ亦食料ニ供シ又食醋製造用ノ原料トシテ消費セラルルヲ以テ輸出シ得ル額ハ一萬石內外價格約參萬圓內外ニ達スヘシ

四、玉蜀黍

玉蜀黍ノ栽培反別ハ四千二百七十二町歩收量五萬五千七百四十二石ニシテ清韓人共ニ常食トシ煮又ハ挽キ割リテ飯ニ炊キ粉トナシ餅ヲ造ル特ニ清人ノ需要頗ル多ク一人一ヶ年平均約七斗ヲ要シ韓人ハ平均其半額トシ消費額ヲ計算スレハ次ノ如シ

	玉蜀黍消費高
韓人	約一九、一六〇石
清人	同二九、〇〇〇石
計	四八、一六〇石

即チ四萬八千百六十石ニシテ餘剩額ハ約七千五百八十石價格約壹萬六千圓ナリ

五、大麥

韓人ハ粟ニ次テ最モ多ク大麥ヲ栽培シ清人ハ之ニ反シ栽培甚タ少シ其栽培反別五千〇九十二町收量四萬六千七百八十八石ナリ韓人ハ粟ニ次クル主食穀トシテ之ヲ用ヒ一人一ヶ年平均四斗五升ヲ

要ストスレハ一ヶ年三萬七千三百五十石ヲ消費シ又燒鍋業ニ糟子（醱酵素）ノ原料トシテ三千三百石ヲ要スルヲ以テ總消費額ハ四萬六百五十石價格壹萬〇五百圓ニ過キサルヘシ

六、小麥

小麥ハ清人ハ之ヲ製粉シテ麵又ハ饅頭ヲ製シ之ヲ嗜食シ韓人モ亦其需要少カラス又味噌、醬油、酢等ノ製造原料トシテ用ヒラル其栽培反別ハ約五千町歩ニシテ收量三萬二千七百四十六石ナリ嘎呀河流域、穩城、間島、凉水泉子地方ニ於テハ小麥ヲ琿春ニ輸出シテ小麥粉ヲ購フ其他三崗地方ヨリモ多少輸出セラレ又西部地方ヨリ東部ニ輸入セラルルアリ要スルニ小麥ノ輸出額ハ約二千石價格七千貳百圓ニ過キサルヘシ

七、其他ノ雜穀

其他ノ雜穀中黍、綠豆、菜豆、蕎麥等アレトモ總シテ五千圓以內ノ輸出額ニ過キサルヘシ

附　蔬菜モ亦豆滿江沿岸ノ韓國ニ輸入セラレ其額少カラスト雖トモ之ヲ數示スルコト困難ナレハ省略ス

八、穀物輸出ノ情況

穀物ハ主トシテ北韓及琿春地方ニ輸出セラル前者ハ其輸出額ノ大部分ヲ占ム北韓ニ於ケル輸出地ノ範圍ハ豆滿江沿岸ハ勿論茂山嶺ヲ越エテ遠ク富寧、鏡城、淸津方面ニ達ス輸出期ニ凡ソ二期アリ收穫後每年十一月ヨリ一月即チ陰曆ノ越年前ヲ第一期トシ五六月ヨリ八月ニ至ル間ヲ第二期トス第

一期即チ秋收當時ニ於テハ價格甚タ廉ニ第二期ニ於テハ價格次第ニ騰貴スルヲ常トス輸出ノ方法ハ北韓民ハ鹽、明太其他ノ日用品ヲ牛車ニ積載シ間島ニ來リテ之ヲ市場ニ鬻キ又ハ物々交換ニヨリテ穀物ヲ搬出シ間島民亦穀物ヲ牛車ニ積ミテ北韓ニ到リ其必要品ヲ購フヲ常トシ頗ル簡便ナリ近來浦鹽自由港閉鎖ト共ニ清人ノ清津ヨリ貨物ヲ輸入スルモノ増加シ往路穀物ヲ運搬シ復路貨物ヲ輸入シ來ルモノ漸ク多キニ至リ間島及ヒ琿春方面ノ輸入貨物ノ免税實施ト共ニ益々増加スルニ至ラン

琿春方面ニ輸出スル穀物ハ大豆、小麥、高粱、綠豆、荏、玉蜀黍等ニシテ粟ハ琿春地方ニ多量ニ産スルヲ以テ輸出少シト云フ輸出穀物ニ對スル清國延吉廳斗税總局ノ課税率ハ次ノ如シ（光緒三十四年七月ノ告示ニヨル（明治四十一年八月））

第一類	玄米、小麥、綠豆、胡麻、荏等	每一清石	三百文
第二類	精粟、大豆、豌豆、菜豆、小豆、粳等	每一清石	二百文
第三類	玄粟、大麥、高粱、黍、玉蜀黍、蕎麥等	每一清石	百文

第二節　特用作物ノ輸出可能額

輸出特用作物中ノ主要ナルモノハ煙草ニシテ其栽培反別ハ約六百五十町歩ニシテ煙草産額約百三十萬斤價格約五萬八千四百圓ニ達ス間島ニ於ケル煙草ハ其生育頗ル良好ニシテ佳品ヲ産シ北韓及琿春方面ニ輸出セラル

間島ニ於ケル煙草ノ消費額ニ就テハ正確ナル統計ナキモ假リニ全人口ノ約五割ヲ喫煙者トシ一人

一ヶ年ノ平均消費高ヲ二十斤トスレハ喫煙者數約五萬五千人消費高百十萬斤ニシテ餘剩額約二十萬斤價格九千圓ノ概算ナリ

其他阿片ハ主要ナル輸入品ニシテ毎年輸出額二三萬圓ヲ下ラサリシカ明治四十二年度ヨリ絕對ニ罌粟ノ禁止セラレ山間等ニ私ニ栽培スルモノアルニ過キサルニ至レリ其他大麻、青麻等ハ今日ノ狀況ニテハ僅カニ土地ノ需要ヲ充スニ過キス未タ輸出セラルルニ至ラサルカ如シ

第三節　農產製造物ノ輸出可能額

農產製造物中ノ主要ナル輸出品ハ高粱酒ニシテ其製產額約十二萬斤價格約十五萬七千圓中其約半額ハ琿春ニ輸出セラル即チ五十萬斤價格七萬圓ニ達スヘシ

其他豆油、豆粕及荏油ノ輸出ハ明ナラサルモ約二萬圓ニ達スヘシ

第四節　家畜及畜產物ノ輸出狀況

家畜中牛豚及雞ハ琿春ニ輸出セラル而シテ牛ハ琿春ヲ經テ更ニ浦鹽方面ニ送致セラル其琿春ニ到ル經路ハ清韓人ニヨリテ各之ヲ異ニス即チ清人ハ局子街ヨリ凉水泉子ヲ經韓人ハ會寧又ハ鍾城ニ出テ慶源或ヒハ訓戎ヲ通過ス即チ各自國ノ領域內ヲ經過ス清人ノ家畜ノ輸送ハ頗ル巧ニシテ一人能ク數十頭ノ牛ヲ連繫シ豚ノ如キハ百餘頭ヲ一群トシ何等ノ覊絆ヲ附スルコトナク一人又ハ二人一條ノ長鞭ヲ振テ一團トナシ左顧右眄行ク〻食ヲ漁ラシメ終日山野ヲ驅逐シ日沒スレハ路傍ノ客棧ニ泊ス客棧ニハ大抵家畜ノ繫留場アリ日ヲ重ネテ琿春ニ到リ家畜仲買人ノ手ニ賣渡サレ更ラ

ニ「ポセット」及浦鹽方面ニ輸出セラルルモノノ如シ韓人ノ牛搬出ハ其規模小ニシテ一人十頭ヲ超ユルモノナク多クハ一人ニテ數頭ニ過キス又豚ノ搬出ハ清人ニ限ラルルモノノ如シ

獸皮モ亦清人ニ依リテ輸出セラル即チ一旦局子街、銅佛寺頭道溝等ノ市街ニ搬出セラレ鞣サレタル後清人ニヨリテ其一部ハ吉林及琿春ニ輸出セラル

雞ハ籠ニ入レ馬車又ハ牛車ニ積ミテ琿春ニ輸出セラル而シテ輸出額ニ至リテハ漫然トシテ捕捉スル處ナク數示スルコト困難ナリ

第五節　總輸出可能額

以上ニヨリ農產物輸出可能額ヲ概算スレハ左ノ如シ

種別	數量	價格
粟	七三、〇〇〇石	一五三、三〇〇円
大豆	二四、一〇〇	七二、〇〇〇
高粱	一〇、〇〇〇	三〇、〇〇〇
玉蜀黍	七、五八〇	一六、〇〇〇
大麥	五、〇〇〇	一〇、五〇〇

小麥	二、〇〇〇	七、二〇〇
雜穀	—	五、〇〇〇
煙草	二〇〇、〇〇〇斤	九、〇〇〇
高梁酒	五〇〇、〇〇〇	七〇、〇〇〇
豆油、豆粕、荏油等	—	二〇、〇〇〇
計	—	三九三、〇〇〇

即チ三十九萬三千圓ニシテ家畜及畜産物其他ノ輸出ヲ合スルモ五十萬圓内外ニ過キサルヘシ要スルニ現在ノ如キ狀況ニアリテハ過剩アルモ交通不便ノ爲メ輸出困難ニシテ農産物ノ過多ハ却テ價格ノ低落ヲ促シ豊年ニ會スレハ農産物ノ價格暴落スルカ如キ有様ニアツテハ輸出額ノ小ナルヲ恠ムニ足ラス將來交通機關ノ發達スルアラハ農産物輸出額ハ非常ナル增加ヲ見ルニ到ラン

第九章　獸疫ニ關スル調査

間島ニ於テハ毎年又ハ隔年ニ牛畜ニ一種ノ獸疫流行シ農民ニ多大ナル損害ヲ與フ蓋シ牛ハ韓清人ノ重要ナル家畜ニシテ特ニ韓人ニ至リテハ耕作運搬調製一ニ牛力ヲ籍ルカ如キ狀態ニアルヲ以テ牛ハ殆ント彼等唯一ノ農業資本ト云フヘク其ノ損失ヲ見ルハ非常ナル苦痛ナリ

咸鏡北道ニ於テ近來牛疫ノ流行頻繁ニシテ其弊ニ堪エス韓國農商工部ハ該地方各要地ニ獸醫ヲ派

遣シテ之カ撲滅ニ全力ヲ注ケリ間島ハ咸鏡北道ト最モ密接ナル關係ヲ有シ牛疫ノ根元何レニアルヤヲ探究スル必要アリ旁々當派出所ノ要求ニ應シテ明治四十二年七月農商工部ハ囑託獸醫ヲ間島ニ派遣シ派出所ニ附屬セシムルコトトセリ今該獸醫ヲシテ調査セシメタル報告ノ要領ヲ抜萃シテ左ニ之ヲ揭ク

第一節　獸疫流行ノ來歷及流行ノ地域

獸疫流行ノ來歷ニ就テハ何等記錄ノ存スルモノナク且ツ前述ノ如ク住民ハ全部清韓人共ニ移住者ニシテ而モ韓人ニアリテハ清人ノ壓迫ニ耐ヘスシテ新陳代謝シ古來ヨリ土着スルモノ少ク其最モ古ク居住スルモノト雖モ尚四十年ヲ越ユルモノ稀ナルノ狀態ナルヲ以テ之レカ往昔ヲ探知スルニ由ナキモ此地方ハ數百年間殊ント無人ノ境ニシテ現今ノ住民ハ僅カニ今ヨリ四十余年前ヨリ移住シタルモノナレハ獸疫ノ如キモ遠ク古ヨリ流行シタルモノニアラサルヘク且ツ土人ノ言ニヨレハ十數年來移住者ノ增加ニ伴ヒ漸次惡疫ノ流行ヲ見ルニ到リシト云フ而シテ之カ流行ノ季節ハ每年四五月ノ交融雪後農始期ニ超リ又十月下旬ニ發シ蔓延スルヲ例トシ其初メテ發生スルヤ韓人部落ニ於テスルヲ常トシ韓內地トノ交通路ニ接スル地方ニ最モ多シト云フ之ニ依リテ推斷スルニ春季四五月ノ頃ハ即チ農業ノ開始期ニシテ韓人移住者カ牛車ニ家財什器ヲ積載シテ多數來住スルノ時期タルト十月下旬ヨリ十一月ノ頃ハ收穫ヲ終リ諸種ノ農產物ノ盛ニ韓內地ニ輸出セラルルノ時期ナリ又此兩期ニ於テハ家畜ノ賣買盛ニ行ハル即チ農事ノ終了ト共ニ冬季間ノ飼料ヲ顧慮シテ牛畜

ヲ放賣シ翌春農業ノ開始ト共ニ必要ニ迫ラレ再ヒ購入スルモノ少カラス斯クノ如ク此兩期節ハ間島ニ於ケル獸畜ノ來往最モ頻繁ヲ極ムル時期ナルヲ以テ此等ノ期ニ於テ獸疫ノ浸入ヲ蒙ムルモノノ如シ

今回踏査セル所ニヨレハ年々獸疫ノ流行ヲ來セル地域ハ主トシテ韓內地トノ交通路ニ接スル地方ニ多キモノノ如ク昨年ノ如キハ南崗ノ內和龍社最モ猖獗ヲ極メテ同社大楡田洞ノ如キ殆ント全村ノ牛畜ヲ失ヒ小楡田洞七道溝等亦多數ノ斃牛ヲ出シタリト云フ是等ノ村落ハ會寧ヨリ六道溝ニ通スル街路ノ附近ニ散在スル地方ニシテ會寧ヲ距ルコト六里乃至九里龍井村ヲ距ルコト五里乃至七里ノ距離ニアリ前者ニ次テ平崗水南社東良上里社亦劇烈ナル流行ヲ來シ平崗水南社ニアリテハ飯俛江村最モ多ク損害ヲ蒙リ次テ來豐洞、水南村等ニ於テモ小流行ヲ來シタリト云フ東良上里社ニアリテハ東良中村ヲ中心トシテ柯田村及柯田上村ニ蔓莚シタリト而シテ此社ハ頭道溝ト茂山トノ通路ニ當ル地方ニシテ頭道溝ヲ距ルコト五六里ノ距離ニアリ其他平崗上里社東盛湧社獐岩社等ニモ小流行ヲ見タリト云フ右ノ內平崗上里社ハ平崗水南社ニ隣レル地方ニシテ東盛湧社ハ彼ノ焼鍋業ヲ以テ有名ナル東盛湧ノアル地ニシテ龍井村ヲ距ルコト僅カニ二里餘ノ地ナリ獐岩社ハ鍾城間島ノ通路ニシテ下泉坪ヲ距ルコト六里ノ處ニアリ北崗地方ノ如キ漸時韓內地ヲ遠カルニ從ヒ獸疫ノ來襲ヲ蒙ムルコト少キモノノ如ク局子街銅佛寺地方ニ於テハ明治四十年流行ヲ見タルモ同四十一年ハ之ヲ免レタリト云フ尚進テ吉林街道ヲ經テ甕聲磖子及三頭崴牡丹川百草溝地方ニ至リ調査ス

ル、ニ此地方農民ハ移住後數年ヲ經ルモ嘗テ獸疫ノ流行ヲ見タルコトナシト云フ
會寧間島ニ在リテハ永化社文化社等交通路ニ接シタル地域ニ流行ヲ來タシ忠化社敬化社平化社等ノ交通路ニ遠キ地方ハ二十年來獸疫ノ流行ヲ見タルコトナシト云フ
茂山間島ニ於テハ豆滿江沿岸ニ接スル地方ニ最モ多ク流行ヲ來スモノノ如ク昨年ノ如キ茂山方面ニ牛疫ノ流行セルヲ聞キ伏沙坪憲兵分遣所ハ管內各社ニ嚴達シテ茂山方面ト牛畜ノ往來ヲ禁シ且ツ渡船場附近ニ監視人ヲ出シテ嚴重ナル取締ヲ勵行シタル結果幸ニ侵入ヲ防キタリト云フ
鍾城間島ニ於テハ鍾城ノ對岸ナル光宗社ト下泉坪ニ於テ最モ多ク損害ヲ蒙リ光德社ニモ亦小流行ヲ見タリト云フ

第二節　獸疫ノ初發及終熄ノ期日

間島ニ於ケル獸疫ノ發生ハ前項既ニ述フルカ如ク必ス春秋ノ二期ニ於テ發スルヲ常トシ春季四五月ニ發シタルモノハ八九月ニ到リテ其鋒ヲ收メ秋季ニ於テハ十月下旬乃至十一月中旬ニ發生シテ早キハ其年十二月遲キハ翌年一月ニ到リテ終熄スルヲ例トストスト云フ
明治四十一年流行セシ地方ニアリテハ其期日ノ稍々分明セルモノハ西崗ニ於テハ五月二十日平崗水南社飯鉋江村ニ發シタルモノ初發ナルカ如ク其終熄ノ期日ハ明カナラサレトモ十二月下旬ニ至リテハ此地方一帶ニ病牛ヲ見サリシト云フニヨリ終熄シタルモノト認メラル
鍾城間島ニ於テハ五月十七日光德社ニ發シタルモノヲ初發トシ十一月二十九日下泉坪ニ於ケル斃

牛ヲ最後トシタルカ如シ

第三節　獸疫流行ノ程度

牛疫流行ノ程度ハ年ニヨリ又人家ノ疎密ニ依リ多少ノ差アルハ免レスト雖モ明治四十一年流行地方ノ內和龍社最モ大ナルカ如ク僅カニ三ケ村ニ於テ百一頭ノ斃牛ヲ出シタリト云フ其他東良上里社之ニ次キ三十二頭ノ罹病牛中全部斃死ノ厄ニ遇ヒ次テ東良下里社亦二十四頭ヲ斃シ其他ノ各社ハ比較的程度小ナリシモノノ如シ

第四節　獸疫ノ名稱、系統、症候、剖檢、診斷及豫後

間島ニ於テ年々流行ヲ來シタル獸疫ハ土人ノ言ニ依リ案スルニ牛疫ナルカ如シ又明治四十年秋季ノ鼻疽及腺疫ノ小流行ヲ見タルモ其程度大ナラサリシト云フ而シテ年々流行シテ多大ノ損害ヲ農民ニ與フル獸疫ノ主ナルモノハ牛疫ナルカ如シ

其系統ニ至リテハ未タ之ヲ詳カニスル能ハスト雖モ今日マテ流行シタル地域ノ咸鏡北道ニ接スル交通路附近ノ村落ニ多クシテ淸國ノ境ニ近クニ從ヒ之レカ流行ヲ見サルト且ツ韓人ノ畜牛ニ初發スルヲ例トスルト其侵入ノ時期春季若シクハ秋季ニ於テ韓內地トノ往來頻繁ナルノ時ニ於テ起ル等ノ事情ヲ綜合シ察スルニ間島ニ侵入スル牛疫ハ咸鏡北道地方ヨリ來ルニアラサルナキカ暫ク記シテ疑ヲ存ス

症候經過豫後等ハ土人ノ言ニ依レハ初期食慾不振ニシテ反芻絕止シ惡寒戰慄シ通便停滯シ一兩日

ヲ經レハ大ニ食ヲ貪リ次テ下痢ヲ發シ眼球陷沒シ眼鼻腔陰門等ヨリ粘液ヲ漏ラシ口內亦附麗物ヲ認ムルモノノ如ク漸次症候增惡シ大ニ羸疲シテ斃ル而シテ之レカ經過ハ重キハ二三日ニシテ斃死シ輕キモ八日ヲ出ルモノ稀ナリト云フ

豫後ハ概ネ不良ナルモノノ如ク偶々疫ヲ耐過シタルモノハ其價格頓ニ暴騰シ時價ノ二倍乃至三倍ノ高價ヲ以テ賣買セラルルト云フ以テ其如何ニ耐疫牛ノ少數ニシテ貴重セラルルカヲ知ル

第五節　獸疫ノ豫防、制遏及治療法

當地方ニ於ケル農民ハ元ヨリ傳染病ノ何者タルヲ解セスト雖モ多年ノ苦キ經驗ニヨリ病牛發生ノ場合ハ管理者ヲ附シテ附近ノ丘陵地若シクハ山中ニ健牛ヲ隔離スルノ手段ヲ取ルモノノ如キモ絕對的ニ隔離スルニアラスシテ必要ニ際シテハ之ヲ牽キ來リテ使役ニ供シ管理者ノ如キモ亦日々交代スルノ風習ニシテ牛疫發生地トノ交通往來ハ自由ナルカ如ク從テ何等制遏ノ方法ヲ講スルナク徒ラニ焦慮スルニ過キスト云フ

第六節　獸疫ニ對スル地方人ノ處置

前節ニ述フルカ如ク當地方ノ人民ハ多年ノ經驗ヨリ牛疫發生ノ場合ハ附近村落互ニ相戒メテ畜牛ヲ山中又ハ丘陵地ニ隔離シテ豫防ニ黽ムルノ外他ニ何等ノ所置ヲ講スルナク其斃死シタル場合ニ於テハ剝皮シテ獸皮ヲ鬻キ肉ハ隣朋相寄リテ膳ニ上ボセ來リシモ派出所ノ設置以來ハ此等獸疫ニ罹リ斃死シタル屍體ハ燒却又ハ埋沒セシムル方針ヲ取リ之ヲ勵行セリ

第七節　獸疫發生快復及撲滅數

明治四十一年五月十七日ヨリ十一月ニ至ル鍾城間島及同年五月二十日ヨリ十二月末日ニ至ル南崗及西崗地方ノ獸疫發生快復及ヒ斃死數ニシテ分明セル分左ノ如シ

地名	發生數	斃死數	快復數	撲殺數
鍾城間島 光德社	五	三	二	ナシ
同 光宗社	二〇	一四	六	ナシ
南崗 東良下里社	二四	二四	ナシ	ナシ
同 東良上里社	三二	三二	ナシ	ナシ
西崗 平崗上里社	一〇	九	一	ナシ
同 平崗水南社	一五	一五	ナシ	ナシ
南崗 獐岩社	四	四	ナシ	ナシ
同 東盛湧社	三	三	ナシ	ナシ
同 和龍社	一〇三	一〇一	二	ナシ
計	二一七	二〇五	一二	―

第八節　獸疫ノ影響

間島ニ於ケル住民ハ殆ント全部移住民ニシテ農ヲ業トシ殊ニ韓人ノ大部分ハ小作農ニシテ富裕ナラサルモノナリ畜牛ハ彼等ノ資産ノ主位ヲ占ムル而已ナラス耕耘開拓一ニ牛力ヲ藉ラサルハナク且ツ何等交通ノ利器備ハラサル間島ニ於テハ總テノ運搬亦韓人特得ノ牛車ニ依テ行ハルノ狀態ナルヲ以テ一朝牛疫ノ侵入ニ際會シ其ノ畜牛ヲ失フニ於テハ唯一ノ農業資本ヲ根底ヨリ覆滅セラレ彼等カ移住ノ目的タル開拓モ之ヲ行フニ由ナク諸多物資ノ運搬ヲ司ル牛車モ亦之ヲ動カスニ力ナク殆ント百事休シテ又如何トモスル能ハサルノ悲境ニ沈淪シ其農業經營上ニ及ス影響蓋シ莫大ナリト云フヘシ

第十章　結　論

現在東間島東部ノ富源ハ主トシテ農業ニアリ將來ノ富源モ亦農業及之ニ附隨シタル製造業ニ在リト謂ハサルヘカラス其如何ナル生産ノ方面ニ發展スヘキカ如何ナル方法ヲ以テ經營スヘキカハ精密ナル研究ヲ要シ玆ニ論斷スルコト能ハスト雖モ以上ノ調査ニ依レハ現耕地ハ約五萬四千百餘町歩ニシテ農産ノ一ケ年生産總價格ハ約二百八十萬圓ニ過キス蓋シ現今ニ於テハ交通ノ便極メテ不良農産物ノ販路狹小ニシテ價格亦廉ナルニ基因スルニ外ナラス然レトモ二十萬町歩ニ達スル未墾地アリ之カ開拓ト共ニ現在ノ農業ノ改良ヲ促シ煙草、大麻、青麻甜菜等ノ有望ナル持用作物ノ栽培ヲ奬勵シ其製造法ヲ改良シ或ハ果樹ノ栽培ヲ圖リ或ハ高粱酒豆油等ノ農産製造業ノ發達ヲ圖リ製糖、製麻等ノ製造工業ヲ興シ或ハ牧畜ヲ盛ニスルニ至ラハ農業ノ收益頗ル大ナルヘク他日淸津、吉林間ノ鐵道開通シ交通運輸ノ便全キニ至ラハ農產物ノ販路大ニ擴張セラレ運賃ノ低減ハ價格ノ騰貴ヲ促シ未墾地ノ開墾ト相俟ッテ農產ノ總價格ハ今日ニ比シテ數倍ニ達シ得ヘク住民亦現人口ノ數倍ニ增加スルニ至ラン

要スルニ交通機關ノ發達ト共ニ間島ハ農地トシテ頗ル有望ニシテ且ツ重要ナル地ナリト謂フヘシ

間島農産物價第二表

品名		龍井村市場 明治三十八年十一月 韓一石ノ價格(兩) 日一石ノ價格(円)	龍井村市場 明治三十九年十一月 韓一石ノ價格(兩) 日一石ノ價格(円)	龍井村市場 明治四十年十一月 韓一石ノ價格(兩) 日一石ノ價格(円)	龍井村市場 明治四十一年十一月 韓一石ノ價格(兩) 日一石ノ價格(円)	龍井村市場 明治四十二年十二月 韓一石ノ價格(兩) 日一石ノ價格(円)	局子街市場 明治三十九年十一月 清一石ノ價格(吊) 日一石ノ價格(円)	局子街市場 明治四十年十一月 清一石ノ價格(吊) 日一石ノ價格(円)	局子街市場 明治四十一年十一月 清一石ノ價格(吊) 日一石ノ價格(円)	局子街市場 明治四十二年十一月 清一石ノ價格(吊) 日一石ノ價格(円)
白米	韓	兩 90.000	兩 80.000	兩 60.000	兩 60.000—兩 57.000	—	—	—	—	—
	日	円 26.370	23.430	17.580	円 17.400—円 16.500	円 17.410	—	—	—	—
玄米	韓	—	—	—	—	—	吊 43.400	吊 50.000	吊 100.000	—
	日	—	—	—	—	—	12.400	14.280	17.800	—
籾	韓	—	—	—	30.000	—	—	—	—	—
	日	—	—	—	8.700	5.625	—	—	—	—
粟(精)	韓	—	—	—	16.500	—	—	—	—	吊 27.000
	日	—	—	—	4.700	10.178	—	—	—	4.485
同(玄)	韓	18.000	15.000	5.000	7.500	—	14.000	7.500	6.000	14.000
	日	5.270	4.410	1.470	2.100	4.554	4,000	2.140	1.070	2.326
黍(精)	韓	—	—	—	19.500	—	—	—	—	34.000
	日	—	—	—	5.600	10.714	—	—	—	5.648
同(玄)	韓	20.000	19.000	7.000	—	—	15.000	7.500	6.000	18.000
	日	5.860	5.570	2.050	—	5.357	4.290	2.140	1.070	2.990
高粱(精)	韓	—	—	—	—	—	—	—	—	—
	日	—	—	—	—	8.036	—	—	—	—
同(玄)	韓	18.000	14.000	7.000	10.500	—	13.000	7.000	7.000	18.000
	日	5.270	4.100	2.050	3.000	5.357	3.710	2.000	1.250	2.990
玉蜀黍	韓	15.000	12.000	8.000	7.500	—	10.000	5.000	6.000	13.000
	日	4.410	3.530	2.340	2.100	3.482	2.860	1.430	1.080	2.159
大麥	韓	10.000	9.000	5.000	7.500	—	9.000	6.000	7.000	9.000
	日	2.930	2.640	1.470	2.100	3.750	2.570	1.760	1.250	1.495
小麥	韓	20.000	20.000	14.000	—	—	18.000	14.000	20.000	20.000
	日	5.860	5.860	4.100	—	8.036	5.140	4.000	3.600	3.322
燕麥	韓	—	—	—	—	—	—	—	3.000	—
	日	—	—	—	—	3.214	—	—	0.540	—
稗	韓	13.000	10.000	4.000	—	—	7.500	4.000	3.000	—
	日	3.810	2.930	1.170	—	2.678	2.140	1.140	0.540	—
蕎麥	韓	15.000	10.000	7.000	10.500	—	8.000	3.000	—	—
	日	4.410	2.930	2.050	3.000	3.214	2.290	0.880	—	—
大豆	韓	25.000	18.000	9.000	10.500	—	18.000	9.000	10.000	18.000
	日	7.340	5.270	2.640	3.000	5.357	5.140	2.570	1.780	2.990
小豆	韓	15.000	12.000	15.000	18.000	—	16.000	10.000	—	13.000
	日	4.410	3.520	4.410	5.200	6.696	4.570	2.860	—	2.159
豌豆	韓	—	—	—	—	—	12.000	8.000	5.000	—
	日	—	—	—	—	3.482	3.430	2.290	0.890	—
菜豆	韓	18.000	16.000	14.000	—	—	8.000	6.000	4.000	—
	日	5.270	4.690	4.100	—	3.482	2.290	1.760	0.720	—
緑豆	韓	16.000	13.000	14.000	—	—	20.000	12.000	12.000	—
	日	4.690	3.810	4.100	—	9.375	5.710	3.430	2.150	—
荏	韓	—	—	—	—	—	24.000	10.000	10.000	—
	日	—	—	—	—	—	6.860	2.860	1.780	—
大麻	韓	—	—	—	—	—	清百斤 36.000	清百斤 30.000	—	—
	日	—	—	—	—	—	14.400	12.000	—	—
青麻	韓	—	—	—	—	—	清百斤 20.000	清百斤 20.000	—	—
	日	—	—	—	—	—	8.000	8.000	—	—
普通葉煙草	韓	—	—	—	—	—	清百斤 40.000	清百斤 20.000	清百斤 16.000	—
	日	—	—	—	—	—	16.000	8.000	4.000	—
精選葉煙草	韓	—	—	—	—	—	清百斤 50.000	清百斤 30.000	清百斤 20.000	—
	日	—	—	—	—	—	20.000	12.000	5.000	—
粟稈	韓	—	—	—	—	—	百束 9.000	百束 6.000	百束 5.000	—
	日	—	—	—	—	百把 4.000	3.600	2.400	1.250	—
高粱稈	韓	—	—	—	—	—	百束 1.750	百束 2.000	百束 2.000	—
	日	—	—	—	—	百把 1.500	0.700	0.800	0.500	—
荏油	韓	—	—	—	—	—	清百斤 42.000	—	百斤 28.000	—
	日	—	—	—	—	百斤 12.000	16.800	—	7.000	—
豆油	韓	—	—	—	—	—	清百斤 40.000	—	清百斤 25.000	清百斤 35.000
	日	—	—	—	—	百斤 12.000	16.000	—	6.025	8.138
豆粕	韓	—	—	—	—	—	一塊 0.750	—	—	一塊 1.200
	日	—	—	—	—	一塊 0.240	0.300	—	—	0.279
豆麵	韓	—	—	—	—	—	清百斤 16.000	—	—	清百斤 25.000
	日	—	—	—	—	—	6.400	—	—	5.814
上豚	韓	—	—	—	—	—	清一斤 6.400	清一斤 0.320	清一斤 0.300	—
	日	—	—	—	—	—	0.160	0.128	0.075	—
下豚	韓	—	—	—	—	—	清一斤 0.300	清一斤 0.180	0.200	—
	日	—	—	—	—	一斤 0.115	0.120	0.072	0.050	—
小麥粉	韓	—	—	—	清一斤 0.150	—	—	—	—	清百斤 16.000
	日	—	—	—	0.037	一斤 0.050	—	—	—	3.721
高粱酒	韓	—	—	—	—	—	—	—	—	清百斤 47.000
	日	—	—	—	—	一斤 0.120	—	—	—	10.930

備考

1、本表ハ明治三十八年十一月以降東間島東部ニ於ケル二大市場タル龍井市及局子街市場ノ農産物市價昇降比較ヲ示ス

2、局子街ニ於ケル農産物市價ハ局子街清商ノ公議會ニテ毎年秋期ニ其年ノ豐凶ニヨリ協定セル市價ナリ

3、貨幣ノ換算ニ於テ韓貨ハ第一表ニ同シ清貨ト日貨トノ換算率ハ常ニ變動シテ一定セス時價ニヨリテ換算セリ即チ次ノ如シ

自明治三十九年十一月 至同 四 十 年十一月	清貨	吊文 42.500	日貨金壹圓	明治四十一年十一月	清貨	吊文 4.000	日貨金壹圓	明治四十二年十一月 吊文 4.300 日貨金壹圓

4、韓一石ハ　日本五斗七升　清一石ハ　日本一石四斗　清一斤ハ　日本百四十二匁

間島農産物價第一表

(第一編 農業調査書 第一東間島農業第一般調査 附錄)

(明治三十八年十一月以降同四十二年十二月ニ至ル龍井市々場ニ於ケル穀價ノ變遷)

品名		明治三十八年十一月 韓一石ノ價格(両) 日同(円)	明治三十九年十一月 韓一石ノ價格(両) 日同(円)	明治四十年十一月 韓一石ノ價格(両) 日同(円)	明治四十一年六月 韓一石ノ價格(両) 日同(円)	明治四十一年十月 韓一石ノ價格(両) 日同(円)	明治四十一年十一月 韓一石ノ價格(両) 日同(円)	明治四十一年十二月 韓一石ノ價格(両) 日同(円)	明治四十二年一月 韓一石ノ價格(両) 日同(円)	明治四十二年二月 韓一石ノ價格(両) 日同(円)	明治四十二年七月 韓一石ノ價格(両) 日同(円)	明治四十二年十二月 韓一石ノ價格(両) 日同(円)
白米	韓	両 90.000	両 80.000	両 60.000	両 75.000	両 60.000—両 57.000	—	—	—	—	—	—
	日	円 26.370	円 23.430	円 17.580	円 21.900	円 17.400—円 16.500	円 17.000	円 17.400—円 16.500	円 20.500—円 17.400	円 17.800	円 16.017	円 17.410
籾	韓	—	—	—	—	30.000	—	—	—	—	—	—
	日	—	—	—	—	8.700	—	8.700	8.390	8.000	4.444	5.625
大麥	韓	10.000	9.000	5.000	9.000	7.500	—	—	—	—	—	—
	日	2.930	2.640	1.470	2.631	2.100	2.300	2.100	1.800	2.200	1.962	3.750
小麥	韓	20.000	20.000	14.000	16.000	—	—	—	—	—	—	—
	日	5.860	5.860	4.100	4.666	—	—	—	—	4.500	3.703	8.036
粟(精)	韓	—	—	—	—	16.500	—	—	—	—	—	—
	日	—	—	—	—	4.700	4.300	4.700	5.350— 4.000	4.500	4.444	10.178
同(玄)	韓	18.000	15.000	5.000	7.000	7.500	—	—	—	—	—	—
	日	5.270	4.410	1.470	2.923	2.100	1.700	2.100	1.800	1.780	1.574	4.554
黍(精)	韓	—	—	—	—	19.500	—	—	—	—	—	—
	日	—	—	—	—	5.600	5.600	5.600	5.350— 5.580	5.350	4.996	10.714
同(玄)	韓	20.000	19.000	7.000	9.000	—	—	—	—	—	—	—
	日	5.860	5.570	2.050	2.631	—	—	—	1.800	2.200	2.129	5.357
玉蜀黍	韓	15.000	12.000	8.000	8.000	7.500	—	—	—	—	—	—
	日	4.410	3.530	2.340	2.333	2.100	—	2.100	1.350	1.780	2.222	3.482
高粱(精)	韓	—	—	—	—	—	—	—	—	—	—	—
	日	—	—	—	—	—	—	—	—	—	2.592	8.036
同(玄)	韓	18.000	14.000	7.000	11.000	10.500	—	—	—	—	—	—
	日	5.270	4.100	2.050	3.210	3.000	—	3.000	1.800	2.200	2.037	5.357
稗	韓	13.000	10.000	4.000	—	—	—	—	—	—	—	—
	日	3.810	2.930	1.170	—	—	—	—	—	—		2.678
大豆	韓	25.000	18.000	9.000	15.000	10.500	—	—	—	—	—	—
	日	7.340	5.270	2.640	4.386	3.000	4.300	3.000	2.680	3.550	3.888	5.357
小豆	韓	15.000	12.000	15.000	17.000	18.000	—	—	—	—	—	—
	日	4.410	3.520	4.410	4.965	5.200	3.500	5.200	5.350	4.000	3.148	6.696
菜豆	韓	18.000	16.000	14.000	—	—	—	—	—	—	—	—
	日	5.270	4.690	4.100	—	—	—	—	2.680	3.550	2.592	3.482
綠豆	韓	16.000	13.000	14.000	18.000	—	—	—	—	—	—	—
	日	4.690	3.810	4.100	5.263	—	—	—	4.460	—	4.259	9.375
蕎麥	韓	15.000	10.000	7.000	9.000	10.500	—	—	—	—	—	—
	日	4.410	2.930	2.050	2.631	3.000	—	3.000	—	4.500	2.222	3.214

備考 1, 韓貨六圓ヲ日貨壹圓ニ換算ス　　2, 韓一石ハ日本五斗七升ニ換算ス

第一圖

東間嶋東部

平地邱陵地及山地分布圖

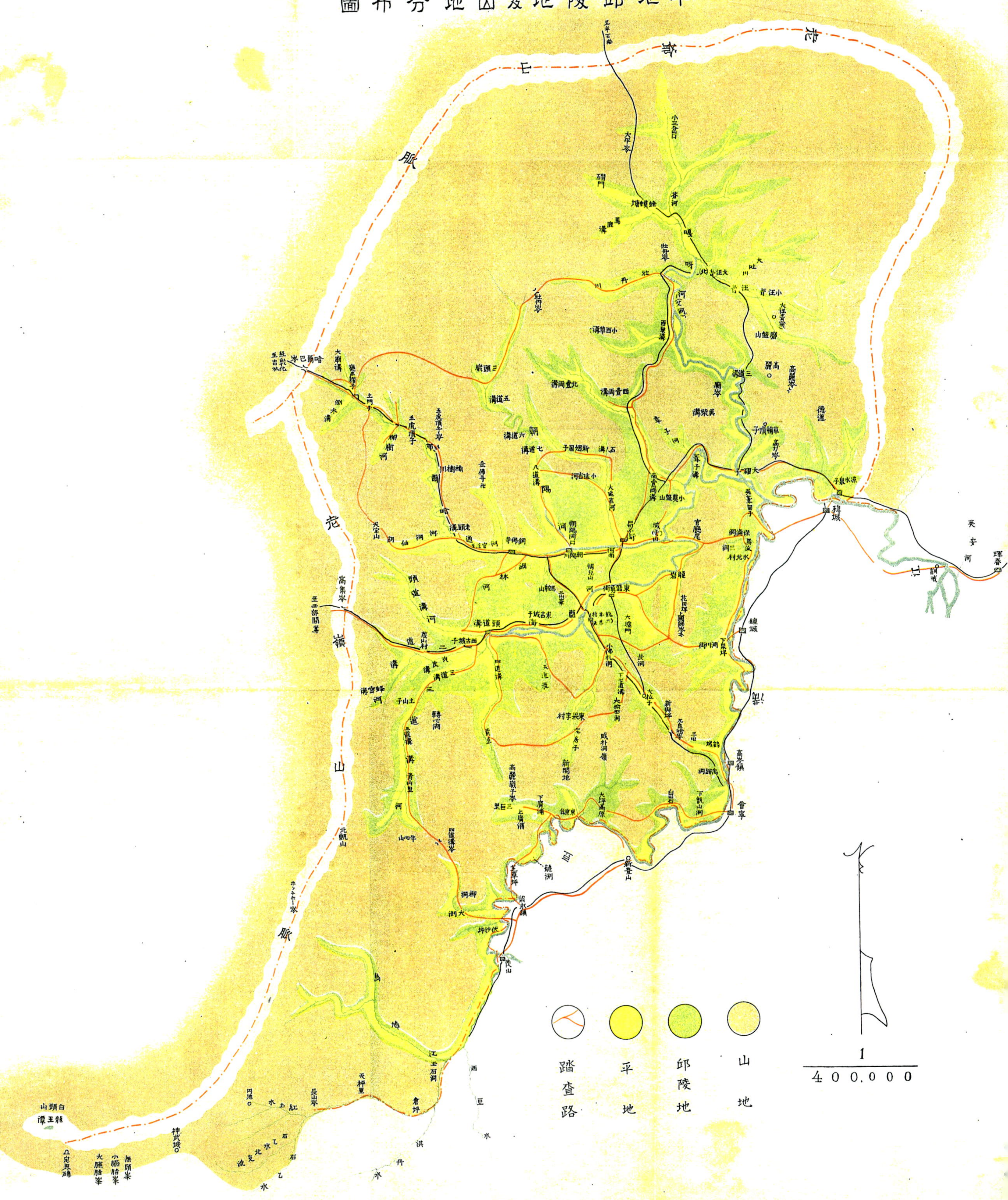

第二圖

東間嶋東部區劃圖

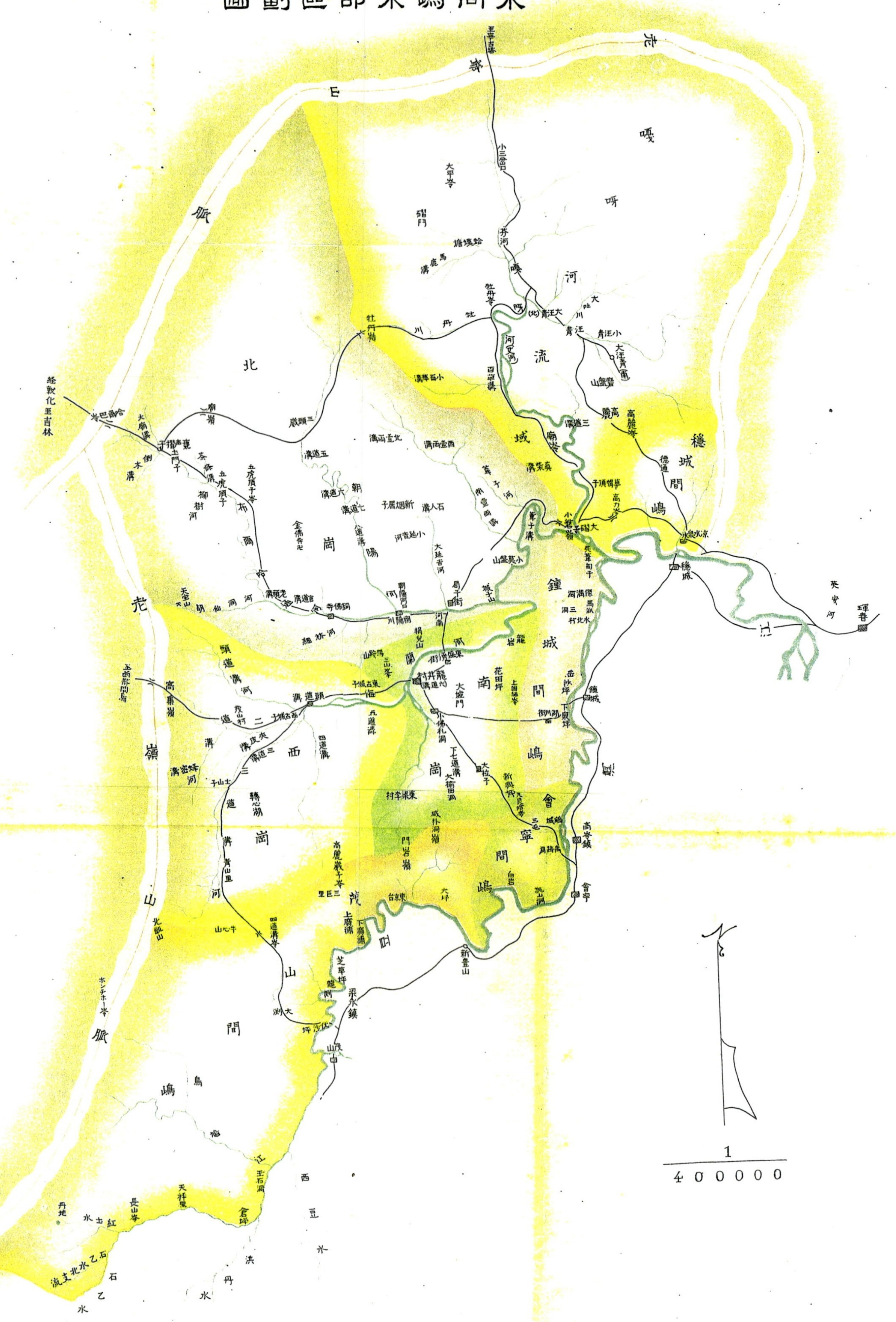

第二　東間島西部農業一般調査

第一章　位置廣袤面積及戸口

東間島西部ハ東ハ長白山脈ノ支派タル長山嶺及老嶺脈ニヨリテ東部ニ接シ北ニ牡丹嶺山脈アリテ敦化方面ニ隣リ西南方面ハ松花江ノ東源流ヲ以テ限ラレ東西ノ廣サ長キ處三十五里平均三十二里南北袤長キ處三十五里平均十七里總面積五百三十五方里ニ達ス

視察シタル區域ハ清國漢窰溝派辨所ノ管轄地區ヲ主トシ西富爾河及金銀別河ノ分水嶺ヲ以テ韓登擧ノ領域ニ境ス富爾河流域一帶ハ踏査スルヲ得サリシカ之ヲ合シテ面積四百十餘方里ニシテ全面積ノ約五分ノ四ニ相當セリ

戸口ハ實地調査ニヨレハ左ノ如シ

	戸數	人員		人口計
		男	女	
韓人	一〇三	二九四	二二二	五一六
清人	五四六	一、八六六	七七五	二、六四一
計	六四九	二、一六〇	九九七	三、一五七

即チ一方里ニ對スル住民ハ僅ニ七人七分ニシテ之ヲ東間島東部ノ百人弱ニ比スレハ十三分ノ一ニ過キス之ヲ日本全國平均二千人ニ比スレハ以テ如何ニ該地方ノ人煙稀疎ナルカヲ想見スルニ足ラン

第二章　地勢（附圖第三圖參照）

地勢ハ山脈連亘シテ蓊欝タル森林地帶ヲナシ大小沙河古洞河及富爾河ノ四支流ハ土門江ノ本流ト共ニ恰モ掌狀ヲナシテ大沙河口子附近及西江口ニ於テ合流ス各流域ニ平地アリト雖モ古洞河流域ヲ除キテハ概シテ何レモ小面積ニ過キス然レトモ河流ハ何レモ森林地帶ニ發源スルヲ以テ水量豐カニ水勢逼ラス汪洋タル河畔ニ柳樹楊樹ノ繁茂セル狀人ヲシテ仙境ニ入ルノ感アラシム

第一節　山嶽

山嶽ノ主要ナルモノヲ長山嶺及其北方ニ連ナル老嶺並ニ北境ヲ限ル牡丹嶺トナス此兩山脈ハ哈爾巴嶺ノ西南ニ於テ合一シ哈爾巴嶺ニ連リ東走シテ東間島東部ノ北界ヲナス

(一)長山嶺及老嶺山脈　長白山脈ノ支脈東北ニ走ルモノヲ長山嶺トナシ北ニ走リテ老嶺山脈トナル一ニ英額嶺山脈ト稱シ松花豆滿兩江ノ分水嶺ニシテ其最高峰ヲ北甑山トナス北甑山ハ清人ノ所謂大秋稽㙩山ニシテ海拔千六百八十七米ニ達シ海蘭河及古洞河土門江ノ水源ヲナス之ヨリ北スルニ從ヒ次第ニ低ク窩集嶺ニ至リテ千二百十一米ヲ示シ更ニ北シテ哈爾巴嶺ニ連リ七八百米ノ山岳地トナル北甑山ヨリ一支脈ノ北々西ニ走ルモノヲ平頂山トナス山頂ハ千三百米内外ノ狹長ナル平坦

地ヲナシ古洞河其東麓ニ發シ大沙河其西麓ヨリ流レ北行次第ニ低ク廟嶺ニ至レハ八百四十四米ニ過キス

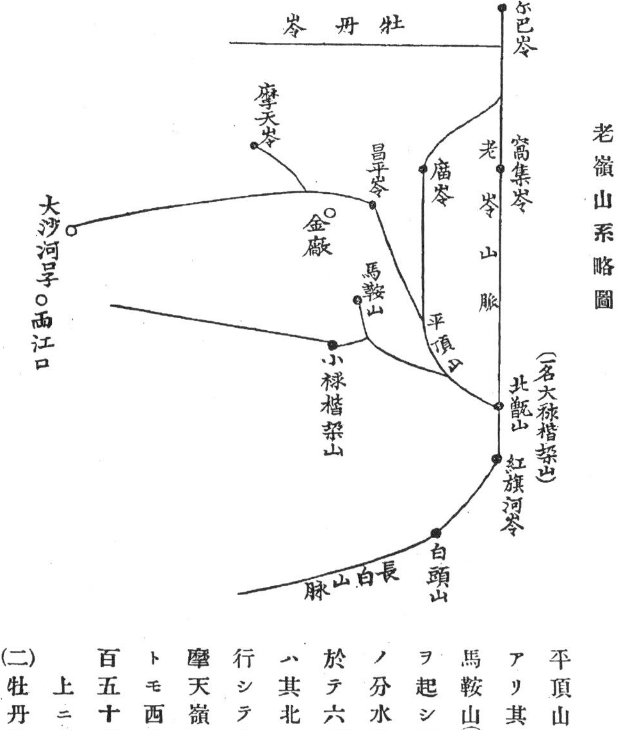

老嶺山系略圖

平頂山脈ヨリ更ニ二支脈ノ分脈スルモノアリ其一ハ平頂山ノ中腹ヨリ西北ニ走リ馬鞍山(一〇二一米)及小秣稭梁山(八七五米)ヲ起シ更ニ西行シテ大沙河及土門江上流ノ分水嶺ヲナシ大沙河口子及西江口間ニ於テ六百四五十米ノ標高ヲ示セリ他ノ一ハ其北ニアリ昇平嶺(一〇二二米)ニ連リ西行シテ大沙河及古洞河ノ間ニ蟠崛シ北方摩天嶺ニ於テ海拔九百四十二米ニ達スレトモ西方大沙河口子ノ北ニ於テハ僅ニ五百五十米ニ過キス

上ニ老嶺山系ノ略圖ヲ示ス

(二)牡丹嶺山脈　一ニ小白山脈ト稱シ樺樹

林子附近ヨリ起リテ東行シ富爾嶺牡丹嶺廟嶺ヲ經テ哈爾巴嶺ノ西南ニ於テ老嶺ニ會シ松花牡丹兩江ノ分水嶺ヲナス富爾嶺ハ吉林方面ニ通スル要路ニシテ海拔七百七拾米ニシテ富爾河南東ニ發源ス富爾嶺ヨリ東南ニ走リテ富爾河金銀別河ノ分水嶺ヲナシ敦化縣及韓登擧領土ノ境界タル山脈ヲ金銀別嶺トナス其一派ハ南方ニ走リテ夾皮溝ノ東方ヲ過キ土門江ノ大灣曲部ニ蟠マル牡丹嶺及廟嶺共ニ敦化ニ通スル要路ニ當レトモ地圖ナキヲ以テ暫ク之ヲ省ク要スルニ東間島西部ハ此兩脈ノ各支派相錯綜シ河流其間ヲ貫流セル森林地帶ナリ

第二節 河川

西部ノ水系ハ松花江東源流タル土門江ヲ幹流トシ各支脈南北ヨリ來リテ之ニ注ク

(一)土門江本流(一ニ二道江) 土門江ハ源ヲ有名ナル白頭山定界碑ノ東北方ニ發シ無頭峰及長嶺ヨリ發スル諸細流ヲ合セテ北流シ北甑山ノ西南紅旗河嶺ノ西ヨリ發スル荒溝及北甑山ノ西麓ヨリ出ツル三道溝ヲ容レテ西北行シ娘々庫地方ニ至リ右ニ平頂山支脈ノ西麓ヨリ發スル二道溝及頭道溝ヲ合セテ西流シ小沙河口子ニ於テ小稌稭堡山ノ北方ヨリ發源シテ西々南ニ流ルル小沙河ヲ會ス左ニハ四道白河三道白河二道白河ヲ呑ミテ上兩江口ニ至リテ富爾河ニ會ス

白頭山上闥門潭(一ニ龍王潭)ヨリ發スル天上水ハ從來土門江ノ一源流トナセトモ其下流ハ或ハ二道白河ナリト云ヒ或ハ三道白河ナリト云ヒ未タ詳カナラス

上兩江口ヨリ少ク灣曲シ頭道白河ヲ呑ミ金銀別口子ニ至リテ金銀別河ヲ合セ折レテ西南ニ流レ大

彎曲ヲナシテ下兩江口ニ於テ長白山脈ヨリ發スル頭道江ト共ニ松花江東源流ヲナシ西北流シテ樺樹林子ニ於テ西源流輝發河ニ會シテ以テ西部ノ西界ヲ限ル

上兩江口以上ヲ一ニ娘々庫河(吉林通志尼雅穆尼稚庫河)ト稱ス娘々庫河ハ二道溝口及頭道溝口附近ニ於テハ河幅二十乃至三十米水深六七十糎乃至一、五米ニ過キサレトモ其淺キ處ハ水勢急ニシテ徒渉ニ適セス上兩江口以下ハ河幅頗ル廣ク金銀別口子附近ニ至レハ百七八十米以上水深二三米ニ達シ汪洋タル河流トナリ通舟ノ便アリ

(二)大沙河　大沙河ハ源ヲ平頂山ノ西麓ニ發シ西北ニ流レ金廠ノ東ニ至リテ折レテ西流シ大沙河口子附近ニ於テ小黄泥河ヲ合セ大沙河口子ニ至リテ富爾河ニ會ス有名ナル砂金ノ產地金廠ハ本流域ノ東昇平嶺ノ麓ニアリ河幅十五米乃至二十五米水深五六十糎乃至一米ニ過キス

(三)古洞河　古洞河ハ源ヲ平頂山ノ東側北甑山ノ北々西ニ發シテ北流シ窩集嶺ノ西麓王家甸子ノ南ニ至リテ西北ニ屈曲シ廟嶺ノ北側ヲ貫キテ後車廠子ニ至リ昇平領ノ東方ヨリ發シ熱鬧街ヲ過キテ北流スル一支流ヲ合セ船渡房子附近ヨリ次第ニ西方ニ屈曲シ西南岔河ヲ容レ大甸子附近ニ至レハ全ク西々南ニ轉シ大沙河口子ノ北ニ於テ西北ヨリ來リタル富爾河ニ會ス古洞河ハ各支流中延長最モ長ク水量亦豐ニ河幅ハ廟嶺以東ニ於テ既ニ約二十米ヲ有シ船渡房子及西南岔口附近ニ於テハ約三十米大甸子ニ至レハ約四十米ヲ超ユ水深五六十糎乃至一、五米ニ達ス

(四)富爾河(吉林通志富爾哈河)　一ニ富太河ト稱シ源ヲ牡丹嶺山脈ノ富爾嶺ニ發シ東南ニ流レ大捕財

河大伺子附近ニ於テ一方里弱ノ天地ヲナシ大沙河口子ニ至リテ古洞河及大沙河ヲ合セ上兩江口ニ至リ二道江本流ニ會ス大沙河口子以西ハ河幅約七八十米ニ達シ水深一米乃至二米ニシテ徒渉稍困難ナリ

第三節　邱陵地平地及沼澤地

今回ノ踏査ニヨレハ邱陵地及平地ハ至ツテ少ク平地尙ホ樹林ヲ見邱陵地ノ如キハ多クハ樹木繁茂シ地形ヲ通觀スルニ便ナラサリシカ概シテ山脈ノ南側ニ峻ニ北側ニ於テ陵夷セルモノノ如ク古洞河大沙河土門江皆河ノ南方ニ比較的廣キ邱陵地ヲ有ス之レニ反シテ其北方ニハ山勢往々逼リテ邱陵地ニ乏シキノ觀アリ(後車廠子ノ西方ニハ一方里弱ノ臺地アリ)然レトモ娘々庫右岸挖腰溝磨石砬子頭道溝附近ハ一帶ノ邱陵地ヲナスモノノ如シ

平地ノ面積ヲ地圖ヨリ計算セル概數ハ左ノ如シ

	方里
一、娘々庫河右岸	二・九
二、大沙河流域	一・八
三、古洞河流域	一〇・三
四、富爾河流域(但シ大捕財河以上ヲ除ク)	一・〇
五、兩江口漢窰溝及張三溝方面	一・二
合計	一七・二

富爾河上流平地ハ地圖ナキヲ以テ之ヲ除キタレトモ全面積四百十餘方里ニ對シテ平地ハ僅カニ百分ノ四〇五ニ過キス其大半ハ古洞河流域ニアリ其面積十方里以上ニ達シ全平地ノ六割ヲ占メ廟嶺以東ノ上流ニ於テ既ニ二方里以上ヲ有シ西南岔附近及大甸子等ニ各二方里餘ノ平地アリ平地ノ多クハ森林地帶ニ接スルヲ以テ其大半ハ濕地ニシテ殊ニ其上流平地ハ馬脚ヲ沒スルノ沼澤地ナリ王家甸子附近及廟嶺ノ東ハ往時一帶ノ沼ニシテ其乾水セルハ比較的近代ニ屬スルモノノ如シ又森林内ノ窪地モ地下水停滯シテ沼地ヲナシ通行困難ナル處少カラス濕地及沼澤地ニハ草根瘤起セリ

第三章　地質土性及氣候一般

一、東間島西部ノ地盤ヲナス主要ナル岩石ハ東部ト同シク片麻岩及花岡岩ニシテ中生層ニ屬スヘキ岩石亦各地ニ散見セラル小嶺子及青溝附近ニハ大神石ノ散在スルヲ見タリ小沙河上流ニ第三紀ニ屬スル水成岩アリ岩層三米ニ達シ横壓ヲ受ケタルタメ縱裂ヲ生シ劈解シ易キ粘土質ナリ他日專門家ノ精査ニ俟タルヘカラス

二、主要ナル平地ハ悉ク片麻岩及花崗岩ノ崩壞シ分解セル冲積層ニ屬スル細砂質壤土ニシテ表土ノ深サ淺キハ三十糎ニ過サレトモ多クハ五六十糎乃至八九十糎ニ達シ下層土ハ砂質多ク礫質ナルモ亦尠カラス東部ニ比シテ細砂土ノ含量比較的多ク礫ヲ混スル處稀ニ其物理的性質ハ頗ル良好ニシテ東部ノ最良部ニ比肩スルヲ得ヘシ之レ河流自ラ緩ニシテ汎濫スルモ礫ヲ流出スルコト少キニ基クモノノ如シ未耕地ハ腐植質ニ富ミ黑色ヲ呈スレトモ開墾後漸次灰白色ヲ呈スルニ至ル而シテ表

土ニ於テ最モ注意スヘキコトハ娘々庫方面殊ニ頭道溝口及磨石砬子附近一帶大沙河流域ニ於ケル馬架子土磊子附近ヨリ大沙河口子ニ至ル間漢窰溝管區ニ於テハ磨石溝子四岔子及張三溝附近ニ至ルマテ白頭火山ノ噴出物タル浮石頗ル多ク耕地トシテ不適當ナル處少カラス淸人ノ所謂磨石ハ即チ浮石ニシテ磨石溝子磨石砬子等ノ地名ノ因テ來ル所以ナリ

三、氣候ハ東部ニ比シテ夏期冬期共ニ氣溫依ク積雪三尺以上ニ達ス蓋シ森林地帶ニ屬スルヲ以テ氣候濕潤ニシテ降水量多ク夏期溫度亦酷熱ナラス晝夜ノ温差比較的大ナラス風ハ一般ニ西北及西風多ク冬日ハ殊ニ多シト云フ然レトモ其强度ハ大ナラス

作物ノ生育ハ一般ニ良好ニシテ一晌地ノ收量ハ東部ニ比シテ讓ラサルカ如シ

左ニ踏査中各地ニ於テ聽キ得タル氣象ニ關スル事項ヲ掲ク

地名	初霜	晩霜	降雪	融雪	河水結氷	河水融氷	降雹	降雨期	備考
古洞溝大甸子	九月中旬	—	十月下旬三尺餘	四月上旬	十一月中旬	四月上旬	六月中旬	五月上旬但大降ハ七八月	十二年ニ一回位ノ大洪水アリテ耕地ヲ浸ス
同　大醬缸	九月上旬	—	十月下旬三尺餘	四月上旬	十一月上旬	四月上旬	七月上旬	五月上旬大降ハ七八月中旬	
漢窰溝四岔子	九月下旬	—	十月下旬三尺餘	四月上旬	十一月下旬	四月上旬	—	四月下旬大降ハ七八月	
同　漢窰溝	九月中旬	四月中旬或ハ五月中旬	十月下旬三尺餘	三月下旬	十一月中旬	三月下旬	六月上旬七月上旬	四月下旬大降ハ七月上八月中	
同　張三溝	九月下旬	—	十月下旬二、三尺餘	四月上旬	十一月中旬	四月上旬	—	四月下旬大降ハ七月上九月上	洪水ノ患ナシ

同	兩江口	九月中旬	五月中旬	十月下旬 三尺餘	四月上旬	十一月中旬	四月上旬	六月中旬 七月中旬	四月下旬大降ハ七月上八月中	八九年ニ二回位大洪水アリ耕地ヲ浸ス
娘々庫	模道子	九月上旬	六月上旬 但三年三回	十一月上旬 三尺餘	四月上旬	—	—	六月中旬 七月下旬	四月下旬大降ハ七月上八月中	
大沙河	大沙河口子	九月上旬	—	十月下旬 三尺餘	四月上旬	十一月中旬	四月上旬	—	四月下旬大降ハ七月中八月下	

但淸曆ヲ以テ調査セル故一ヶ月ヲ加ヘテ大陽曆ニ換記セリ

之ニヨリテ概說スレハ九月上中旬旣ニ結霜ヲ見五月中下旬晩霜アリ降雪ハ十月中下旬ヨリ始マリ地上ニ積ムコト三尺以上ニ達シ翌年四月上旬全ク融解ス河水結氷ハ十一月中旬ヨリ始マリ同下旬ニハ全ク氷結シテ江上車馬ノ通行自在ナリ翌年三月末頃ヨリ漸次解氷シテ車馬ヲ通セス四月末ニ至リテ初メテ全ク融解スルニ至ル降雨ハ作物ノ播種期タル四月下旬乃至五月上旬ニ稍多量ニ降リ七八月ニ大降アリテ所謂滿洲ノ雨ニ會ス

洪水ハ現時ハ比較的少キモノノ如シ古洞河會房會長李珍ノ言ニヨレハ彼レカ十八年前大甸子ニ來リシ以來同地ニ四回ノ大洪水アリ

第一回　光緒十六年三月(淸曆以下之ニ準ス)

第二回　同　十七年六月

第三回　同　十八年七月

第四回　同　二十九年九月十五日

即チ來住ノ當時ハ毎年出水アリシカ其後十一年目ニシテ洪水ヲ見タル外近年見スト云フ蓋シ洪水ノ都度浮游物ヲ沈積セシメテ次第ニ地盤ヲ高メ河床ハ退水ト共ニ漸次復舊ニ歸スルナランカ各地ニ於テ聞ク處ヲ綜合スルモ洪水ノ被害ハ漸次減シ來リタルカ如シ

踏査中一行ノ觀測セル氣溫表ハ左ノ如シ

月日	地名	午前六時	地名	午後二時	地名	午後十時	平均溫度	天候
五月二十九日	龍井村	九・〇	西古城子	二五・〇	二道溝口	一六・〇	一六・七	朝曇後晴
同 三十日	二道溝口	六・〇	窩集嶺	一三・〇	王家踵子	七・五	八・八	前晴後一時三時三十分雨
同 三十一日	王家踵子	八・〇	後車廠子	一九・二	西南岔	一一・五	一二・九	曇 後一時三十五分同三時四十分雨雷鳴
六月一日	西南岔	九・二	西南岔	二三・〇	西南岔	一九・〇	一七・一	晴
同 二日	西南岔	一〇・〇	小浦水河	二七・〇	大甸子	二〇・〇	一九・〇	晴
同 三日	大甸子	九・〇	西北岔	二三・〇	大醬缸	一四・〇	一五・〇	曇
同 四日	大醬缸	一四・〇	大沙河口子	二三・〇	四岔子	一五・〇	一七・〇	曇
同 五日	四岔子	一一・五	石仁溝	二一・二	漢窰溝	一五・〇	一五・九	曇 後四時十分四時五十五分雨雷鳴
同 六日	漢窰溝	九・〇	漢窰溝	一三・一	漢窰溝	八・四	一〇・二	雨雷鳴
同 七日	漢窰溝	一〇・〇	兩江口	一三・〇	兩江口	九・〇	一〇・七	曇 前六時同九時五十五分雨〇時三十分同二時雨

同八日	兩江口	一〇・〇	兩江口	二二・〇	兩江口	一四・〇	一五・五	曇
同九日	兩江口	一三・〇	少沙河	二一・五	少沙河	一五・二	一六・六	曇前十一時同四十五分雨
同十日	少沙河	一二・二	娘々庫	三〇・〇	娘々庫	一六・四	一九・五	曇後三時四時雨雷鳴朝霧
同十一日	娘々庫	一五・〇	娘々庫	二七・二	娘々庫	一八・五	二〇・二	曇前十時ヨリ終日雨
同十二日	娘々庫	一三・〇	娘々庫	二三・二	娘々庫	一八・〇	一八・一	夜ヨリ降雨後四時止ム曇
同十三日	娘々庫	一六・〇	二道溝口子	二一・〇	二道溝口子	一四・〇	一七・〇	曇
同十四日	二道溝口子	一二・五	二道溝口子	二〇・二	二道溝口子	一三・〇	一五・二	曇夜晴
同十五日	二道溝口子	一一・〇	―	?	金廠	一二・五	―	曇後一時同四時雨雷鳴
同十六日	金廠	一三・〇	昇平嶺	一八・〇	前車廠子	一二・五	一四・五	曇夜晴後一時同四時十五分雨
同十七日	前車廠子	一五・〇	窩集嶺	二一・〇	二道溝口	一三・〇	一六・五	曇
同十八日	二道溝口	一四・五	頭道溝	二〇・〇	頭道溝	一五・八	一六・八	曇後晴朝霧深
同十九日	頭道溝	一五・〇	―	―	―	―	―	曇

試ニ同期間ニ於ケル龍井村ノ氣溫表ヲ對稱シテ圖示スレハ次ノ如シ(第一表第二表)即チ天候既ニ異ナルヲ以テ並行セサレトモ平均溫度ニ於テ西部ハ少シク低シ即チ五月三十一日ヨリ六月十七日ニ至ル期間ニ於ケル兩者平均氣溫ヲ比較スルニ東部ハ一六・二度西部ハ一五・九度ニシ

テ其差〇・三度ナリ

第一表　東部西部氣溫比較圖　自五月二十九日 至六月十七日

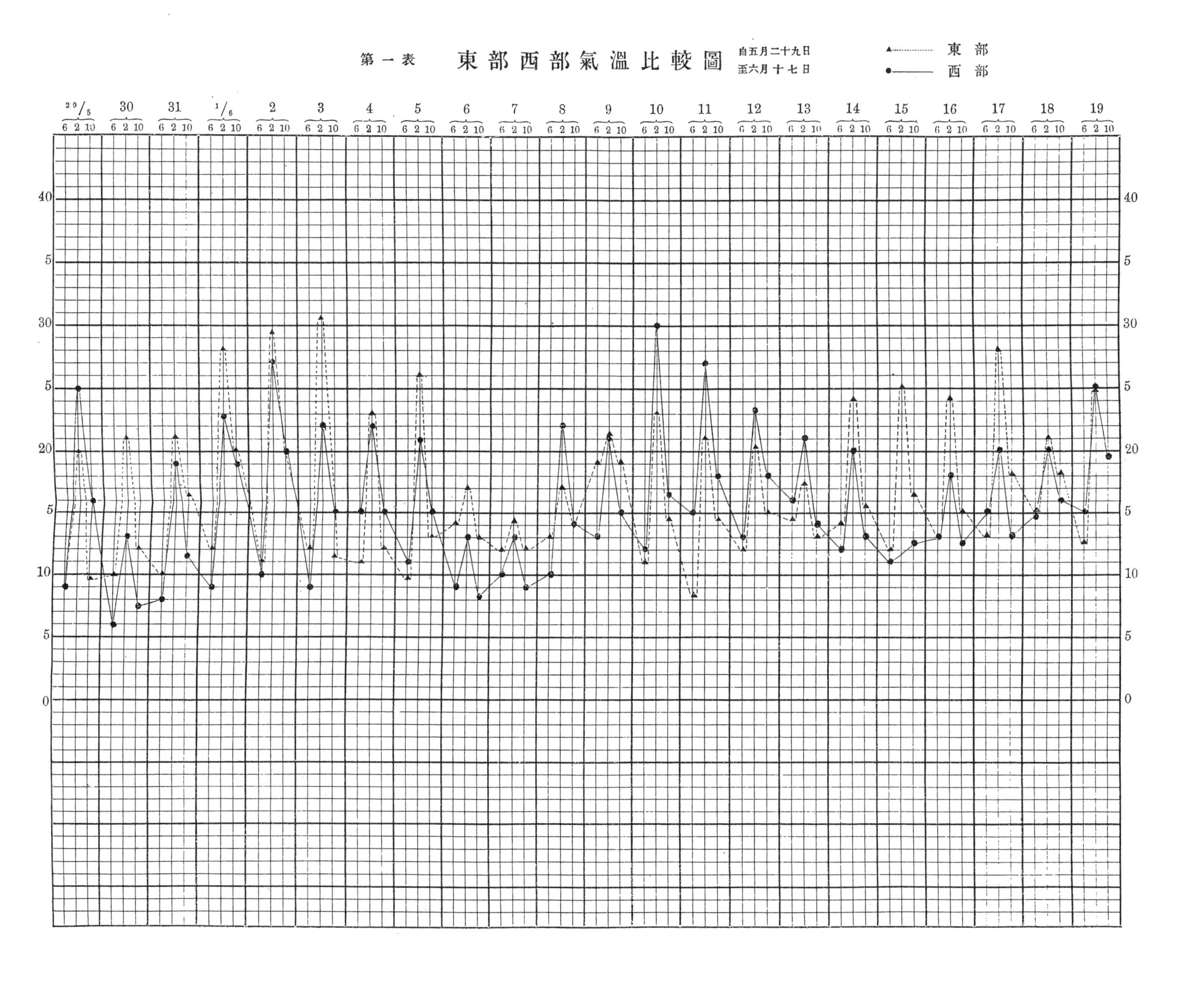

第二表　東部西部平均溫度比較圖 自五月三十一日 至六月十七日

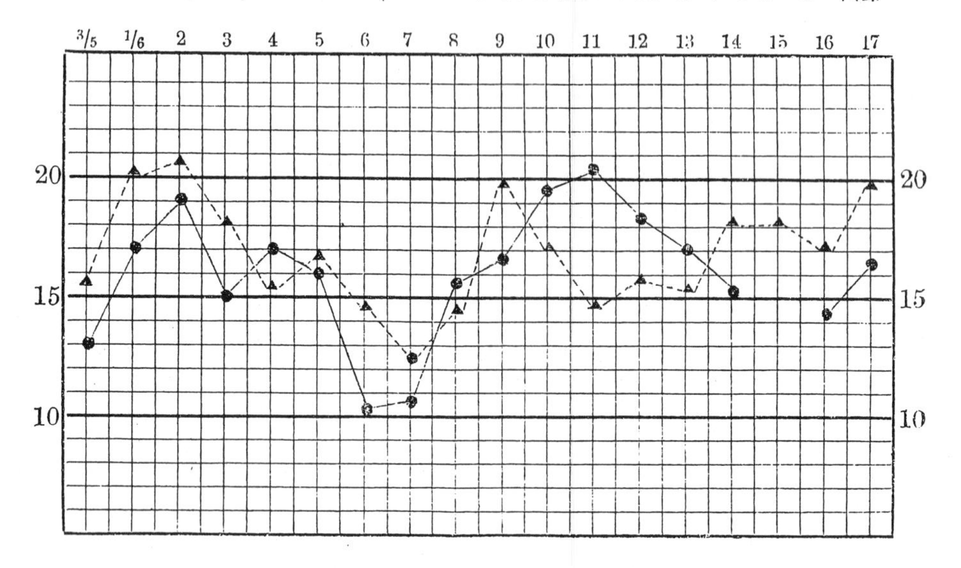

第四章　耕地未耕地及山林面積

踏査區域ノ面積ハ四百十餘方里ニシテ內平地總面積ハ大約十七方里餘(富爾河上流ヲ除ク)即チ全面積ノ百分ノ四.五ニ充タス其三分ノ二ハ濕地沼澤地及河床ニシテ現在可耕地タル乾燥地ハ其三分ノ一即チ八千五百町歩ニ過キサルカ如シ然レトモ濕地及沼澤地ノ大部分ハ將來適當ナル排水工事ニヨリ農地トシテ利用シ得ルニ難カラサルヲ以テ平地ニ於ケル將來ノ可耕地ハ約一萬七八千町歩ト見做シテ大差ナカルヘシ

現時ハ人煙甚稀薄ニシテ耕地甚タ少ク今回ノ調査ニヨレハ大約左ノ如キ結果ヲ得タリ

	總耕地數	總耕地(日本反別換算)
古洞河流域	一、〇四〇・〇晌	七五九・二町
大沙河流域	五〇七・三	三七〇・三
娘々庫管區	六二一・六	四五七・七
漢窰溝管區	六三四・一	四六二・九
小計	二、八〇三・〇	二、〇五〇・一
富爾河流域	七三一・一	五三三・七
通計	三、五三四・一	二、五八三・八

但シ清一畂ヲ我七反三畂歩トシテ換算セリ

之レニヨレハ現耕地ハ約二千五百八十四町歩ニシテ富爾河ノ流域ヲ除ケハ僅ニ二千五十町歩ニシテ内丘陵地ニアルモノ少カラサルヲ以テ平地ニ於ケル現耕地ハ乾燥地面積ノ五分ノ一ニ充タサルヘシ

丘陵地ハ地勢ノ部ニ於テ述タルカ如ク比較的少ク全面積ノ約一割ヲ出テサルヘク而シテ其多クハ現時尚樹林ニシテ將來開墾ノ進ムニ隨ヒ漸次利用セラルルニ至ルヘシ古洞流域ニ於ケル後車廠子、西方臺地、娘々庫、磨石砬子、頭道溝間丘陵地ノ如キハ現時既ニ樹木少ク直チニ開墾ニ著手セラルヘキモノナリ將來丘陵地山腹ニ於テ四五萬町歩ノ可耕地ヲ計算シ得ヘク平地ヲ合シ約六七萬町即チ全面積ノ一割乃至一割二分ノ可耕地面積ヲ見積リ得ヘシ山林ハ全面積ノ八割五分以上ヲ占メ悉ク鬱蒼タル樹林ヲ以テ蔽ハレ數百年來斧鉞ヲ入レサルノ密林少カラス實ニ該地方ノ最大利源ナリ

左ニ地圖上及踏査ニヨリテ計算セル平地面積濕地沼澤地及乾燥地ノ概算表ヲ掲ク

地名		平地全面積		濕地沼澤地及河床		乾燥地全面積	摘要
大別	小別	方里	町歩	百分率	面積		
一、古洞河流域		一〇・三〇	一六、〇一〇町	―	十?四、七九〇町	十?四、一七〇町	
上流	平頂山東側	一・五六	二、四二六	―	―	―	森林地帶ニアリ

下流	五道楊岔（王家蹚子ヨリ廠岔ニ至ル）	〇・五二	八一〇	—	—	—	其大部分ハ沼澤地ナリ暫ク之ヲ省ク
	前東廠子	〇・一三	二〇〇	三〇	六〇	一四〇	
	後車廠子及以西	〇・五〇	七七六	五〇	三八八	三八八	船渡房子ニ近キ河邊ニ沼澤地アリ
	小韓溝及荒溝方面	一・一〇	一、七〇〇	—	—	—	大部分ハ沼澤地ナルカ如シ
	船渡房子及西南岔	二・六四	四、一〇五	七〇	二、八七四	一、二三一	西南嶺ノ奥ハ大部分ハ沼澤地ナルカ如シ
	大甸子附近	二・〇〇	三、一一〇	四五	一、四〇〇	一、七一〇	比較的濕地少シ
	西北岔	一・四〇	二、一七七	—	—	—	未踏査ナレトモ大部分ハ濕地ナルカ如シ
	大磐缸及東清溝	〇・四二	六五三	一〇	六五	五八八	高キ臺地狀ヲナシ濕地ト稱スヘキモノ殆ントナシ
二、大沙河流域		一・七六	二、七四〇	—	一、四三〇	一、三一〇	
	金廠附近	〇・一五	二三〇	七〇	一六〇	七〇	砂金地ナルヲ以テ澤地多ク加フルニ濕地多シ
	高登廠	〇・五二	八一〇	四五	三二五	四八五	比較的濕地少シ
	黄泥河子	〇・一六	二五〇	七五	一八八	六二	砂金採集跡地ニシテ濱地多ク農地トシテ價値少シ
	大沙河子	〇・五二	八一〇	三五	二八四	五二六	濕地少ク土地良好ナリ
	土磊子及馬架子	〇・一六	二五〇	八〇	二〇〇	五〇	石礫浮石多ク農地トシテ價値少シ
	大沙河口子南方	〇・二五	三九〇	七〇	二七三	一一七	未踏査ナレトモ濕地多キカ如シ

地名		平地全面積		濕地沼澤地及河床		乾燥地全面積	摘要
大別	小別	方里	町歩	百分率	面積		
三、娘々庫地方		二・九二	四、六三四町	—	二、八五七町	一、七七七町	
	青溝子	〇・〇五	七八	一〇	八	七〇	濕地甚少シ
	少沙河流域	一・二三	一、九一三	七〇	一、三四〇	五七三	上流樹街染東南岔等一面ニ濕地ニシテ横道子以下モ濕地多シ
	挖腰溝	〇・二〇	三一〇	八五	二六四	四六	殆ント沼澤地ナルカ如シ
	磨石砬子附近	〇・三三	五一三	六五	三三三	一八〇	磨石砬子ニハ濕地少シト雖モ其東北ニ大ナル沼澤地アリ
	頭道溝附近	〇・四七	八三〇	三五	二九〇	五四〇	頭道溝口子ニハ濕地少シ浮石ハ少ナカラス
	葦子溝	〇・一二	一八〇	八〇	一四四	三六	大部分濕地ナリ
	二道溝	〇・二五	三九〇	五〇	一九五	一九五	
	大加皮溝	〇・〇四	六二	八〇	五〇	一二	大部分濕地ナリ
	三道溝	〇・二三	三五八	六五	二三三	一二五	荒溝嶺ニ至ル間濕地多シト云フ
四、漢窰溝地方		一・二〇	一、八六三	—	六七〇	一、一九三	
	兩江口及磨石溝子	〇・一六	二五〇	二五	六三	一八七	兩江口ニハ濕地ナク磨石溝子ノ奥ニ多シ
	小嶺子	〇・〇六	九三	四〇	三七	五六	砂金採集跡地アリ濕地亦少カラス

漢窰溝	〇・〇五	七八	一五	一二	六六	
黄溝	〇・二五	三九〇	八五	三三二	五八	大部分濕地ニシテ白樺多シ
大浪紫河	〇・一三	二〇〇	二〇	四〇	一六〇	濕地少シ平地ニ樹木多シ其上流ハ砂金採集跡地アリ
小浪紫河	〇・〇五	七五	一〇	八	六七	殆ント濕地ナシ但樹木繁茂シ開墾少シ
楊家胡子溝	〇・〇六	九〇	一〇	九	八一	濕地ナシ
張三溝及鏡溝	〇・一二	一八七	一〇	一九	一六八	濕地少シ
四岔子及水仁溝	〇・三二	五〇〇	三〇	一五〇	三五〇	
五、富爾河流域	一・〇〇 +?	一、五五五 +?	—			
上流	?	?	—	—	—	地圖ナキニヨリ不明
大捕財河及大旬子	〇・九〇	一、四〇〇	—	—	—	未踏査ナレトモ濕地少キカ如シ
富爾河口	〇・一〇	一五五	—	—	—	同上
合計	一七・一八 +?	二六、八〇二 +?	—	九、七四七 +?	八、四五〇 +?	

備考　古洞河ニ於ケル未踏査ノ分七千百十三町ヲ假ニ悉ク濕地沼澤地及河床トスレハ其總面積ハ一萬六千八百五十町ニシテ乾燥地ハ其二分ノ一ニ過キス即チ平地總面積ノ三分ノ二ハ濕地沼澤地及河床ニシテ乾燥地ハ三分ノ一ニ相當スル割合ナリ但シ富爾河上流域ヲ省ク

第五章　移住開墾ノ沿革大要

近代ニ於ケル當地帶ノ移住ハ嘉慶初年(我寛政初年)頃ヨリ山東流民ノ漸ク禁ヲ犯シテ竄入シ所在砂金ヲ採リ野獸ヲ狩リ木ヲ伐リタルニ濫觴セリ而テ其最モ大ナル關係ヲ有スルモノハ砂金ノ採堀ニシテ韓登擧ノ祖父韓效忠ハ七十餘年前空手山東ヨリ來タリ彼カ卓越セル才幹ト非凡ナル膽略ニヨリ衆望ヲ博シテ大成功ヲナシ當地方全帶ノ砂金地ヲ獨占シ清政府ノ管外ニ立チテ邊陬ノ地ニ割據シテ草王ト稱號セリ彼カ聲譽ト成功トハ自然ニ同郷山東人ノ吸收ヲ誘致シ爾來年ヲ追テ彼カ砂金鑛區ニ日雇苦力トシテ入リ來ルモノ多キヲ加フルニ至レリ而シテ漸次土著シテ開墾ニ從事スルモノアルニ至リタルハ四十年以後ニシテ當時ハ極メテ寂寥タルモノニ過キス其後時勢ハ變遷シ來リ清國邊防ノ經營上此地帶カ永ク荒蕪ニ委スルヲ許サヽルニ至リ光緒八年敦化縣設置セラレ大ニ移住拓殖ヲ奬勵セシ以來漸次移住民ヲ增加シ古來封禁ノ邊境今ヤ人口數千ノ多キヲ見ルニ至レリ今回ノ調査ニヨレハ四十年前ノモノ最モ古クシテ僅ニ二戸ニ過キス

清人調査戸數　二四一戸

內

四〇年以前ノモノ　二戸

三〇年以前ノモノ　一四戸

二〇年以前ノモノ　二九戸

一〇年以前ノモノ　八五戸
一〇年以内ノモノ　一一五戸

之レニヨリ見ルモ當地方ノ移住ハ開墾ハ敎化縣設置以後ニ至リテ始メテ見ルヘキモノアルニ至リシヲ知ルヘシ

大沙河流域金廠ノ初メテ砂金採集ニ從事セラレシハ咸豐六年(五十三年前)ニシテ昇平岑ヲ隔ツル熱鬧街ノ砂金地モ相亞イテ採堀セラレ兩者ノ最モ盛ナリシハ光緒十五六年頃ニシテ當時鑛夫及之ニ附屬スルモノ輻輳シ來リシ爲メ熱鬧街ト名ケラレ前車廠子後車廠子ハ當時敎化縣ヨリ糧食ヲ運搬セシ車輛ノ置場タリシヨリ地名ニ冠シタルナリト云フニ徵スルモ當地帶ハ二十餘年前ニ耕耘甚タ少ク物資悉ク敎化方面ヨリ仰キタルヲ察スルニ足ル

移住開墾ノ他ノ大ナル誘因ハ當地帶ノ一大富源タル伐木業ノ發達トナス伐木業ハ四十年來次第ニ發達シ來リ伐木夫流木夫ノ食糧嗜好品等ノ需要漸次ニ增加スルト同時ニ各河流ノ平地ニ定住シテ開墾ニ從事スルモノ次第ニ多キヲ加フルニ至リ現今當地方ノ經濟ヲ左右スルモノハ衰微セル砂金業ニ非スシテ全ク伐木業ニアリ以テ該業カ過去ニ於ケル移住開墾ヲ促進シ將來又大ナル關係ヲ有スルヲ知ルニ足ラン

清人ノ鄉貫ハ前述ノ如ク殆ント山東人ニシテ登州府萊州府及靑州府ヲ最多トス吉林又ハ奉天方面ヨリ來リタルモノモ多クハ山東ヨリ一旦吉林又ハ奉天附近ニ移住シ後更ニ當地帶ニ入リ來ルモノ

ナルカ如シ張三溝ニテ聽キ得タル所ニヨレハ毎年同地ヲ通過シ此地帶方面ニ移住シ來ル山東人ハ百戸ヲ下ラス苦力亦千人ヲ下ラスト云フ(但東部地方及敦化方面ニ赴クモノヲ含ム)其言悉ク信ヲ措キ難シト雖モ亦以テ近來移住者ノ著シク增加シ來ルヲ知ルニ足ラン此等清人移住ノ時期ハ毎年二三月以後ニシテ氷結セル河上ヲ傳ヒ又吉林ヨリ富爾岺ヲ超ヘテ來ルヲ常トス

韓人ノ移住ハ頗ル新タニシテ二十年前ノモノ最モ古ク僅ニ二戸ニ過キス其郷里ハ咸鏡南北道及平安北道トナス中ニ遠ク欝陵島ヨリ來リシモノアリ其經路ハ分チテ左ノ三種トス

一、咸鏡南道甲山ヨリ惠山鎭ヲ經テ白頭山東麗ヲ過キ奶頭山(內頭山)ヲ經テ主トシテ漢窰溝方面ニ到ルモノ

二、茂山ヨリ紅旗阿嶺ヲ越エ娘々庫方面ニ來ルモノ

三、東間島ノ東部ヨリ窩集嶺ヲ越エテ古洞河ニ通スルモノ

而テ其多ク郷里ヨリ直チニ移住シ來ルモノニ非スシテ一旦他ニ移住シ幾年ノ後更ニ進ミテ當地帶ニ來ルカ如シ今回調査韓人戸數六十五戸中十年以上ニ來リシ韓人ヲ擧クレハ

地名	姓名	郷里	移住後
古洞河珠子營	鄭明順	咸北吉洲	二十年
漢窰溝兩江口	兪白允	同富寧	二十年

地名	氏名	原籍	年數
同　小營子	李用必	同　茂山	十五年
同　同	崔錫永	咸南　端川	十三年
同　兩江子	李會成	同　北青	十年
娘々庫葦子溝口子	金昌鎮	平安道　江界郡	十年

僅ニ六戸ニ過キス十年來漸次增加シ殊ニ最近四五年來ニ著シカリシニ今回ノ薙髪令ノ爲メニ郷里ニ歸還シ又ハ他ニ轉住セルモノ四十餘戸ニ及ヘリト云フ

彼等ノ移住ノ狀況ヲ聞クニ何レモ極貧ニシテ郷里ニ生計ヲ營ム能ハサルモノニシテ家屋及土地ヲ有スルモノハ之ヲ賣リテ牛ヲ購ヒ(移住者ノ十中六七ハ必ス牛ヲ携フ)交通ノ便ナル冬季ニ日常ノ家具什器ヲ牛車ニ載セ食糧トシテ燕麥製ノ飴麵麭樣ノモノヲ携帶シ峻路ヲ犯シ峻坂ヲ越エテ來リ先ツ清人地主ニ就キ其耕地ヲ小作シ又ハ其所未耕地ヲ開墾シ秋收迄ノ食糧ヲ借リ附近ヨリ樹木ヲ伐採シテ家屋ヲ構フ彼等ハ悉ク家族携帶者ニシテ單獨者ハ極メテ稀ナリ之清人ト大ニ異ナル點ニシテ韓人ノ移住者ハ何レノ方面ニ於テモ然ルモノノ如シ彼等ハ今回薙髪令ノタメ大ニ憤慨シ去テ他ニ適キ其殘存者ノ多クハ地主清人ニ負債アルカ或ハ老人アツテ去ル能ハサルモノナリ

將來彼等ノ保護ヲ全フシ土地所有權ヲ與ヘ居ニ安スルヲ得セシメハ簇々トシテ移住シ來リ數年ナラスシテ其數清人ニ匹敵スルニ至ラン現在ノ韓人ハ清官吏ノ壓迫ニ堪エス殆ント絶望ノ境遇ニア

第六章　農業經營ノ現況

農業一般ノ狀態ハ東部ト大差ナケレトモ作物ノ栽培率ハ多少異レリ又韓人ノ耕作ハ東部ニ比シ著敷大ナリ左ニ今回ノ實地調査ニ係ル戸口表ヲ揭ク

	韓人				清人				合計			
	戸數	男	女	計	戸數	男	女	計	戸數	男	女	計
古洞河流域	二二	六一	五三	一一四	一二二	四五一	一九八	六四九	一四四	五一二	二五一	七六三
大沙河流域	一	一	一	二	九三	四二〇	一二一	五四一	九四	四二一	一二二	五四三
娘々庫地方	二四	五八	四六	一〇四	八七	二九四	一二〇	四一四	一一一	三五二	一六六	五一八
漢窰溝地方	五六	一七五	一二三	二九八	一二三	三五三	一八〇	五三三	一七九	五二八	三〇三	八三一
富爾河流域	〇	〇	〇	〇	一二〇	三四八	一五六	五〇四	一二〇	三四八	一五六	五〇四
總計	一〇三	二九五	二二三	五一八	五四五	一、八六六	七七五	二、六四一	六四八	二、一六一	九九八	三、一五九

第一節　總論

第一項　土地制度大要

土地ニ關スル制度ハ略東部ニ準スレトモ左ニ異ル點ヲ擧ケン

一、土地ニ關スル權利　土地ニ關スル權利ハ所有權及小作權ヲ主トス今未耕地ノ所有權ヲ獲ントト欲セハ所屬會長ニ申請シ一晌地ニ付四吊五百文ヲ納メテ開墾シ次回土地丈量員ノ出張ノ際臨檢ヲ受ケ執照ヲ下附セラルルモノトス而テ韓人ニハ全ク土地所有權ナシ之レ東部ト大ニ異ル點トス

二、小作ニ關スル慣行　東部ト殆ント同シク小作料ハ穀納ニシテ稀ニ一定年間金納ニテ小作スル場合アリ即チ大沙河子ニ於テ耕地七晌ヲ五ケ年間二百吊ノ料金ヲ拂フテ小作セルカ如キ寧ロ異例ニ屬ス穀納ノ場合ニハ普通土地ノ肥瘠ニヨリ一晌地ニ付一石乃至一石五斗ノ粟又ハ之ヲ玉蜀黍大豆ヲ合セテ納ム而テ一般ニ收穫物ノ普通三割稀ニ四割ヲ以テ小作料トナス場合多シ殊ニ小作人カ韓人ナル時ニ於テ然リトス

小作ノ期限ハ普通一定セサルヲ常トスレトモ大沙河流域ニ於テハ普通三ケ年ヲ以テ一期限トナスト云フ韓人ハ小作料以外ニ東部ニ於ケルカ如ク地主ニ對スル奴隷的義務ニ任セサレトモ金員食糧等貸借ノ場合ニ於テ往々不正ナル行爲ヲ受クルコトアリト云フ踏査區域ニ於ケル小作料ヲ表示スレハ左ノ如シ

地名 大別	地名 小別	小作料（一晌地ニツキ）	備考
一、古洞河流域	旱草溝	粟 一・四 石	粟ノ外大麥、小麥、大豆、玉蜀黍ヲ粟ノ相當額丈ヲ納ム
	西南岔河南	一・〇—一・二	其他收穫物ノ三割ヲ納ムル場合多シ

地名 大別	地名 小別	小作料(一晌地ニツキ)	備考
	小補水河	一・〇石	共他收穫物ノ三割ヲ納ムル場合多シ
	大甸子	一・〇―一・五	同上
二、大沙河流域		粟 一・五	又三割乃至四割
三、漢窰溝方面	漢窰溝	一・〇―一・五	又三割ナルアリ
	兩江口	〇・八―一・〇	又三割ナルアリ 粟、大豆及高粱ヲ合セ納ム(但シ粟ヲ標準トス)
		一例トシテ三晌地ニ對シ高粱四石ヲ納ムルモノアリ	
	磨石溝子	三割	

附韓登擧領畑筒砬子ニ於ケル韓人ハ左ノ小作料ヲ納メツツアリ

一	四晌地ニ對シ	粟及大豆各三石玉蜀黍二石
二	七晌地ニ對シ	粟、大豆、玉蜀黍各四石
三	十晌地ニ對シ	粟、大豆、玉蜀黍各四石
四	七晌地ニ對シ	粟、玉蜀黍、大豆ヲ合セテ十一石
五	五晌地ニ對シ	粟六石

一般ニ粟一・五—二・〇清石ノ小作料トス

四、娘々庫地方		
小沙河口子	一・〇—一・五	又ハ三割
磨石砬子	四割	
頭道溝口子	一・二—一・五	一例トシテ四晌地ニ對シ玉蜀黍大豆及粟ヲ合セテ五石ヲ納ムルモノアリ 但シ粟大豆及玉蜀黍ヲ合セテ一清石トス
頭道溝	一・〇	
葦子溝口子	〇・八—一・二	
小加皮溝	一・〇	
横道子	一・〇	又ハ三割

三、土地ニ對スル賦課及會房郷約錢　地租ハ一晌地ニ付六百六十文ノ規定ナレトモ年ニヨリ一定セス往々七百文ヲ超ユル場合少カラス

會房費トシテハ貧富ニ應シテ毎戸一ヶ年五六吊乃至四五十吊郷約錢トシテ一吊乃至三吊ノ負擔アリ韓人ハ郷約税トシテ毎戸一ヶ年一吊文ヲ徵收セラルル外會房ニ對スル負擔トシテ會房所用ノ薪全部、屋根葺用トシテ粟稈毎戸百把及壁塗ノ勞力負擔ヲ命セラル薪ハ漢窰溝會房ニテハ各戸牛橇八臺ヲ徵收セラレ古洞河ニテハ居住韓人二十二戸ニ對シ薪四千把(三十把一臺)ヲ納メシムル規定ナリト云フ

四、耕地ノ單位　一晌ノ大サハ三千六百弓ニシテ一弓ハ兩歩(脚歩)又ハ双手幅平方ナリト云フ即チ五清尺平方ノ規定ニシテ我九反二畝弱ニ相當スレトモ民間ニテハ兩歩ノ長サ二畦(一畦ノ幅ハ約二清尺)ノ幅ノ圍ム矩形ヲ一弓トナス之ニヨレハ我約七反三畝ニ相當ス清人ハ一晌地ノ面積ヲ略算スルニ最初第一第二ノ中間ノ畦ノ畦溝ノ一端ヨリ一定ノ歩調ニテ進ミ畦溝ノ先端ニ達シ次ニ第三第四ノ畦ノ中間ノ畦溝ニ沿フテ進ム即チ一畦置キニ歩シテ七千二百歩ニ達スルヲ以テ一晌地トナス慣習ナリ

即チ圖ノ如キ圃場ニテ(イ)(ロ)(ハ)(ニ)ハ畦間ノ溝トス先ツ第一第二ノ畦間ノ溝(イ)ニ添ウテ矢ノ示ス方向ニ進ミ先端ニ達シ次ニ第三第四―畦間ノ溝(ロ)ヲ矢ノ示ス方向ニ進ミ順次此ノ如ク七千二百歩(但シ溝内ノ歩數ノミトス)ニ達シタル際溝ノ兩

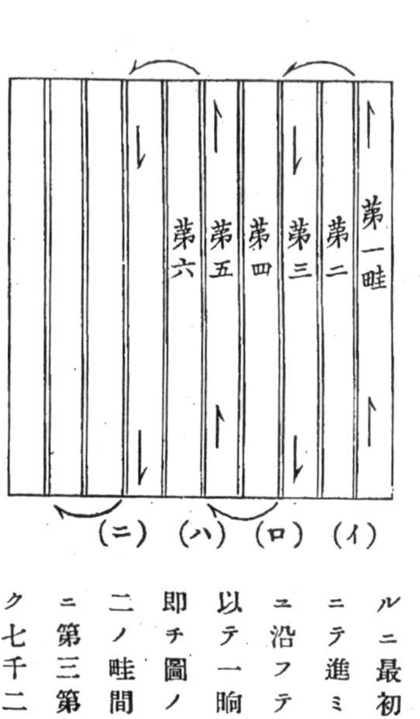

側ニ跨ル畦迄ヲ以テ一晌地トス

第二項　農地

一、農地ノ分配　比較的大地主少ク娘々庫管區磨石砬子江沿ニ於ケル于忠利ノ六十晌ヲ以テ最大トナシ古洞河大醬缸于忠和ノ四十五晌古洞河會房會長李珍ノ耕地二十四晌未耕地六晌ヲ有スルヲ以テ之ニ亞ケル大地主トナス左ニ土地所有ニ關スル調査ヲ表示セン

兩江口殷克俊ハ吉林在住朱某ノ耕地四十晌及宅地家屋全體ヲ借リ居レルアリ今假リニ地主中ニ加ヘ置ケリ

清人耕地所有調査表

地名 大別	地名 小別	調査戸數	所有耕地總數	一戸平均耕地晌數	一戸所有耕地 最大	一戸所有耕地 最小	耕地ノ分配(晌單位) 二〇以上	一一—一九	五—一〇	五以下
古洞河	西南岔口	二	二八・〇晌	一四・〇〇	二〇晌	八	一	〇	一	〇
	西南岔河北	四	二〇・〇	五・〇〇	八	二	〇	〇	一	三
	後車廠子	一	四・〇	四・〇〇	|	|	|	|	|	一
	旱宗溝	一	二〇・〇	二〇・〇〇	|	|	|	|	|	|
	旱草溝	一	一〇・〇	一〇・〇〇	|	|	|	|	|	|
	小計	九	八二・〇	九・一〇	二〇	二	一	一	三	四
	大句子及高麗城子	二	四八・〇	二四・〇〇	二四	二四	二	|	|	|
	大醬缸	二	五九・〇	二九・〇〇	四五	一三	一	一	〇	〇
漢窰溝	四岔子	三	二四・〇	八・〇〇	一〇	五	〇	〇	二	一
	石仁溝	三	一七・〇	五・六七	八	四	〇	〇	一	二

地名		調査戸數	所有耕地總數	一戸平均耕地晌數	一戸所有耕地		耕地ノ分配(晌單位)			
大別	小別				最大	最小	二〇以上	一一—一九	五—一〇	五以下
	漢窰溝	一	一六・〇晌	—	—	—	—	一	—	—
	大浪紫河	五	二四・〇	四・八〇	一〇	二	〇	〇	二	三
	小浪紫河	一	八・〇	八・〇〇	—	—	〇	〇	一	〇
	鏡溝	四	二七・〇	六・七五	一二	三	〇	一	一	二
	張三溝	八	六四・〇	八・〇〇	一六	二	〇	二	三	三
	西江口及草坪	二〇	一四八・五	一四八・五〇	四〇	二	一	二	六	一一
	磨石溝子小嶺子	一一	四六・〇	四・一八	一〇	一	〇	〇	三	八
	柳仁溝	二	一〇・〇	五・〇〇	七	三	〇	〇	一	一
	小計	五七	三六八・五	六・四七	四〇	一	一	五	二〇	三一
娘々庫	青溝	三	七・〇	二・三三	三	二	〇	〇	〇	三
	小沙河	四	二六・〇	六・五〇	一〇	五	〇	〇	二	二
	磨石砬子	二	六七・〇	三三・五〇	六〇	七	一	〇	一	〇
	頭道溝及頭道溝口子	一〇	一一一・〇	一一・一〇	二二	二	二	三	二	三

	葦子溝	六	三三・〇	五・五〇	一三	二	〇	一	一	四
	大加皮溝及三道溝	四	四三・〇	一〇・七五	二〇	五	一	〇	二	一
	小加皮溝	三	二八・〇	九・三三	二〇	三	一	〇	〇	二
	樹街梁	二	八・〇	四・〇	五	三	〇	〇	〇	二
	不明部落	六	二八・〇	四・六七	七	三	〇	〇	二	四
	地仁子	三	二五・〇	八・三三	一四	三	〇	一	一	一
	小沙河嶺	三	一〇・〇	三・三三	五	二	〇	〇	〇	三
	小計	四六	三八六・〇	八・四〇	六〇	二	五	五	一一	二五
大沙河	莒堂溝及附近	三	二一・〇	七・〇〇	一〇	一	〇	〇	二	一
渓密溝古洞何中流	娘々及大沙河一部	一一五	八五七・五	七・四六	六〇	一	七	一一	三六	六一

之ニヨレハ調査戸數百十五戸ノ平均所有耕地數ハ七晌四六(我約五町四反餘)ナリ古洞河管區ハ西南岔口附近及其上流ニ於テハ平均九晌一(我約六町六反餘)ノ割合ナレトモ大甸子大醤缸地方ニ至レハ大地主多キヲ以テ全平均ハ少クトモ十晌(我約七町三反餘)以上ニ達スヘシ大沙河管區ハ調査戸數僅ニ三戸ニ過キサルヲ以テ表示スルヲ得サレトモ調査總平均ノ耕地ヲ有スルモノト見做シテ大差ナカヘシ即チ各管區ニ於ケル一戸平均所有耕地ハ次ノ如シ

古洞河流域	一〇・〇〇晌	(我約七・三〇町)
大沙河流域	七・四六	(同 五・四五)
漢窰溝管區	六・四七	(同 四・六・三)
娘々庫管區	八・四〇	(同 六・一三)

富爾河流域ニ就テハ未調査ニ屬スレトモ平地ノ大ナルモノ比較的少ク其狀況古洞河ニ比スヘカラス寧ロ大沙河ニ準スヘキカ今調査戸數百十五戸(古洞河大甸子及大醬缸ハ大地主ヲ調査セルノミナルヲ以テ省略セリ)中ニ於テ大小ニヨリテ地主ヲ分類スレハ左ノ如シ

	戸數	百分率
二〇晌以上	七	六・一(大地主)
一一—一九晌	一一	九・六(大地主)
六—一〇晌	三六	三一・三(中地主)
五晌以下	六一	五三・〇(小地主)
計	一一五	一〇〇・〇

即チ二十晌以上ハ僅ニ六%ニ過キス今十一晌以上ハ大地主トスレハ全數ノ六分一强六晌乃至十晌ノ中地主ハ約全數ノ三分ノ一弱、五晌以下ノ小地主ハ半數以上ヲ占ムル割合ニ相當ス以テ土地分配ノ狀況ヲ知ルニ足ラン

二、自作小作割合及小作ノ大小　清人ハ移住久シキニ亘ルモノハ未耕地ヲ開墾シ又ハ前住者ヨリ購ヒテ耕地ヲ有スレトモ四五年前ニ來リシモノハ小作ニ從事スルモノ比較的多シ左ニ清人ノ自作小作ノ數及小作晌數ヲ表示セン

清人自作小作ニ關スル調査表

管別	地名	自作農數	小作農數	自作小作	小作晌數	平均小作晌數	最大小作地	最小小作地
漢窰溝	大浪柴河	六	一	—%	八	八.〇〇	八	八
	建三溝	八	二	—	三	一.五〇	二	一
	鏡溝	四	—	—	—	—	—	—
	小浪柴河	一	二	—	二三	一一.〇〇	一三	一〇
	柳仁溝	二	—	—	—	—	—	—
	兩江口及草坪	二〇	五	—	二七	五.四〇	一〇	二
	磨石溝小及小崴子	一一	三	—	六	二.〇〇	三	一
	計	五二	一三	二〇.〇〇 八〇.〇〇	六六	五.〇八	一三	一
娘々庫管區	青溝子	三	〇	—	—	—	—	—

管別	地名	自作農數	小作農數	自作小作	小作晌數	平均小作晌數	最大小作地	最小小作地
	小沙河口子	四	○	—%	—	—	—	—
	挖腰溝	一	一	—	三	三・○○	三	三
	頭道溝口子及頭道溝	一○	一	—	六	六・○○	六○	六
	葦子溝	六	○	—	—	—	—	—
	小加皮溝	三	二	—	一一	五・五○	八	三
	大加皮溝及三道溝	四	一	—	二	二・○○	二	二
	不明部落（少沙河ノ內）	六	二	—	一○	五・○○	五	五
	少沙河嶺	三	○	—	—	—	—	—
	計	四○	七	一四・九 八五・一	三二	四・六○	八	二
大沙河流域	葦堂溝及附近	三	一	—	六	六・○○	六	六
通	計	九五	一二	一八・一 八一・九	一○四	五・○○	一二	一

之ニ依レハ調査戸數百十六戸中其八割二分ハ地主ニシテ一割八分ハ小作農ノ割合ナリ而テ漢窰溝管內ニ於テハ清人ノ八割ハ地主ニシテ二割ハ小作農ナレトモ娘々庫ニ於テハ地主八割五分トス小作農一割五分ノ割合ナリ古洞河流域及大沙河流域ニ就テハ十分ナル資料ヲ得サリシカ前者ハ比較

的地主多ク少クトモ娘々庫地方以上ノ割合ヲ見ルナルヘシ後者ハ金廠ニ於ケル砂金鑛ニ附属スル十戸ヲ假ニ調査平均數ノ地主八割二分小作農一割八分ト見做セリ之ニヨリテ地主及小作農數ヲ略算シテ左ノ結果ヲ得タリ

	清人農業者數	地主數	小作農數	備考
古洞河流域	一二二	一〇四	一八	
大沙河流域	八三	六八	一五	
娘々庫管區	八七	七四	一三	
淡窰溝管區	一二三	九八	二五	
富爾河流域	? 一二〇	? 九八	? 二二	
計	約五三五	約四四二	約九三	

備考　大沙河ハ金廠ニ於ケル砂金鑛附属十戸ヲ總戸數ヨリ減セリ

富爾河ハ假リニ地主小作農ノ割合ヲ調査平均歩合ニ準スルモノト見做シテ計算セリ

清人小作地面積ノ最大ナルモノハ十二晌ニシテ平均五晌ニ過キス韓人ハ土地所有權ヲ許サレサルヲ以テ悉ク小作人ナリ唯異例トシテ娘々庫頭道溝口子ノ土門江對岸ニ於ケル韓人權致瑞ナルモノハ嘗テ清韓兩國勘界委員ノ白頭山定界碑實地踏査ノ際道案内者兼清語通譯トシテ功勞アリシヲ以

テ耕地三晌ヲ給セラレ現時尙其所有權ヲ有スルアルノミ而シテ左岸ニハ一個ノ土地所有者ヲ見ス

韓人ノ小作晌數ニ關スル調査ハ次表ノ如シ

韓人小作耕地數調査

管別	地名	戶數	小作總晌數	一戶平均晌數	最大	最小
古洞溝	旱草溝	四	八・〇晌	二・〇〇晌	二・〇晌	二・〇晌
	西南岔口附近	六	一七・〇	二・八三	四・〇	二・〇
	旱宗溝及珠子營	三	九・〇	三・〇〇	三・〇	三・〇
	小捕水河	三	七・〇	二・三三	三・〇	二・〇
	老好家附近	一	四・〇	四・〇〇	四・〇	四・〇
	鴨子圈	二	七・〇	三・五〇	四・〇	三・〇
	計	一九	五二・〇	二・七三	四・〇	二・〇
漢窰溝	漢窰溝	一	一〇・〇	一〇・〇〇	一〇・〇	一〇・〇
	兩江口及附近	一二	五〇・五	四・二〇	一〇・〇	一・五
	磨石溝子	二	一〇・〇	五・〇〇	五・〇	五・〇

	小嶺子	二	一三	六・五〇	一〇	三
	計	一七	八三・五	四・九一	一〇	一・五
參考	煙筒砬子	八	四七	五・八七	一〇	四
娘々庫	小沙河口子	五	二七	五・四〇	七	二
	挖腰溝	二	九	四・五〇	六	三
	横道子	九	三九	四・二二	八	一
	頭道溝口子	一	二二	二二・〇〇	二二	二二
	葦子溝口子	二	一七	八・五〇	九	八
	計	一九	一一四	六・〇〇	二二	一
通計		五五	二四九・五	四・五四	二二	一五

即チ其平均小作晌數ハ古洞河流域ニ於テ二晌七三(我約二町歩)漢窰溝管區ニ於テ四晌九一(我約三町五反八畝)娘々庫地方ニ於テ比較的大ニ六晌(我約四町三反八畝)ノ割合ニチ調査戸數五十五戸ノ平均小作耕地ハ四晌五四(我約三町三反餘)ニシテ東部ニ比シテ遙カニ大面積ヲ耕作ス其最大ナルヲ娘々庫管區頭道溝口子ノ金永實ノ二十二晌(我約十六町餘)トナス

三、耕地總面積及一戸平均耕作面積　以上ニヨリテ踏査區域ニ於ケル耕地總面積及小作地面積ヲ計算スレハ左ノ如シ

	清人地主數	一戸平均所有耕地	總所有耕地	小作地						
				清人小作人數	清人平均小作耕地	清人小作總耕地	韓人小作人數	韓人平均小作耕地	韓人小作總耕地	小作地總數
古洞河流域	一〇四	一〇・〇〇	一〇四〇・〇	一八	五・〇〇晌	九〇・〇	二二	二・七三	六〇・〇	一五〇・〇
漢窰溝管區	九八	六・四七	六三四・一	二五	五・〇八	一二七・〇	五六	四・九一	二七五・〇	四〇二・〇
娘々庫管區	七四	八・四〇	六二一・六	一三	四・六〇	五九・八	二四	六・〇〇	一四四・〇	二〇三・八
大沙河管區	六八	七・四六	五〇七・三	一五	五・〇〇	七五・〇	一	三・〇〇	三・〇〇	七八・〇
小計	三四四	―	二八〇三・〇	七一	―	四六一・八	一〇三	―	四八二・〇	九四三・八
富爾河流域	?九八	?七・四六	七三二・一	?二二	?五・〇〇	?一一〇・〇	〇	〇	〇	?一一〇・〇
通計	四四二	―	三五三四・一	九三	―	五七一・八	一〇三	―	四八二・〇	一〇五三・八

備考　之レヲ我反別ニ換算スレハ總耕地三千五百三十四晌一ハ約二千五百八十三町八ニ相當ス
但清人ハ動モスレハ自已所有耕地數ヲ少ナク答フル恐ナキニ非ラサルヲ以テ實際ノ耕地面積ハ更ニ多カルヘキモノト思惟セラル

右表ニヨツテ地主ノ耕作面積ヲ算出スレハ左ノ如シ

	總耕地	小作耕地	地主耕作耕地	地主平均耕作耕地
古洞河	一〇四〇・〇晌	一五〇・〇	八九〇・〇	八・五六
漢窰溝	六三四・一	四〇二・〇	二三二・一	二・三七
娘々庫	六二一・六	二〇三・八	四一七・八	五・六六
大沙河	五〇七・三	七八・〇	四二九・三	六・三一
計	二、八〇三・〇	九四三・八	一、八五九・二	—
富爾河	七三一・一	一一〇・〇	六二一・一	六・三四
通計	三、五三四・一	一、〇五三・八	二、四八〇・三	—

之レニヨレハ漢窰溝管區ニ於ケル地主ノ耕作面積ハ僅ニ二晌三四ニ過キスシテ甚タ少キカ如シト雖モ兩江口住ノ韓人ノ言ニヨレハ清人ハ十晌ヲ所有スレハ八晌ヲ小作セシメ自己ハ二晌ヲ耕作スルノミナリト云ヒ韓人戸數比較的多ク清人ノ約二分一ナルヨリ察スルモ同地方地主耕作面積ハ比較的小ナルモノノ如シ然レトモ今回ノ調査ハ尚不充分ナルヲ以テ實際ニ於ケル總耕地ハ更ニ大ナルヲ疑ハス

四、耕地賣買價格　土地ノ賣買ハ行ハルルコト甚タ少ク殊ニ一晌地二晌地トシテノ賣買ハ殆ント行ハレス多クハ所有地全體ヲ家屋附小作人附ニテ賣買セラルルヲ常トス左ニ揚クル賣買價格ヲ東部地方三岔平野ニ比スレハ頗ル低廉ニシテ最上ノ耕地尙一晌地百吊ニ過キス中以下ノ地ニアツテハ五六十吊以下二三十吊ノモノ少カラス踏査中聞キ得タル二三ノ例ヲ擧レハ古洞河大醬缸千忠和ハ十三年前同地ニ來リ前住者馬某ヨリ耕地四十五晌及家屋宅地ヲ合セテ四百吊ニテ購ヒタリト云ヒ兩江口般克俟ノ言ニヨレハ同地方ニ於ケル淸人間ノ土地賣買ハ耕地十晌及家屋宅地附ニテ二百吊乃至三百吊ニテ行ハルト云フ又現ニ視察當時同地土門江右岸ニテ耕地十五晌家屋宅地及本年度小作料タル粟三十石(價格三百吊)ヲ合セテ九百吊ニテ賣ラントスル淸人アリ(粟代ヲ除キタル六百吊ハ龍井村ニ於ケル官帖價格ニ換算スレハ日貨約百六十圓ニシテ宅地家屋代ヲ見積ラサルモ我一反歩ノ價格ハ僅ニ壹圓四十六錢ニ充タス而シテ實地ノ賣買價格ハ更ニ廉ナルヲ疑ハス)以テ西部地方ニ於ケル土地價格ヲ知リ併セテ同地方ニ於ケル經濟狀態ノ一端ヲ見ルニ足ラン左ニ參考トシテ各地ニ於ケル土地賣買價格ヲ揭ク

東間島西部各地耕地價格表

地名 大別	地名 小別	一晌地價格	備考
古洞河	西南岔	一〇〇吊	

	大甸子		一〇〇—一二〇	第一例ハ昨年十一月耕地十四晌及家屋宅地ヲ合セテ四〇〇吊ニテ購ヒタリ
	大醬缸		—	第二例ハ十三年前耕地四十五晌及家屋宅地ヲ合セテ四百吊ニテ購ヒタリ
			—	
漢窰溝	漢窰溝		—	
	大浪柴河		七〇〇—八〇〇吊 八晌地	
	張三溝	上中下上中下	八〇 六〇 四〇 一〇〇 六〇—七〇 三〇	
	參考 金銀別口子			第一例五晌地家屋宅地付ニテ二〇年前一三〇吊又踏査中二道江左岸ニ十五晌地家屋及小作料粟三十石ニ合セテ九〇〇吊ニテ賣ラントスルヲ聞ク 第二例一〇晌地及家屋付三〇〇吊。 第三例四晌地及家屋付一〇〇吊
	兩江口		—	
	同		—	
娘々庫	小沙河	上中下	三〇 二〇 一二—一三	

第三項　主要作物ノ栽培歩合及收量概算

土地ノ最モ肥沃ナル古洞河流ニアッテハ西南岔河北並ニ其附近大甸子平野及大醬缸漢窰溝管區ニアッテハ兩江口及漢窰溝等ニシテ最モ良好ナル土性ヲ備ヘ東部方面ノ最良耕地ニ比シテ遜色ナク

作物ノ收量豐ニ品質亦優等ナリ殊ニ娘々庫一帶ハ概シテ浮石ヲ混スル場合多ク收量品質亦遙ニ劣レルモノノ如シ

作物ノ種類ハ東部ト略ホ同シケレトモ栽培率ハ多少ノ差異アルモノアリ即チ粟、玉蜀黍、大豆ハ三大主要作物ニシテ其栽培歩合ハ粟ヲ第一トスレトモ三者殆ント相匹敵シ且ッ東部ニ於ケル主要作物ノ一タル高粱蜀黍ハ甚タ少ク娘々庫地方ノ如キハ一般ニ適セスシテ栽培稀ナルアリ又小麥ノ栽培ハ比較的多ク大麥ハ之レニ反シ僅少ナル等其最モ著シキ點ナリ

今回視察ノ際ハ諸作物尚稚弱ニシテ一見シテ識別スルヲ得ス栽培歩合ヲ判斷スルニ難ク且ツ其收量ノ如キ實地立毛ノ檢査ニヨラサレハ打算スルヲ得サレトモ農業一般ノ狀態及各地ニ於ケル土民ノ言ヲ斟酌シ尚東部ニ於ケル調査ヲ參考シテ略算セル粟、玉蜀黍、大豆、小麥、大麥、高粱、蜀黍ノ主要作物栽培歩合反別及收量ノ概數ハ左ノ如シ

一、古洞河流域　耕地七百六十町歩

品名	栽培歩合	栽培反別	一反歩收量	全收量
粟	二五〇%	一九〇・〇町	一・八石	三四二〇・〇石
玉蜀黍	二〇	一五二・〇	一・五	二二八〇・〇
大豆	一八	一三六・〇	一・〇	一三六八・〇

品名	栽培步合	栽培反別	一反步收量	全收量
小麥	一二	九一・二	一・〇	九一二・〇
大麥	五	三八・〇	一・二	四五六・〇
高粱	五	三八・〇	一・二	四五六・〇
其他	一五	一一四・〇	—	—

二、漢窰溝管區　耕地約四百六十三町

品名	栽培步合	栽培反別	一反步收量	全收量
粟	二五%	一一五・七町	一・六石	一八五二・〇石
玉蜀黍	二〇	九二・六	一・五	一三八九・〇
大豆	二〇	九二・六	一・〇	九二六・〇
小麥	一〇	四六・三	〇・八	三七〇・四
大麥	五	二三・一	一・五	三四六・五
高粱	五	二三・一	一・二	二七七・二
其他	一五	七八・七	—	—

三、娘々庫管區　耕地約四百六十町步

品名	栽培步合	栽培反別	一反步收量	全收量
粟	三〇%	一三八・〇町	一・二石	一六五六・〇石
玉蜀黍	二〇	九二・〇	一・〇	九二〇・〇
大豆	一五	六九・〇	〇・八	五五二・〇
小麥	八	三六・八	〇・六	二二〇・八
大麥	七	三二・二	〇・九	二八九・〇
高粱	〇	不適	—	—
其他	二〇	九二・〇	—	—

四、大沙河流域　耕地約三百七十町步

品名	栽培步合	栽培反別	一反步收量	全收量
粟	二五%	九二・五町	一・四石	一二九五・〇石
玉蜀黍	一八	六六・六	一・二	七九九・二

大豆	二〇	七四・〇	一・〇	七四〇・〇
小麥	一二	四四・四	〇・九	三九九・六
大麥	五	一八・五	一・〇	一八五・〇
高粱	三	一一・一	一・〇	一一一・〇
其他	一七	六二・九	一	一

以上ヲ合計スレハ總耕地二千五十二町歩中

品名	栽培反別	收量
粟	五三六・二町	八二二三・〇石
玉蜀黍	四〇三・二	五三八八・二
大豆	三七二・四	三五八六・〇
小麥	二一八・三	一九〇二・八
大麥	一一一・八	一一九〇・三
高粱	七二・二	八四四・三
其他	三四七・六	一

富爾河流域ハ未踏査ニ屬スルヲ以テ之ヲ省略ス聞ク處ニヨレハ土地良好ナラスト云フ

附踏査中各地ニ於ケル主要作物ノ收穫量ハ左ノ如シ

地名（大別）	地名（小別）	粟	玉蜀黍	大豆	大麥	小麥	高粱	荏	黍	稗
古洞河	西南岔口	三—四清石	—	—	七韓石	七韓石	—	—	—	—
	大甸子	一〇	六清石	六—七清石	六—七清石	六—七清石	—	—	—	—
漢窰溝	張三溝	七	八	五	—	三	—	四清石	—	—
	兩江口	八	七—八	五	一〇	六	五—六清石	三—四	四清石	—
	漢窰溝	一〇	一〇—一二	四—五	八	四—五	七	—	四	二
娘々庫	小沙河	六—七	—	五—六	四—五	二—三	—	—	—	—
	磨石砬子	七	五—六	六?	八	六	—	—	—	—
	江沿	五—六	五—六	五—六	六—七	—	不適	—	—	—
	横道子	六—七	—	—	—	—	—	—	—	—
	頭道溝口	六	六	四—五	四	二	—			六—七

二道溝口	五—六	七—八	不適	—	二—三	不適	一—二	—	二—三
三道溝	四—五	五—六	三—四	四—五	一—二	—	二—三	—	五—六
大沙河	六—七	—	五—六	八—九	四—五	—	—	—	—

備考　清一晌ハ我約七反三畝清一石ハ我一石四斗ニ相當スルヲ以テ我一反歩收量ニ換算スレハ左ノ割合ヲ得ヘシ

清一晌地	二清石ハ我一反歩	〇・三八石
同	三同	同 〇・五七
同	四同	同 〇・七六
同	五同	同 〇・九五
同	六同	同 一・一四
同	七同	同 一・三三
同	八同	同 一・五二
同	九同	同 一・七一
同	一〇同	同 一・九〇

第四項　勞銀及勞力行程

當地帶ハ比較的栽培反別多ク一家ノ勞働者少キヲ以テ苦力ヲ使役スルモノ多シ各地ニ於ケル勞銀ハ左ノ如シ

古洞河流域

一、西南岔口ニテハ淸曆三月ニ來リ六月ニ去ル三ヶ月ノ勞銀ハ五十吊トシ一ヶ年ノ給料ヲ二百吊トス

二、大甸子ニテハ一ヶ月十八吊一日ノ勞銀ハ昨年ハ七百文ナリシト云フ

三、西南岔ニテハ一ヶ年ノ苦力賃ハ二百吊トス

漢窰溝方面

一、漢窰溝ニテハ一ヶ年百五十吊乃至百七十吊一ヶ月農業勞働者ハ二百吊燒酒製造用ノモノハ十六七吊ナリ

二、兩江口ニテハ農繁時ハ一ヶ月十八吊乃至二十吊冬期伐木及運搬ノ際ハ一ヶ月十四五吊一ヶ年ノ苦力賃ハ百五十吊乃至二百吊(但シ食ヲ給シ他ヲ與ヘス)一日ノ勞銀ハ繁閑ニヨリテ五百文乃至一吊文トス

小𤧚(十五六歲)ハ一ヶ年七八十吊ニテ農繁時即チ四月ヨリ九月迄ノ一期雇ハ五六十吊トス其一日傭ノ給料ハ五六百文ニシテ冬日ハ全ク給料ナシ

娘々庫地方

小沙河口子ニテハ一日ノ勞銀冬期ハ七八百文夏時ハ一吊文ナリ

一晌地ノ開墾及勞力ニ關シテハ土地ノ狀況ニヨリテ難易アリ

	開墾ニ要スル勞力		耕作ニ要スル勞力	
	山地	平地	山地	平地
兩江口	五—一〇人	三—五人	五人	馬二 人一 一日
小沙河口子	二〇	牛三—四 人二 三—四日	一八	牛二 人二 一・五

開墾ハ多ク樹木ヲ伐採シタル跡地ニシテ伐採多ク畜力ヲ利用スルヲ得サルヲ以テ人力ニヨルコト多シ山地ニ於テ殊ニ然リ

第二節　各　論（附圖第四圖參照）

第一項　古洞河流域

古洞河流域ニ屬スル平地ハ十方里以上ニ達シ地形廣濶農產地トシテ最モ有望ノ地ナリ平頂山ノ東麓水源地ニ一方里半ニ達スル平地アリ森林中ノ沼澤地ナルカ如シ廟嶺ノ東五道揚岔即チ王家蹚子地方ニ斷續セル七八百町歩ノ沼澤地アリ往時ノ沼ニシテ現時綠草深キ間所々ニ白樺ノ森アリ南側

山腹ニ縱、朝鮮松ノ森々タルアリ恰モ一幅ノ書圖ヲ見ルカ如ク壯觀ナリ將來排水ニヨリ農地トシテ利用スルヲ得ン

一、船渡房子西南岔地方　後車廠子ヨリ地勢漸ク開濶ニ其西方ニ面積二三百町步ノ臺地アリ直チニ開墾ニ著手スルヲ得ヘシ船渡房子附近ニ至ルニ及ヒ次第ニ低濕トナル船渡房子ヨリ少シク西スレハ廣濶ナル平地ニ達ス西南岔平地之ナリ北廟嶺ヲ越エテ敦化ニ通スル路ハ平地ノ東側ニアリ南北約二千米東西約三千米其三分ノ二ハ濕地ナリ最先住者ハ二十年前ニ來リシカ移住者ノ增加セシハ十年以後ナリトス目下淸人九戶韓人六戶ニ過キス排水困難ナラサルヲ以テ將來有望ナル殖民地ナリ薙髮令ノ爲メ避去セル韓人二戶アリ

二、旱宗溝及珠子營　旱宗溝ハ西南岔平地ニ續キタル平地ニシテ面積約三百町步淸人六戶韓人二戶現耕地ハ三十晌ニ過キサルヘシ珠子營ハ旱草溝ヨリ二里餘河ノ右岸ニアリ平地面積約百五六十町步淸人一戶韓人三戶ナリ韓人鄭明順ハ吉州人ニシテ二十年前窩集嶺ヲ越エテ來レリト云フ西部ニ於ケル韓人最先住者ノ一人ナリ

三、大甸子平地　西南岔ヨリ五里半平地面積ハ附近ノ谿谷ヲ合セテ二方里ニ近ク踏査區域中最モ廣大ナル平地ニシテ形勝ノ位置ヲ占メ地味亦肥沃大地主多シ高麗城古跡ハ河ノ右岸ニアリ高サ二間餘ノ土壘ヲ繞ラシ東西約百十間南北約百三十間西崗東古城子ヨリ稍小ナリ壘內現耕地七晌アリ此地方ヲ一ニ高麗城子ト稱シ罌粟及煙草ノ栽培盛ナリ小麥亦產額多シ現戶數ハ淸人二十八戶ニシ

テ韓人ハ北方老好家地方ニ一戸アルニ過キス濕地少カラサレトモ有望ナル未耕地ニ富ムヲ以テ將來ニ於ケル大ナル農產地タルヘシ、古洞河會房ハ河ノ左岸ニアリ會長ヲ李珍ト稱シ十八年前來住シ年齒耳順ヲ越エ資性温厚清韓人ノ信頼篤シ

四、大醬缸地方　大甸子ヨリ南方四里弱平地面積附近ヲ合シテ約六百町步土地高燥ニシテ河床低ク最モ健康地ナリ現戸數ハ大醬缸六、馬家子四、東清溝三、悉ク清人ナリ地味膏腴有望ナル未耕地ニ富ムヲ以テ開墾地トシテ將來頗ル囑望スヘキ地點ナリ

第二項　漢窰溝管區

古洞河富爾河大沙河各流域及娘々庫地方ヲ除キタル地方ニシテ平地面積ハ僅ニ一、二方里ニ過キス平地ノ大ナルモノナク江岸及山間ニ小面積散點スルニ過キス

一、兩江口平地　磨石溝子附近ヲ合シテ平地面積約二百五十町富爾河ノ土門江ニ會スル地點ニシテ形勝ノ地區ナリ土質ハ砂質壤土ニシテ表土ノ深四五十糎ニ過キス下層ハ礫質ナリ

兩江口ニハ清人十六戸韓人十四戸磨石溝子ニハ清十五戸韓二戸アリ有望ナル未耕地ニ富メリ殷克俊ハ十二年前兩江口ニ來住シ目下吉林ニ住スル朱某ノ耕地四十晌及家屋宅地全體ヲ借リ(借料年額粟四十清石)牛十五頭馬六頭驢二頭豚百頭ヲ飼養シ苦力二十名ヲ使役シ大農ヲ行ヒ副業トシテ燒酒製造ヲ行フ蓋シ西部ニ於ケル一戸耕作面積ノ最大ナルモノナリ

二、漢窰溝　漢窰溝ハ平地面積極メテ少ク僅ニ七八十町步ニ過キス清國邊務派辦所及漢窰溝會房

ノ所在地ナリ土壤ハ砂質壤土ニシテ比較的良好ナリ漢窰溝ノ有名トナリシハ砂金鑛アリシ爲メニシテ其採集ノ起原ハ六七十年前ニシテ採集跡地ハ夾皮溝方面ニ通スル溪流ニ沿フテ延長殆ント二里ニ達ス十年來産額ヲ減シ控金夫漸次ニ散シ本年四月迄七人ヲ殘セシカ今ハ全ク散シ去リテ採集セラレス一時ハ非常ニ盛ナリシカ如キ形跡アリ

三、黄溝平地　漢窰溝ヨリ三里半平地面積ハ約四百町歩濕地ニシテ現耕地ハ多ク丘陵地ニアリ地盤漸次低落セル故排水容易ナルカ如シ現戸數ハ清人三戸ニ過キス何レモ近年ノ移住ニシテ家屋ノ如キハ極メテ粗造ナル假小舍ニ過キス此附近白樺白楊多シ

四、大浪柴河及小浪柴河　大浪柴河ハ黄溝ヲ去ル約一里半平地面積約二百町清人戸數八戸先住者ハ十七年前ニ來リシト雖トモ平地尙樹木ヲ見現時之ヲ伐採シテ開墾セラレツツアリ上流ニハ砂金採集ノ跡地アリ

小浪柴河ハ大浪柴河ノ十門江ニ合スル河口ヨリ下流約半里ノ江岸ニアリ平地面積ハ僅ニ七十町歩清人戸數三戸開墾新タニシテ平地ニ樹木多シ土壤ハ砂質ニシテ良好ナラス

五、張三溝及鏡溝　漢窰溝ヨリ八里餘ニシテ張三溝ニ達ス江ノ右岸ノ狹長ナル平地ニシテ半里ヲ隔テテ鏡溝ニ到ル平地面積ハ合シテ二百町歩ニ充タス濕地比較的少シ現耕地ハ傾斜地ニ多シ張三溝ニハ浮石ノ散在スルヲ見ル戸數ハ張三溝十二戸鏡溝六戸ニ過キス何レモ清人ナリ鏡溝ヨリ金銀別嶺山脈ヲ越ユレハ韓登擧領土ノ金銀別口子ニ至ル

第三項　娘々庫管區

平地面積約三方里白頭山ニ近キヲ以テ土地一般ニ浮石多ク農業地トシテ最モ劣レリサレトモ浮石ノ混セサル良好ナル部分少カラス

一、小沙河流域　面積一、三方里ノ狹長ナル平地ヲ有シ其大部分ハ濕地ナリ

横道子ハ小沙河口子ヨリ上流二里餘丘陵地ニアル村落ニシテ淸人三戶韓人九戶アリ山間ニアルヲ以テ氣候寒冷ニ每年八月末又ハ九月十日頃ニハ初霜アリ作物ノ生育不良ナリト云フ麻ヲ產シ韓人ハ麻布ヲ織リ一戶平均三反ヲ織ルト云フ一反(十八韓尺)ノ價格七百五十文乃至八百文(壹圓貳拾五錢乃至壹圓參拾參錢)ナリ

小沙河口子附近ハ土地稍良好ニシテ煙草ヲ產ス

二、按腰溝附近　按腰溝附近ハ沼澤地ニシテ耕地ニ乏シ其南方ノ丘陵地ハ廣濶ニシテ五六百町歩ニ達スレトモ浮石多ク土地良好ナラス

三、磨石砬子及附近　磨石砬子ハ其名ノ如ク磨石即浮石多ク良好ナラサレトモ少シク江ニ沿フテ溯リ江沿地方ニ至レハ地味肥沃ナリ廣キ原野ハ緩傾斜ノ丘陵地ニ連リ牧場地トシテ適當ノ地アリ對岸ハ一方里餘ノ廣キ平野アリ丘陵地ノ傾斜又緩ニシテ農地トシテ、遙カニ右岸ニ勝リ戶口亦多シ

四、頭道溝口及頭道溝　平地合シテ約八百三十町頭道溝口地方ヲ一ニ娘々庫ト稱ス浮石ヲ混スル箇所少カラサレトモ槪シテ土地頁好ナリ目下韓人一戶淸人十三戶アリ韓人金永實ハ六年前茂山ヨ

リ來住シ清人王某ノ耕地二十二晌ヲ小作セリ實ニ韓人中最大ノ小作人ナリ韓人苦力五人ヲ使役シ家畜ハ牛五頭驢二頭ヲ有ス娘々庫會房ハ南方ニ偏シテ存ス江ノ左岸ニ韓人多シ

頭道溝ハ狹長ナル谷ニシテ溝口ニ近キ處ハ浮石多ケレトモ奧ニ進ムニ從テ少ク土地良好ナリ現戶數ハ清人六七戶ニ過キス

五、葦子溝以南　頭道溝ノ南ニ葦子溝、二道溝、大小加皮溝、三道溝等アリ平地面積ハ合シテ約九百三十町溪谷ハ大半濕地及沼澤地ナリ現戶數韓人六戶清人十八戶住民ノ多クハ藥用人參ヲ栽培シテ吉林ニ輸出ス

第四項　大沙河流域

東西約六里南北平均十二三町面積一、七六方里ノ狹長ナル平地ヲ有シ平野ノ南側ハ丘陵地帶ニシテ傾斜緩ナレトモ北方ハ峻ニシテ丘陵ニ乏シ

有名ナル金廠ノ砂金地ハ平野ノ東端昇平嶺ノ下ニアリ韓登擧領ノ鑛區ニシテ咸豐六年(五十三年前)ノ開始ニカカル、光緒十五六年頃最モ盛ニシテ挖金夫六七百人ニ達セシカ漸次產金額ヲ減シ現今採夫百十三名ニ過キス該鑛區ニ附屬スル戶數十戶人口總シテ百五十名近來附近開拓シテ糧食ノ幾分ヲ辨シツツ、アレトモ其大部分ノ供給ヲ地方ニ仰ケリ

大沙河子附近ハ土地良好ニシテ肥沃ナル耕地ニ富ム大沙河會房此地ニアリ

黃泥河ハ砂金採集跡地ニシテ砂礫多ク農地トシテノ價値ニ乏シト云フ馬架子、土磊子附近ハ礫及浮

石多ク土地不良ナリ

大沙河口子ハ大沙河、古洞河、富爾河三河合流ノ地點ニシテ此三方面ハ勿論漢窰溝兩江口ニ通スル要衝ノ地點ニシテ一方又小沙河口子ヲ經テ娘々庫方面ニ通スヘク最モ形勝ノ地位ヲ占メ將來當地帶ノ開發ト共ニ重要ナル市街地タルニ至ルヘシ現戸數ハ淸人四戸ニ過キス富爾河古洞河及大沙河ヲ流下スル筏ノ集合地點ナリ但平地ニ乏シク農產地トシテハ遙カニ兩江口ニ及ハス

第七章　農　產

第一節　作　物

一、作物ノ種類　作物ノ種類ハ悉ク調査スルヲ得サリシカ略ホ東部ニ類セリ唯水稻及陸稻ハ全ク栽培セラレス試ニ目擊セルモノニ就テ分類スレハ

普通作物

(一)禾穀類

大麥、小麥、燕麥、粟、玉蜀黍、蜀黍、(高粱)稗、黍、蕎麥等

(二)菽穀類

大豆、小豆、綠豆、菜豆、豌豆等

園藝作物中蔬菜類ニテハ

(一) 根菜類

蘿蔔、蕪菁、胡蘿蔔、牛蒡、馬鈴薯、蒜等

(二) 葉茎類

甘藍、白菜、山東菜、葱、韮、茼蒿、萵苣、菠薐草等

(三) 蓏果類

南瓜、西瓜、甜瓜、胡瓜、瓢瓜、茄子等

(四) 辛香類

蕃椒

特用作物ニテハ

煙草、罌粟、荏、胡麻、大麻、青麻、薬用人参等

二、耕種法　東部ト同シク四月下旬融雪後直チニ整地シ第一ニ大麥小麥ヲ下種シ次ニ罌粟、粟、玉蜀黍大豆、高粱、稗等ノ順序ニ下種ス蔬菜ハ五月初旬播種シ大麻ハ早キハ大小麥ノ後直チニ下種スルアリ晩キハ六月上旬ニ至ルアリ一定セス肥料トシテ牛馬糞ニ土ヲ混シタルモノヲ春季整地前ニ施スコトアレトモ一般ニ行ハレス但シ蔬菜栽培ハ清人ノ最モ意ヲ用ユル處ニシテ宅地附近ニ密ナル木柵ヲ繞ラシ家畜ノ侵入ヲ防キ家畜糞及寢稈等ヲ碎粉シテ施スモノアルヲ見タリ當地方ハ前述ノ如ク濕地多キヲ以テ之ヲ耕作スルニ高キ畦ヲ造リ畦間ノ溝ニテ排水シテ耕種ス恰モ我カ尾州地方ノ卑

濕ノ水田ニ於ケル二毛作ノ如キモノアリ

輪栽ノ順序ハ一定セサレトモ一二ノ例ヲ擧クレハ

第一年大豆

第二年粟

第三年玉蜀黍

ノ三年式普通一般ニ行ハル又長キモノハ

第一年大豆

第二年粟

第三年玉蜀黍

第四年高粱

第五年大麥又ハ小麥

第六年大麻

ノ如キ七年目ニ反復スルモノアリ一般ニ粟ノ如キハ連作セスト云フ大麻ハ粟、玉蜀黍、高粱各大小麥ノ如キ禾穀類ノ後ニ栽培スルヲ普通トス西瓜ハ連作ニ適セサルヲ以テ四年ヲ隔テテ栽植シ南瓜ノ如キモ三年間ハ同一圃ニ栽培セス開墾ノ年ニハ粟、稗、蕎麥等ヲ下種スルヲ常トス菉豆及小豆ハ普通玉蜀黍ノ株間ニ混作シ纒莖ヲ得セシム大麻、青麻、荏等ヲ道路ニ接近シテ他作物ノ澥邂的ニ栽植スル慣習ハ東部ニ同シ甘藍ハ最初矩形ノ木ノ鉢ニ下種シテ軒下ノ日當ヨキ處ニ置キ幼時蟲害及寒害ヲ防キ後本圃ニ移植ス煙草ノ如キモ最初床蒔トシ六月上旬頃降雨ヲ待テ移植ス

三、各作物ノ需要供給　住民ノ主食物ハ粟及玉蜀黍ニシテ清人ハ此兩穀ヲ略同量ニ食ス之ヲ以テ其栽培最モ多シ之ニ亞キテ多キハ大豆ナリ而シテ當地帶ニ於ケル作物ノ需要供給ニ大ナル關係ヲ有スルモノハ伐木夫流筏夫即チ清人ノ所謂木班兒(第八章參照)ニシテ毎秋十月頃ヨリ入リ來リ各河流ノ上流ニ溯リ伐木ニ從事シ翌春二三月頃ニ至リ益々增加シ毎年數千人ニ達シ其食糧燒酒煙草阿片等ハ皆當地方ノ供給ニシテ農家經濟上最大ナル關係ヲ有シ爲メニ農產物ノ他ニ輸出スル餘裕甚タ小ク唯其小數ハ冬期雜貨ヲ購ハンカ爲メ吉林ニ至ル際ニ搬出セラル小麥ハ當地ニ適シ栽培多キヲ以テ其幾分ハ窩集嶺ヲ越エテ東部ニ輸出セラルルモノノ如ク既ニ視察中目擊セル處ナリ高粱ハ其栽培少ク東部ノ比ニアラス燒酒ノ原料トシテハ玉蜀黍及稗ヲ用ヒ高粱ヲ用ユルコト少シ娘々庫地方ノ如キハ土性ニ適セスト云ヒ栽培セラレス

左ニ特用作物ノ主要ナル罌粟、煙草、大麻及人參ニ就テ記載セン

(一)罌粟　各地一般ニ廣ク栽培セラルレトモ古洞河流域最モ盛ニシテ一晌地ニ付キ百五六十兩乃至二百兩ノ粗阿片ヲ產シ清人ノ大ナルモノハ栽培面積一晌半ニ及フモノアリ一兩ノ價格昨年ハ一吊六百文ナルヲ以テ一晌地ニ付二百四五十吊乃至三百二十吊(三吊壹圓ノ換算トスレハ八

拾圓乃至百七圓)ノ收入アリ主トシテ住民及木班兒ノ需用ヲ充シ又吉林ヘ輸出スル額少カラサレトモ其額明ナラス近來徐總督ハ阿片栽培ノ制限ヲ布告シ十年ヲ期シテ漸次稅率ヲ高メ後全ク禁止スルノ告示ヲ出シタル爲メ本年ハ其栽培ヲ減シタリト云フ、サレトモ避遠ノ地制令行ハルヘカラス清人ノ沈溺久フシテ一朝ニ矯ムヘカラス好箇ノ農產物トシテ有利タルヲ失ハス

(二)煙草モ亦其栽培頗ル盛ニシテ古洞河流域一圓特ニ西南岔口附近大甸子地方其他漢窰溝、兩江口大沙河子等最モ多ク栽培セラレ優良ナルモノヲ產ス娘々庫一帶ハ小沙河口子附近ヲ除キテ概シテ不良ナリ一晌地ニ付千斤乃至千四五百斤ヲ產シ一斤ノ價格ハ昨年ハ二百八十文乃至三百文ナルヲ以テ一晌地ニ二百八十吊乃至四百五十吊(三吊壹圓ノ換算トスレハ九拾參圓乃至百五拾圓)ノ收入アリ韓人ハ主トシテ自家料ノミナレトモ(韓人ハ一ケ年一人約三十斤ヲ要スト云フ)小沙河口子方今孫ノ如キハ昨年ハ千斤ヲ產出セリト云フ主トシテ木班兒ノ需要ニ供シ吉林ニ輸出スル額亦少カラスト云フ而シテ其ノ一部ハ冬期窩集嶺ヲ越テ東部ニ入リ頭道溝鍾城間島湖川街等ニ至リ市場ニ販賣セラルト云フ以テ如何ニ其栽培ノ盛ニシテ品質ノ優良ナルカヲ想像スルニ足ラン產額ハ調査スルヲ得サリシカ少クモ二十萬斤以上ニ達スヘシ

(三)大麻ハ主トシテ地方ノ需要ニ止リ韓人ハ自家用ノ布ヲ織リ清人ハ繩ヲ製シ自家用以外ニ流筏夫ノ需要大ナリト云フ青麻ハ其栽培甚タ少シ

(四)人參　藥用人參ハ當地方ニ於ケル一大物產ナリ人參ハ元來森林中ニ自生シ長白山脈及老嶺等

ハ古來有名ナル產地ニシテ深山幽谷ノ中ニハ數十年ヲ經過セル非常ニ高値ナルモノアリ吉林通志食貨志ヲ見ルニ

一統志吉林烏拉諸山中產焉邃谷深巖蔘株叢茁歲生滋饒上藥咸珍瑞草儲精敷榮萃秀實足爲億萬載靈長之徵云 盛京通志

春中生苗多在深山背陰椵漆樹下潤溼處初生小者三四寸許一椏五葉四五年後兩椏五葉至十年後生三椏年深者生四椏各五葉中心生一莖俗名百尺杵三四月開花細小如粟蕊如絲紫白色秋後結子或七八枚如大豆生青熟紅白落 扈從目錄

人蔘草本方梗對節生椏葉似秋海棠生深山草叢中較他草高尺許生者色白蒸熟輙帶紅色紅而明亮者其精神足爲第一等今之醫家俱以白色者爲貴大謬凡堀蔘者一日所得即蒸次晨晒於日中乾後有大小紅白不同非他產之異故土人貴紅賤白蔘鬚蔘葉蔘子無不珍之蒸蔘之水復以蔘梗葉同煎收膏 寧古塔紀略

秋冬採者堅實春夏間採者虛輭故今採者多仕七八月初夏得者曰芽蔘花時得者曰朶子蔘霜後得者曰黃草蔘採者多山東西人其死於饑寒者不知凡幾各分走叢木中尋蔘子及葉其草一莖直上光與曉相映則跪而刨取其根洗剔煮之貫以縷懸木乾之關東人呼蔘曰貨又曰根子肉紅而大者曰紅根半根半皮半肉者曰糙重空皮曰泡硯泡之多寡定貨之成色者斤售銀十五兩八九色斤售銀十三兩六七色斤九十兩對中者六七兩泡三兩若一枝重一兩以上則價倍一枝重斤以上價十倍成人形者無定價矣

産蔘之地設官督丁毎歳以時捜採俱有定所定額核其多寡而賞罰之或特遣大員監督甚重其事至王公宗室亦各樓旗分地令其捜株甲子乙丑以後烏拉寗古塔一帶採已盡八旗分地徒有空名走山者非東行數千里人黒斤阿機界中或烏蘇里江外不可得矣 柳邊紀略

挖蔘皆以木劘忌見鐵採得者以松樹皮和土裹之云々 東華輯要

現今娘々庫地方ノ山地ニ盛ニ栽培セラル左ニ同地方ニ於ケル栽培法及販賣等ニ就キ調査セル處ニヨレバ

土質ハ新開ノ山地ニテ腐植質ニ富メル黄土ニシテ細砂ヲ含有スルヲ最適トシ本圃ハ幅三尺許ノ床ヲ設ケ高サ三四尺ニ板ニテ屋根ヲ設ケテ日蔽ヲナス毎年立秋時甕又ハ桶ニ土ヲ入レ種子ヲ埋メ土壌ヲ濕潤ナラシメ翌年初夏ニ至レハ種子ハ水分ヲ含ミテ尨大ス此ノ時更ニ土砂ニ入レ換ヘ不絶水分ヲ閏澤ナラシメ第三年目初夏ニ至リテ初メテ發芽シ之ヲ本圃ニ移植ス斯クシテ發芽後三四年即チ下種後五六年目ニシテ開花結實ス毎年新地ニ移植スルヲ可トスト云フ八九年目ニ至リ白露ノ節之ヲ採集シ箒ニテ土ヲ掃ヒ一旦蒸シテ後日乾ス

販賣ノ方法ハ毎年清暦九月馬背ニテ吉林ニ持チ行キ客桟ニ泊シテ販賣ヲ委托ス一兩ノ價格二吊ニシテ賣價一吊ニ付三成八(十九文)ノ課税アリ外ニ用錢(手數料)トシテ同額ヲ客桟ニ拂フ其他ノ諸雜費ヲ差引ケハ賣主ノ手取ハ七百文ナリト云フ

娘々庫地方土門江ノ右岸ニ約二十戸ノ栽培者アリ一戸平均約二百斤ヲ産スルヲ以テ總シテ約四

千斤其價格約十二萬八千吊三吊一圓ノ換算トスレハ四萬二千六百圓ナリ大ナル財源ト云ハサルヘカラス人參業ノ資本主ハ吉林ニアルモノ少カラスト云フ

第一節　農產製造

農產業製造ノ主要ナルモノハ燒鍋業及豆油荏油ノ製造トナス

一燒鍋業（第四編燒鍋業調査報告參照）

西部ニ於ケル燒鍋業ハ東部ニ於ケル如ク大規模ノモノニ非ス副業トシテ製造シ地方ノ供給ヲ充スニ止マルモノハ、如シ今回調査ニヨレハ大甸子、四岔子、漢窰溝、張三溝、大甸子及兩江口ノ五箇所ニシテ張三溝ハ視察セサリシカ他ノ三者ニ就テ調査セル所ニヨレハ

(一)四岔子　製造者ハ李村發ト稱シ耕地九晌ヲ有ス製造ニ就テハ別ニ官廳ヘ出願ノ手續ナク時々敦化縣ヨリ出張シ來ル官吏ノ命令ニヨリテ納ムルモノニシテ多クハ出張官吏ノ懷ニ入ルヲ以テ其額ノ如キハ一定セス昨年ハ四十吊ヲ納メタリト云フ原料ハ稗カ主ニシテ稗不足ノ際玉蜀黍ヲ用フ粬子（醱酵素）ハ大麥ノ挽割一升ニ小麥粉五合ヲ混シテ練リテ左圖ノ如キ大サノ煉瓦體ヲ作リ之ヲ屋內ノ天井ニ積ミ放置スルコト凡ソ四十日間ニシテ出來ス稗又ハ玉蜀黍ハ一回挽キテ之ヲ蒸シ水ヲ散布シテ之ヲ冷シ稗一斗ニ付粬子二個ヲ碎キテ加ヘ窖子ニ入レ踏ミ込ミ上ヲ粘土ニテ塗ル三四日ニテ發熱ス冬季ハ十一二日間春季ハ八九日夏日ハ八日ノ後醱酵ヲ了ス其間

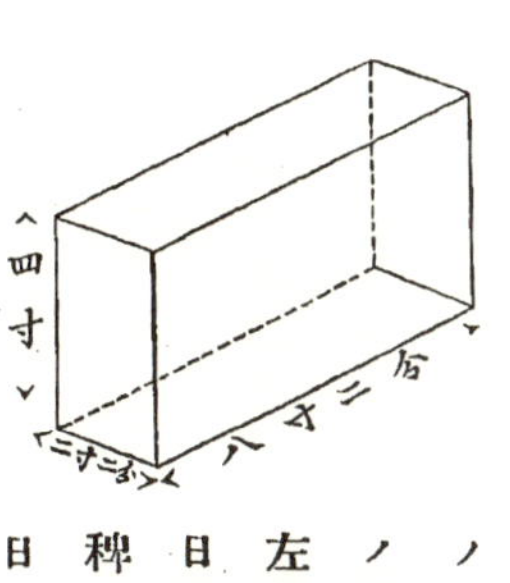

攪拌シ又ハ積換ヲナスコトナシ製造ノ手續等ハ東部ト等シ唯小規模ニシテ更ニ不完全ナルノミ殘滓ハ二回醱酵製造ノ後豚ノ飼料トナス製造ノ時季ハ冬至ヨリ三十日間ノ嚴寒時及夏時七八月ノ酷暑時ヲ除ク外常ニ可ナリ

一ケ年ノ製造高ニ就テハ彼ハ危ンテ實ヲ言ハサリシカ蓋シ一千斤ヲ出サルヘシ一斤ノ賣價四百文ナリ販路ハ此當地方及木班兒(流筏夫)ノ需要ヲ充ス

(二)漢窰溝　李聚詰ト稱シ十年前山東省萊州府ヨリ來リ耕地十五六晌ヲ有ス稍大規模ノ製造場ヲ有ス燒酒ノ原料ハ玉蜀黍又ハ稗ニシテ粬子ハ大麥七斗ニ小豆三斗ノ割合ニ混シタルモノヲ二回挽キ碎キ水ヲ加ヘテ煉瓦體ヲ作リ四十日間屋内ノ天井ニ積ム

玉蜀黍又ハ稗ハ一回挽キ割リテ一旦蒸シ玉蜀黍挽割一清石ニ對シ粬子二十四個ヲ碎壅シテ之ニ加ヘ窖子ニ入レ踏ミ込ミテ上ニ粘土ヲ塗ル等上ニ同シ十日ニテ醱酵ヲ了ス一竈ニ二清石ヲ入レ爾カスルコト少時ニシテ蒸餾シ來ル凡ソ四十斤ノ燒酒ヲ得第二回醱酵ノ際ハ三十斤ニ過キス一日晝夜ニ四竈ヲ製ス一ケ年ノ製造高ハ六七千斤價格二千百六十吊乃至二千五百二十吊(一斤ニ付三百六十文)ナリ原料トシテ玉蜀黍及稗百清石、大麥三十石、小豆六石ヲ用ヒ價格約八百吊ナリ

穀物トノ交換率ハ次ノ如シ

粟	一斗	燒酒	三・五斤
玉蜀黍	同		三・〇

大麥	同	三・〇
稗	同	二・〇
小豆	同	五・〇
大豆	同	三・五

販路ハ當地方及木班兒ナリ

稅金ハ敦化縣ヨリ官吏布告ヲ齎ラシ來リ一回四五十吊ヲ徵收セラルト云フ

漢窰溝ノ對岸即チ土門江左岸柳樹河ニ燒酒ヲ製造スル一韓人アリ李聖詰ノ支店ノ如キ關係ナリト云フ

(三)兩江口段克俊製造場等稍備リ規模大ナリ原料トシテハ高粱、玉蜀黍及稗ヲ用フ糀子ハ大麥及小豆ヲ以テ製ス製造法等前二者ニ同シ一ケ年原料三十石乃至五十石ヲ用ヒ一石ノ原料ヨリ燒酒六十斤乃至八十斤ヲ製造シ得ト云フ即チ一ケ年ニ千八百斤乃至四千斤ヲ製造ス昨年ノ原料ハ五十石ニシテ燒酒三千二三百斤ヲ販賣セリト云フ

販賣ニハ現金賣ト掛賣トアリ一斤ニ付前者ハ四百文後者ハ一斤五百文ナリ掛賣ハ主トシテ木班兒ニ多シ

稅金ハ敦化縣ヨリ官吏出張シ來リ製造場ノ規模ノ大小ヲ見テ稅ヲ定ム殆ント每年來レトモ該官吏ハ段ノ宅ニ泊シ饗應ヲ受クルヲ以テ未タ甞テ稅金ヲ徵收セラレタルコトナシト云ヘリ以テ清官吏

ノ徴收ノ內容ヲ知ルニ足ラン

二、豆油及荏油製造

豆油及荏油ハ各地方ノ大地主ハ大抵搾取器ヲ有シテ製造シ以テ地方ノ供給ニ應セリ荏ハ其栽培比較的多ク荏油ハ豆油ヨリモ一般ニ多ク使用セラレ從テ其製造ハ豆油ヨリ盛ナリ一石ノ荏ヨリ約六十斤乃至八十斤ノ荏油ヲ得一斤ノ賣買價四百文ナリ其產額明ナラス

第三節 家畜及家禽

家畜ハ牛、馬、騾、驢、豚ニシテ緬羊及山羊ハ全ク見ス山間ノ農家ニハ往々鹿及麅子ヲ飼養シ其角ヲ取ルモノアリ家禽ニハ鷄、家鴨、及鵞ニシテ鷄ハ各戶之ヲ飼養セサルナシ

牛馬數ノ比ハ調査ニ依レハ三ト二ノ比ニシテ牛ノ數遙ニ多シ

一、牛

牛ハ濃淡ノ赤褐色ノ毛色最モ多ク之ニ白斑ヲ交ユルモノ亦少カラス鏡溝ニ於テハ全ク淡灰色ノモノヲ見タリ之レ最モ稀ニ見ル毛色ナリ角ハ長クシテ其方向前外上方ニ灣曲シ尖端相對セリ骨骼達ク挽引力大ナリ耕作及運搬ニ用ヒ殊ニ冬期伐採セル木材ヲ河邊ニ運搬スル橇ニハ主トシテ牛ヲ用ユ積載量ハ三四頭挽キ七八百斤ナリ作物調製及石臼ヲ挽カシム

牛ハ山間ニ多ク飼養セラレ平地ニハ比較的馬ヨリ少シ淸人ノ多ク有スルモノハ十七八頭ニ達スルモノアレトモ十晌內外ヲ有スルモノハ四五頭四五晌ノモノハ二三頭ヲ有ス全ク有セサルモノ亦少

カラス平均一戸四頭位ナランカ韓人ハ移住ノ際携ヘ來ルモノ多ク娘々庫地方ノモノハ四五頭ヲ有スルモノアレトモ有セサルモノモ少カラサレハ一戸平均ハ一頭强ニ過キサルヘシ韓人カ清人ヨリ牛ヲ借ル場合ニハ一ケ年ノ借料トシテ大豆二石、粟稈三百把ヲ要スレトモ個人關係ニヨリ大豆一石粟稈百把ニテ足リ又單ニ粟稈二百把ニテ可ナル場合アリト云フ

二、馬、騾、驢

馬ハ青色多ク鹿毛之ニ亞ク主トシテ耕作ニ用フレトモ平坦地ニアツテハ運搬用ヲナス騾ハ馬ト同用ヲナス驢ハ甚タ少シ

馬及騾ヲ合セテ大農家ニ在テハ七八頭ヲ有スルモノアレトモ大抵三四頭ヲ有ス有セサルモノ亦少カラサルヲ以テ平均三頭ニ過キサルヘシ

韓馬ハ僅カニ娘々庫頭道溝口附近ニ二頭ヲ見タルノミ

三、豚

東部ニ於ケルト同種ニシテ各戸之ヲ飼養セサルモノ殆ントナク兩江口段克俊ノ如キハ百餘頭ヲ飼養セリ清人一戸平均十五六頭韓人一戸平均四五頭ナルヘシ

四、家禽

鷄ハ清韓人共ニ飼養シ清人一戸平均七八羽韓人三四羽ノ割合ナルヘシ

家鴨及鵞モ清人ノ飼養スルモノ少カラス

五、飼養及管理

飼養及管理ニ就テハ東部ト同シ馬ノ飼料トシテハ豆餅及大豆高粱粟稈等ニシテ清一斗ノ量ニテ三四日間ノ飼養ニ充ツ冬日ハ二回夏日ハ三回ニ分與スト云フ

牛ノ飼料ハ主トシテ大豆、豆餅、粟稈ヲ用フ豚ニハ穀麩及各種殘滓ヲ與フ

牛馬舍ハ宅地ノ一部分ニ設ケ周壁ハ木材ヲ縱又ハ横ニ並列シ中央ニ食糟ヲ設ケ其直上ニ繫木アリ時トシテ牛馬ヲ同舍內ニ食糟ヲ分チテ飼養スルコトアリ夏時晝間ハ屋外ニ繫留シ又ハ草原ニ放牧ス

豚舍モ亦宅地ノ一隅ニ設ケ木材ニテ周圍ヲ繞ラシ多數飼養スルモノハ木柵ヲ密ニ繞ラシタル運動場ヲ設ク

家畜價格表

地名 大別	地名 小別	馬	牛	豚	鶏
渼窰溝	四岔子	二〇〇—三〇〇吊	二〇〇—三〇〇吊	一斤 三六〇文	一羽 一吊
	渼窰溝	上 一五〇—一六〇 中下 一五〇—一〇〇	上 二〇〇 中 一二〇—一三〇	生體量一斤 二五〇	
	南江口	乘用 上 三〇〇—五〇〇 中 二二〇—二三〇 下 一二〇—一三〇	上 二三〇—二七〇 中 一五〇—一六〇 下 五〇—六〇	生體量一〇〇斤位ノモノ 四〇〇吊	

地名 大別	地名 小別		馬	牛	豚	鶏
娘々庫	小沙河		上 三〇〇—四〇〇 中 二〇〇 下 一〇〇	上 三〇〇 中 二〇〇 下 一〇〇	生體量一〇〇斤ノモノ 三〇吊 仔豚一斤 四〇文	産卵期一吊 五〇文 其以外 七〇〇—八〇〇文
	兩江口	清人	農用 上 二二〇 中 一三〇—一四〇 下 五〇—六〇 吊	一五〇—二五〇 吊	生體量一七—二〇斤ノモノハ 三吊文	
	同	韓人	上 二〇〇—二五〇 下 一五〇		生體量一斤ニ付 二〇〇文	

第八章 山林

西部ハ既ニ地勢ニ於テ述ヘタル如ク森林地帶ニシテ到ル處ノ山嶽樹林ヲ以テ蔽ハレ數百年來斧鉞ヲ入レサル森林多ク伐木業近來盛ンニ行ハレ流木シテ吉林ニ至リ販賣セラル今著名ナル森林ニ於ケル樹種及大サヲ左ニ記セン

一、窩集嶺

樹名	高サ(約)	目通周圍(約)	備考
樅	二五—三〇間	六—一〇尺	此三種最モ多ク就中樅大部分ヲ占ム
朝鮮松	二〇—三〇	八—一二	

檜	二〇	七—九	
楡	二〇—二五	八—一一	
白樺	一〇—一五	四—六	
胡桃	一〇—一五	四—七	
赤楊樹	一二—一七	三—七	
白楊	一〇—一八	二—五	
鹽地	二〇—二五	六—九	
槭	一二—一五		

二、廟嶺

縦	二五—三〇間	六—一〇尺	最モ多シ三分ノ一以上ニ達ス
朝鮮松	二〇—三〇	六—一二	比較的多
楢	一八—二〇	七—八	同上
白樺	一〇—一五	四—六	同上
赤楊樹	一二—一六	四—六	同上

樹名	高サ（約）	目通周圍（約）	備考
楡	一五—二〇間	六—八尺	
胡　桃	一〇—一三	二—四	
椴　槐	五—七	一—三	
柳	一三—二〇	二—四	

其外黄蘗（キワダ）「ウハミツサクラ」アリ

三、四　岔　子

樹名	高サ（約）	目通周圍（約）	備考
槭	一二—一八間	三—七尺	最モ多ク殆ント三四割ニ達ス
楢	一二—一八	四—六	
楡	一三—一八	四—六	
黄　蘗	一	一	比較的多シ

四、漢　窰　溝

樹名	高サ（約）	目通周圍（約）	備考
槭	一間	一尺	

樹種	直徑	高	備考
白樺	一三―二三	四―七	檞最モ多ク白樺及檜之ニ亞ク
檜	一三―一八	四―六	
赤楊樹	一〇―一三	二―四	
白楊	一六―二〇	三―四	
鹽地	二〇―二五	六―九	

五、黄溝

樹種	直徑	高	備考
檜	二〇―二五間	四―七尺	最多
楡	一五―二〇	四―六	檜ニ亞ク
樅	二〇―二五	四―八	
朝鮮松	一七―二三	三―七	少シ

六、娘々庫

樹種	直徑	高	備考
檜	一五―二〇間	四―六尺	最多
楡	一六―一七	三―七	

樹名	高サ（約）	目通周圍（約）	備考
槭	一三—一六間	三—六尺	

七、小秫稽梁山

樹名	高サ（約）	目通周圍（約）	備考
朝鮮松	二五—三〇間	六—一二尺	最多
樅	二五—三〇	七—一三	比較的少シ
楢	一五—二〇	四—七	比較的多シ
白楊	一五—二〇	四—六	比較的多シ
楡	一五—二〇	四—七	少シ
鹽地	二五—三〇	七—一三	少シ
シナノキ	一五—二〇	四—七	比較的多シ

八、張三溝方面

樹名	高サ（約）	目通周圍（約）	備考
胡桃	一五—一八間	四—六尺	最多シ

黄蘗	八—九	二—四	比較的多シ
楢	一四—一七	三—五	胡桃ニ亞ク
白樺	一五—二〇	二—五	比較的多シ
シナノキ	一五—一八	四—六	比較的少シ
椴	—	—	同上

九、大沙河及大沙河口子

楢	一七—二〇間	四—七尺	最多
楡	一五—一八	四—七	楢ニ亞ク
黄蘗	一〇—一二	二—四	同上

十、昇平嶺

椴	一二—一七間	四—六尺	最多
楢	一四—一八	四—七	椴ニ亞ク

樹名	高サ（約）	目通周圍（約）	備考
楡	一五—二五間	五—七尺	
樅	一四—二〇	五—八	

灌木ニテハ「サンザシ」萩「ハシバミ」「ウツキ」「サワフタギ」「ヤマテマリ」等各地ニ多シ

以上ノ樹木ヲ摘要スレハ

樹名	成長	適地	材質及効用
樅	早	暖溫ノ二間稍乾地	材色微黄粗輕天井板、白木臺、茶箱製紙等及建築材料ニ用ヒラル
朝鮮松	中	溫帶稍乾地	材色微黄柔軟多脂、實ハ食スヘシ薪材用材ニ供ス
檜	早	溫寒兩帶平野又ハ低濕地	材質硬ナレトモ反張割裂ノ患アリ薪炭材及推葺材トシテ用ユ
楡	中	溫帶低濕地	材割レ難キ故生木ノトキ割ルヘシ車輛、椀、獨樂薪材トナス皮ヲ糊トナス
白楊（ヤマナラシ）	極早	溫寒兩帶低濕地	材白色柔軟燐寸用製紙用及行道用
白樺	極早	溫寒兩帶陽燥地	材保存期短シ薪材皮ハ煙草入、短冊、鞣皮用染料
赤楊樹（ハンノキ）	早	暖溫寒三帶極低濕地	材淡赤色薪炭材、杭材火藥炭行道樹

胡桃	早	温帯低濕ノ沃地	材淡褐色堅實彎曲ノ患ナシ銃臺、文房具、椅子、机ヲ造ルヘシ實ハ食用
黄蘗	中	温帯稍濕地	材黄褐色器具用材薪杭用
鹽地	早	温帯低濕地	材栗ニ似テ輕シ敷居擬ケヤキ板里器具材杭木ニ用フ

伐木業

森林ハ當地帯ニ於ケル最大ノ利源ニシテ伐木ノ起源ハ六七十年前ナルヘシト雖トモ其漸ク盛ニナリシハ四十年以後ナルカ如シ樹種ハ主トシテ樅朝鮮松ニシテ其他楡刺楸等アルモ甚少シ伐採ノ時期ハ毎年十月頃ヨリ始メ翌春二三月ニ至ル間ニシテ積雪中ニ橇ヲ以テ江畔ニ搬出シ融氷後江ニ流シ七八月ノ雨期出水ヲ待ツテ筏ヲ組ミ吉林ニ流下ス小沙河口子上兩江口金銀別口子等ハ筏ノ組場及繫留地ニシテ流木輻輳シ來リテ港ヲナセリ

流木ノ長サハ三間乃至四間半元口徑七八寸乃至三尺二三ヲ普通トス大抵十五六本宛並列セルモノヲ縱ニ四行ニ列ネ即チ一筏ノ本數ハ六十本内外ヲ普通トシ樅ノ外皮ヲ以テ半圓形ノ屋根ヲ造リ(寫眞參照)其内ニ起居シ又屋臺的ノ圓屋根ヲ有スル瀟洒タル炊事場ヲ附屬セル筏アリ河水ノ增減ニヨリ隨所ニ繫留シテ自活ヲナシ得ル組織ナリ一筏ニ六名乃至八名ノ筏夫アリ長サ二間半許ノ薙刀形ノ艪ヲ後方及左右ニ六箇乃至八箇ヲ備フ下兩江口以下ハ河流大ニ水深キヲ以テ十五本一列十二行位ノ大サノ筏ニ改造シテ流下スト云フ

伐木業者ノ資本主ハ多クハ吉林ニアリ苦力及頭目ヲ雇ヒ八名乃至四五十名ヲ一班トナシ各河流ニ溯リ伐木及流木ニ從事セシム之ヲ木班兒（ムバール）ト稱ス多クハ山東出稼人ニシテ一期ノ給料ハ百五十吊乃至三百吊ナリト云フ

冬期ノ材木搬出ハ主トシテ土民ノ力ヲ籍ル吉林迄ノ流筏日數ハ非常ニ增水セル際ハ上兩江附近ヨリ四五日以內ニテ足ルト云フ出水ノ際流筏ノ先導ヲナスモノハ熟練ノ筏夫ニシテ別ニ百吊內外ノ賞與アリ又途中何等故障ナク巧ニ速カニ吉林ニ着キタル筏夫ノ頭目ニハ百吊以上ノ賞與アリト云フ

各資本主ニヨリテ種々ノ符牒例ヘハ丁二、十三、工十、×ㄖ等ヲ木材ニ刻シ相混スルコトナカラシム各河流ノ流木數ハ富爾河最モ多ク古洞河之ニ亞キ土門江上流又大沙河ハ比較的少シ

木班兒ノ糧食燒酒煙草阿片等一ニ當地方ニ仰キ張錢買ヲナシ流筏シテ吉林ニ着シ秋再ヒ到來ノ際ニ淸算ス價格ハ現錢買ヨリ三四割高値ナルヲ常トス伐木ノ稅金ハ大ナルモノハ一本ニ付一吊小ハ百本ニ付十八吊ヲ賣買價授受ノ際賣主ヨリ納ムト云フ

伐木ノ數ハ詳カナラサレトモ各地ニ於テ聞ク處ヲ綜合スレハ一ケ年ノ流下筏數ハ三四千ニ達スルモノノ如ク一筏ノ本數ヲ六十本トスレハ十八萬本乃至二十四萬本ニシテ價格ヲ吉林着平均二十吊文トスレハ總價格約三百六十萬吊乃至四百八十萬吊ニシテ三吊壹圓ノ換算トスレハ百貳拾萬圓乃至百六拾萬圓ニ達シ實ニ現時當地帶ニ於ケル最大ノ富源ニシテ將來ニ於ケル開發亦此森林ニ附帶

セル事業ニ伴ハサルヘカラス

植物ハ其種類頗ル多ク又東部ニ比シテ稍異レリ即チ東部ニ最モ普通ナル芍薬ハ窩集嶺ヲ越ユレハ全ク其跡ヲ絶チ「あつぬのそう」(清人ノ杓蘭)ト稱スル蘭科植物多シ杓蘭ニハ黄色白色桃色紅白絞リノ四種アリ到處盛ンニ生長シ頗ル美觀ナリ其他櫻草猿猴草小アヤメ菖蒲等最モ多ク今回採集ノ植物ハ百種ニ近ク鑑別ノ上追テ報告スル處アルヘシ山林産ノ他ノ重ナルモノハ木耳及細辛其他ノ藥草ニシテ皆吉林ニ輸出セラル

第九章　農民生活ノ狀態

清韓人共生活ノ程度ハ東部ニ比シテ更ニ低シ蓋シ交通ノ不便其然ラシムル處ナラン踏査區域中一ノ商買ヲ見ス僅カニ流筏夫ノ往來ニ托シテ日常品ヲ吉林ヨリ求メ又ハ冬期農産物ヲ橇ニ積ミ吉林ニ至リテ雜貨其他ヲ購ヒ或ハ行商ニヨリテ所用ヲ辨スルニ過キス韓人ノ如キハ自ラ吉林ニ到ルコトハ少ク大抵清人ニ托シテ求メ又行商ヨリ購フト云フ

金利　普通月利三分ニシテ韓人ノ小作人カ清人地主ニ金錢又ハ穀類ヲ借ル場合ニハ秋收ノ際迄ニ返濟スル時ハ無利息ナレトモ期限ニ至リテ返濟スル能ハサレハ清人カ該資金ヲ以テ吉林ニ至リ雜貨ヲ購ヒ來リ之ヲ當地方ニ販賣シテ得ル收得ヲ利子トシテ元金ニ加ヘ期限ヲ翌秋ニ改約スル慣習行ハルト云フ婚禮、葬儀、疾病等ニ際シ資金無ク前途ノ慮ナキ韓人ハ清人ニ對シ負債ヲ有セサルモノ甚タ少シト云フ食物ハ清韓人共粟及玉蜀黍ヲ常食トシ清人ハ好ンテ麵及饅頭ヲ食ス魚類ハ河流ニ折石羅魚(大ナルモノ二十斤長サ二三尺ノモノアリ)及花磂子(細鱗魚ニシテ大ナルモノ四五斤アリ)等ヲ產シ韓人ハ之ヲ釣リテ食料ニ供ス鹽魚等ハ東部方面ヨリ多ク來ルト云フ鹽ハ東部地方ヨリ求ムルコト少ク主トシテ吉林ヨリ冬期購ヒ來ル一斤ノ價格ハ吉林ニテ百二十文(清錢)ナリ清人ニ托シテ買ヒ求ムレハ百斤ニ付運賃五吊文ヲ要ス然レトモ清人ノ購ヒ來リタルモノヲ買フ場合ニハ一斤ノ價五百文ニシテ非常ニ高價ナレトモ現金拂ニ非スシテ秋收後ニ清算スル慣習ニテ韓人多クハ資金ヲ有セサル故ニ此場合多シト云フ生計費ニ就テ二三ノ調査ヲ擧クレハ

一、兩江口清人

大人一ヶ年ノ食糧ハ粟及玉蜀黍各一清石、雜穀一清石ニシテ被服料及雜費トシテ約五十吊ヲ要ス

二、漢窩滯住韓人

家族ヲ夫婦及小兒一人トスレハ一ヶ年ニ

粟三清石(我四石二斗)此價格三十吊

玉蜀黍二清石(我二石八斗)此價格十二吊

大豆四清斗(我五斗六升)此價格三吊二百文

鹽百斤(我十四貫)此價格十七吊文

合計六十二吊二百文ヲ要ス被服料トシテ約五十吊ヲ要ス砂糖ノ如キハ吉林ヨリ極メテ少量ニ購

ヒ來リ僅ニ小兒ニ與フルニ過キス

婚禮ニハ中產ノモノハ百五六十吊ヲ要ス贈品ハ知人ニハ燒酒二三斤別懇者ハ麻布上著一著分(代價韓錢六兩我約壹圓)姻戚者ハ蒲團(韓錢十五兩我約貳圓五拾錢)等ナリ喪式ニハ上ニテ三十吊下ニテ十吊ヲ要スルニ過キス香奠トシテハ燒酒二三斤麪粉十斤河魚鷄卵三十箇鷄二羽等ヲ普通トス

三、娘々庫地方

家族大三人小輩トスレハ一ヶ年ニ粟七石五斗(我約十石五斗)ヲ要シ被服ハ

大人夏服　十五吊　冬服　二十五吊

小人夏服　六吊　冬服　十吊

即チ被服料トシテ五十六吊外雜費若干ヲ要ス婚禮ニハ百吊服喪式ニハ七十吊ヲ要スト云フ

家屋ハ木材豐富ナルヲ以テ清人家屋ノ如キハ建築良好ニシテ娘々庫地方ニテハ板葺屋根二三ヲ見タリ宅地ノ四周及畜舍菜園等ニハ高キ木柵ヲ密ニ繞セリ韓人家屋ハ小規模ニシテ二炕室ヲ有スルニ過キス構造ハ粗惡ナレトモ白樺白楊等ノ丸材ヲ横ニ積ミ上ケテ之ニ壁ヲ塗ルヲ常トス清人ノ穀倉ノ如キモ此ノ構造ナリ大醬缸ニ於ケル一清家ハ左ノ如キ構造ヲ有セリ以テ同地方ノ中產以上ノ居屋ノ一般ヲ知ルニ足ラン

大醬缸ニ於ケル清人農家（耕地十四晌）

菜園

中庭

豚舍

仔豚

倉
大豆
粟

穀
高粱
玉蜀黍

苦力室

農產製造雜具入

附屬舍

馬糧入

馬匹繫場

豚舍

馬舍
食槽

水

入口

玉蜀黍置場

豚舍

井

イ 温突
ロ 竈
ハ 水槽
ニ 烟突
ホ 卓
ヘ 物置臺
ト 爐
（柵線）密ナル木柵

当地方ニハ蛇蚊蟆子等發生多キヲ以テ農夫ハ耕作ノ際各自上圖ノ如ク木ノ輪ヲ造リ一端ニさるのこしかけヲ著ケソレニ火ヲ付ケ燻烟セシメテ頭部ヲ卷キ以テ害蟲ノ襲來ヲ防ク奇習アリ頗ル簡便ナル驅蟲法ト云フヘシ

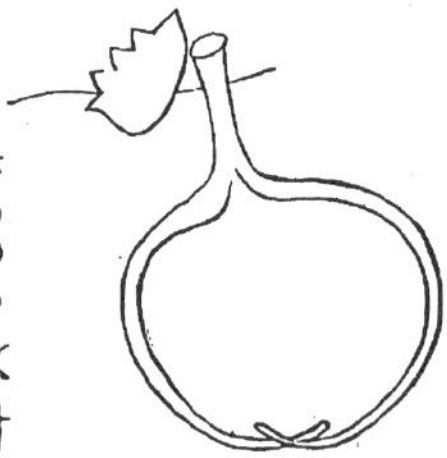

さるのこしかけ

第十章　結論

今回ノ踏査ハ時日甚タ短ニシテ各種ノ事項ニ就テ詳細ナル調査ヲ遂クルヲ得サリシヲ以テ茲ニ農業上ノ價値ヲ論斷スル能ハスト雖モ當地帶天賦ノ利源ハ主トシテ森林ニアリ數百年來斧鉞ヲ入レサル蓊欝タル森林ハ全地區ノ八割以上ヲ占メ現時吉林ニ流下スル木材ノ價格毎年百二十萬圓以上ニ達シ將來尚其額ヲ幾倍シ得ヘク若シ夫レ水力ヲ利用シテ製材業製紙業ヲ興スニ至ラハ其收益極メテ大ナルヘク又林業ノ發達ト共ニ交通機關ノ整備ヲ圖ラハ農業モ亦從テ開發セラレ當地帶將來ノ富源益々增大スルニ至ラン

附

西部農產物價表

當地方農產物ノ價格ハ毎年秋收後人民所屬會房ニ會シ農產ノ豐凶ニヨリテ價格ヲ定ムル慣習ニシテ各會房毎ニ其價格ヲ異ニセリ

一、古洞河公議會準行

其一　光緒三十三年九月立

品目	量目	價格	品目	量目	價格
高粱	一清石	一四.〇〇〇吊文	玉蜀黍	一清石	六.〇〇〇吊文
粟(玄)	同	一二.〇〇〇	小麥	同	一六.〇〇〇
粟(精)	同	二六.〇〇〇	大豆	同	六.〇〇〇
小豆	同	一六.〇〇〇	蕎麥	同	六.〇〇〇
稗	同	六.〇〇〇	荏	同	一二.〇〇〇
小麥粉	一清斤	〇.一四〇	豌豆	同	一四.〇〇〇
荏油	同	〇.三〇〇	豚肉	一清斤	〇.三〇〇
燒油	同	〇.三〇〇	粟稈	一〇〇把	六.〇〇〇
煙草	同	〇.二八〇	麻苧	一清斤	〇.二八〇
阿片	一兩	一.六〇〇	大麥	一清石	八.〇〇〇

其二　光緒三十四年二月

品目	量目	價格	品目	量目	價格
高粱白	一清石	三〇.〇〇〇吊	精粟	一清石	三四.〇〇〇吊

品目	量目	價格
大豆	同	八・〇〇〇
玉蜀黍	同	二〇・〇〇〇
豚肉	一清斤	〇・四〇〇
煙草	同	〇・三六〇
粟稈	百把	八・〇〇〇
豌豆	同	一四・〇〇〇
荏油	一清斤	〇・三六〇
小麥粉	同	〇・二〇〇
苧麻	同	〇・三六〇
大麻	一清石	一〇・〇〇〇

二、漢窰溝公議會準行

光緒三十三年九月立

品目	量目	價格
小麥	一清石	一五吊・〇〇〇文
玄粟	同	一〇・〇〇〇
精粟	同	二〇・〇〇〇
高粱	同	一〇・〇〇〇
荏	同	一五・〇〇〇
玉蜀黍	一清石	六吊・〇〇〇文
大麥	同	六・〇〇〇
大豆	同	八・〇〇〇
黍	同	一〇・〇〇〇
小豆	同	一〇・〇〇〇

品目	量目	價格
蕎麥	一清石	六.〇〇〇吊文
稗	同	五.〇〇〇
粟稈	百把	二.〇〇〇
煙草	一清斤	〇.二〇〇
燒酒	同	〇.三〇〇

品目	量目	價額
豌豆	一清石	六.〇〇〇吊文
麻苧	一清斤	〇.二〇〇
稗稈	百把	一.五〇〇
豚肉	一清斤	〇.二五〇

三、娘々庫公議會準行

光緒三十四年九月立

品目	量目	價格
玄粟	一清石	一二.〇〇〇吊文
精粟	同	三二.〇〇〇
精糯米	同	三四.〇〇〇
荏	同	二〇.〇〇〇
小麥	同	一七.〇〇〇

品目	量目	價額
大豆	一清石	一五.〇〇〇吊文
大麥	同	八.〇〇〇
玉蜀黍	同	九.〇〇〇
玉蜀黍粉	同	一八.〇〇〇
稗	同	七.四〇〇

蕎麥	同	六・〇〇〇
粟稈	百把	六・〇〇〇
稗稈	同	三・〇〇〇
豚肉	一清斤	〇・三〇〇
麻苧	同	〇・四〇〇
豌豆	同	四・〇〇〇
白麵	一清斤	〇・一六〇
荏油	同	〇・四〇〇
煙草	同	〇・三〇〇
燒酒	同	〇・四〇〇

備考　度量衡ハ清國側ヲ採用セルモノニシテ一清石ハ我一石四斗一清斤ハ我百四十二匁餘ナリ
又日貨ハ當地方ニ流用セラレサルヲ以テ清國官帖ト日貨トノ交換率ハ不明ナリシカ本報告書ニ於テハ假リニ三吊文ヲ日貨壹圓ニ換算セリ

以上明治四十一年六月調査

第三圖

東間島西部

平地邱陵地及山地分布圖

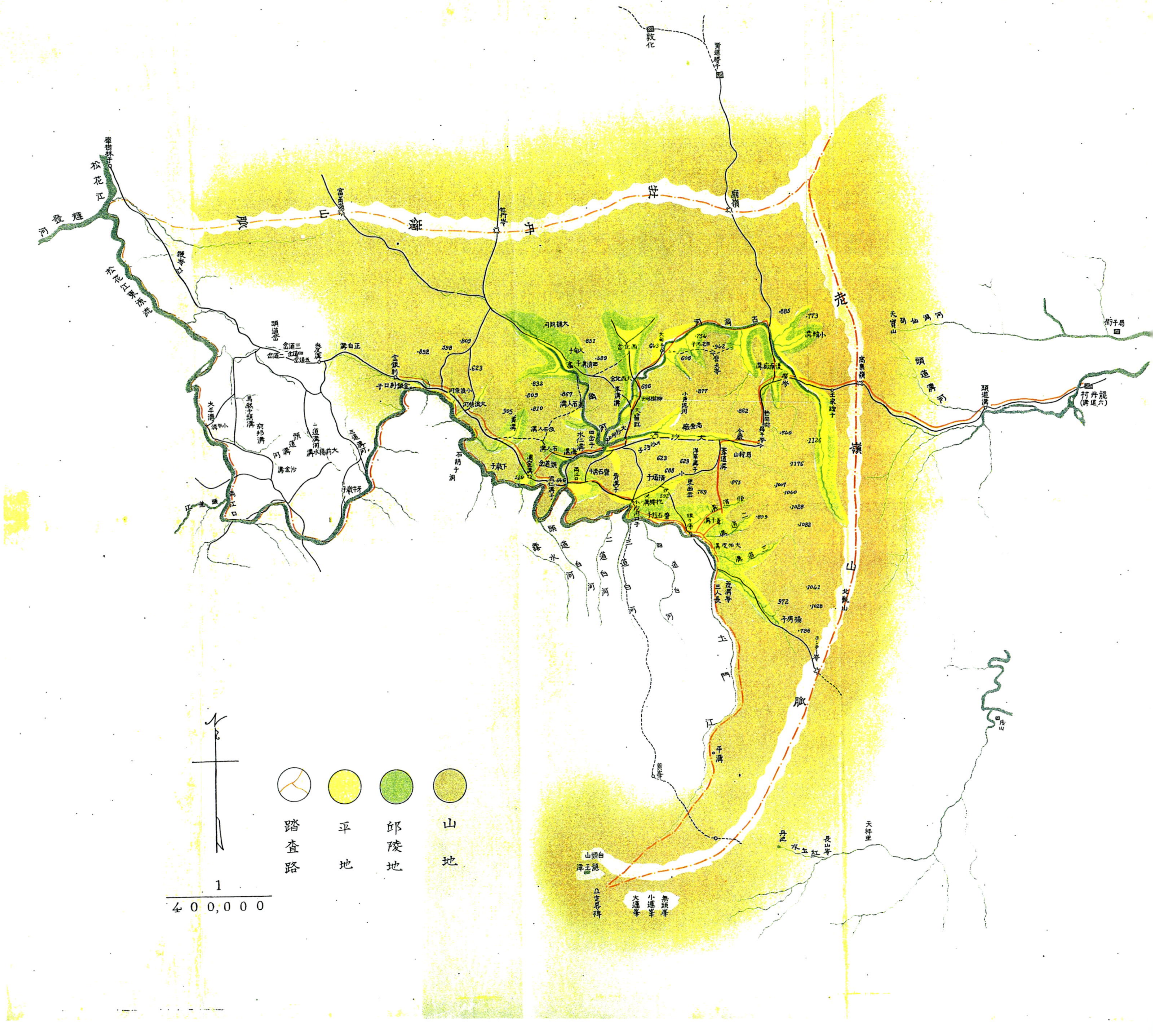

踏査路

平地

邱陵地

山地

1
400,000

第四圖

東間嶋西部區劃圖

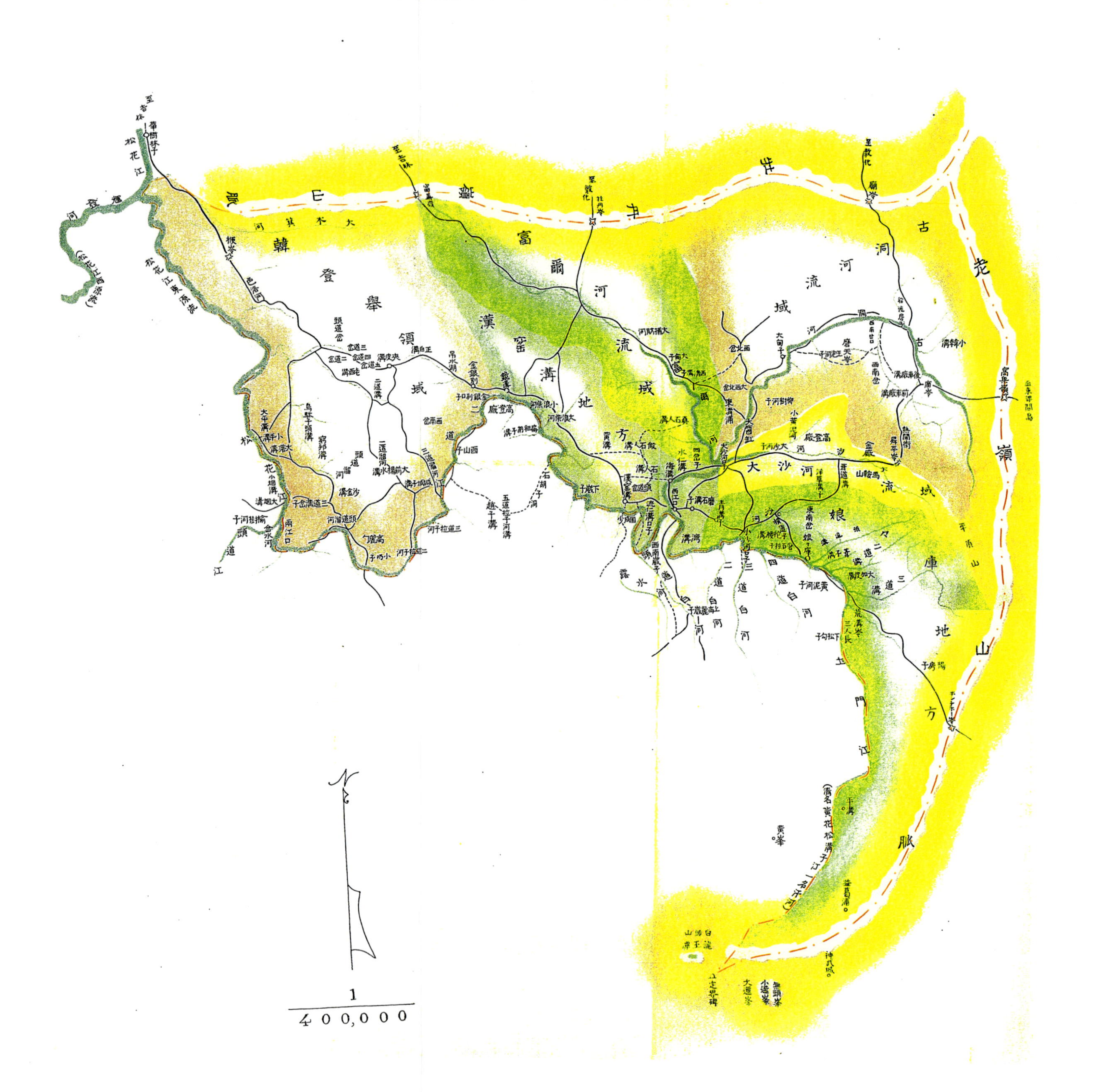

第三　蔬菜栽培調査

第一章　總論

間島地方ハ一般ニ粗放的普通穀作栽培行ハルト雖トモ頭道溝、銅佛寺、局子街、龍井村附近ニ於テハ集約的蔬菜栽培盛ニシテ其法多少見ルヘキモノアリ而シテ白菜、大根、菜豆、豌豆等ノ如キハ今猶ホ栽培粗放ニシテ耕地數町歩ニ達スルモノアリ甜瓜西瓜ハ比較的大面積ニ栽培セラルルト雖トモ其技術ハ頗ル熟達スルモノアリ葱、香菜（清名ニシテ韓名川椒ト稱ス）芹菜等ニ至リテハ甚タ集約的ニ栽培セラレ一般ニ降水量少ナク且蒸發量ノ多キ地方ナルヲ以テ菜園中必ス一二ケ所ノ井戸ヲ穿チ灌漑其他ノ用ニ備フ菜園耕地ノ面積幾何ニ達スルカハ玆ニ示スコト能ハスト雖トモ清人側普通農家ニ於テハ耕作地ノ二十分ノ一ヲ下ラサルヘク左ニ聞キ得タル二三ノ栽培耕地ヲ示セハ四道溝口子十晌中一晌同十晌中半晌官道溝十晌中半晌、朝陽川右岸二十晌所有内三晌自作シ蔬菜半晌朝陽河河東三十晌中二晌半、朝陽河溫殿碙四十六晌所有中十八晌ヲ自作シ內一晌蔬菜ヲ栽培ス而シテ清人及韓人ノ栽培種類方法及經營ノ狀況ハ自カラソノ趣キヲ異ニシ白菜、西瓜香菜、芹菜、蒜、人參等ハ專ラ清人ニ限ラレ其栽培方法ノ熟達經營ノ大規模ナル亦韓人ノ企及スル所ニアラス清人ニハ宅地內ニ多少ノ小菜園ヲ有セサルモノナク又穀作ナキノ菜園ヲ以テ數晌地ヲ經營スルアリ即チ頭道溝ニ三戸銅佛寺ニ三戶局子街ニ二十戶ノ蔬菜園專業者アリ然ルニ韓人ニ於テハ甜瓜ヲ除キテハ見ルヘキモノ殆ントナシト云フモ不可ナラス左ニ當地帶踏査成績ニヨリ清韓人栽培蔬菜ノ種類及栽培耕地ノ順次ヲ陳ヘン唯整理的頭腦ニ乏シキ清韓人ニ關シテ其ノ統計ヲ窺フコト能ハサリシハ遺憾ナリ

清人ノ栽培種類ハ白菜、大根、甜瓜、西瓜、菜豆、蕪菁、葱、豌豆、茄子、馬鈴薯、胡瓜、韮、南瓜等ハ其ノ主要ナルモノニシテ其他蒜、蕃椒、菠稜草、三ツ葉、香菜(清名ニシテ韓名川椒ト稱ス)茼蒿(蒿苣等ハ比較的少ク瓢瓜、甘藍、胡蘿蔔等ハ甚少シ韓人側ニ於テハ甜瓜栽培ハソノ最タルモノニシテ菜豆、豌豆、胡瓜、茄子、馬鈴薯、蕃椒、白菜、大根、南瓜、瓢瓜等順次之ニ亞キ其他ノ蔬菜ノ栽培ヲ見ス

左ニ調査セル菜園ノ二三ニツキ耕地ノ順次ヲ記セン

頭道溝魏學廣　　菜園　(一晌地)

白粱、大根、韮、茄子、葱、馬鈴薯、蕪菁、蕃椒、胡瓜、菜豆、三ツ葉、南瓜、瓢瓜、胡蘿蔔、甘藍

銅佛寺徐立仁　　菜園　(三晌地)

白菜、葱、大根、馬鈴薯、茄子、韮、蕪菁、胡瓜、三ツ葉、蕃椒、南瓜、菜豆、香菜、菠稜草、胡蘿蔔

局子街孫某　　菜園　(二晌地)

白菜、大根、茄子、胡瓜、韮、葱、三ツ葉、蒜、菜豆、蕃椒、胡瓜、南瓜

朝陽河々東溫殿福ハ菜豆、胡瓜、白菜、大根、茄子、馬鈴薯、葱、韮、三ツ葉、南瓜

土性一般ニ砂質壤土ニシテ各蔬菜ノ栽培ニ適シ若シ天候ノ佳良ニシテ降水多量ナルニ於テハ能ク好結果ヲ收ムヘシト雖トモ本年六月中旬以降七月上旬ニ至ルマテ降雨殆ントナク而シテ其後ニ至

リ猶ホ降水不足勝ノ故ヲ以テ蔬菜ノ栽培大ナル打撃ヲ蒙リ踏査地方何レモ作況不良ナルヲ免レス殊ニ白菜大根ノ如キハ發芽スル能ハスシテ三四回補播セラレサルハナク其ノ結果生育不整ニシテ補播セラルヽモノハ僅カニ數寸(九月上旬)ニ伸長セルニ過キス恐ラクハ晩秋尙ホ生長充分ナラサルヘク産量及價格ヲ減スルコト大ナリ他ハ比較的旱害ヲ蒙ムラサルカ如シ

肥料ハ家畜ノ糞ヲ土ト混和シテ堆積シテ腐植セシメタルモノ大豆粕ノ粉碎セルモノ及人糞ノ腐熟セルモノ(冬中露天ニ堆積シテ凍結腐敗セシム)等ニシテ多クハ基肥トシテ施給シ補肥トシテ使用スルコト尠シ

第二章　各論

第一節　根菜類

(一)大根(韓名ムウ)　白裸青裸赤裸ノ三種及莖葉恰モ京菜ニ類似シテ葉ノ鋸齒甚タ深ク根部圓錐狀ヲ呈シ周圍八九寸長サ六七寸ニ達スルモノノ四品種ニ分ツ根部白裸ノモノハ周圍一尺長サ一尺五寸ニ達シ先端丸ミヲ呈シ練馬尻太ニ酷似セリ然レトモ品質良好ナラス煮食ニ適ス青裸種ハ根部ノ上半ハ薄青色ヲ呈シ先端錐狀ヲ呈シ大サ白裸種ニ及ハサルモ周圍八寸長サ亦八九寸ニ生育ス品質最モ佳ニシテ漬物用ニ供セラル赤裸種ハ最モ普通ニ栽培セラルル品種ニシテ形狀球形蕪菁狀ヲ呈シ周圍一尺三四寸長サ三四寸ニ過キス味ハ蕪菁ニ類スルモ莖葉萊菔ニ似タリ通稱赤大根

ト稱ス

栽培法　一般大栽培ヲ行フニハ肥料ヲ使用スルコトナクレトモ頭道溝、銅佛寺、局子街附近ノ菜園ニ於テハ基肥トシテ家畜糞ノ堆積肥料、大豆粕及人屎(局子街ニ限ルカ如シ)ヲ圃場一面ニ撒布シ牛耕シテ畦溝ヲ作ルト共ニ土中ニ之ヲ埋ム畦幅二尺内外ニシテ平作リトナシ壠上ヲ均平シ凡ソ一尺二三寸ノ距離ニ穴ヲ堀リ大豆粕ノ碎粉ヲ施シ(頭道溝附近ニ行ハル)能ク土ト混和シ四五粒宛ヲ條播若クハ摘播スルモノトス

播種期ニ春夏ノ二期アリ前者ハ初夏ニ收穫シ後者ハ晩秋ニ採取スルモノニシテ前者ハ後者ノ肥大且優良ナルニ比シ其品質甚タ劣ルモノトス春期下種スルモノハ四月上中旬條播シ數回間引ヲ行ヒ七月初旬ニ至ルマテ徐々ニ收穫ス夏期下種スルモノハ七月初中旬ニ摘播スルヲ通常トスレトモ肥大優良ノモノヲ產スルニハ六月下旬ニ於テ下種ス其一二寸ニ伸長スレハ間引ヲ行ヒ一本立トシ中耕除草ヲ行フ三四寸ニ伸長スレハ更ニ中耕除草ヲ行ヒ中耕ハ二回ニ止ムヘシト除草四五回ニ及フ而シテ灌水補肥スルコトナク秋季十月中下旬ニ至リ發育充分ナルヲ以テ漸次收穫ス一晌地ノ收量二萬斤以上產額四百吊文ニ達ス

(二)蕪菁(韓名スイムウ)　蕪菁ニ白、赤、紫、及青色ノ四種アリ赤色種及白色種ハ多ク春期ニ下種セラルルモ一般ニ夏播トナス

栽培法　大根ト同シ尚普通蕪菁ト稱スルモノアリ之レ所謂蕪ニ屬スルモノニシテ莖葉肥大シ一

見甘藍ニ似テ唯葉面細長卷球セラルモノトス根部ハ圓錐狀ヲ呈シ周圍一尺五寸內外長サ八九寸ニ達シ專ラ煮食ニ供ス蕪ハ五月上中旬ニ畦幅二尺五寸株間二尺ニ摘播ス數寸ニ伸長スレハ間引キテ一本トナシ數回中耕除草ヲ行フ時ハ九月上旬ニ至リ成育充分ナルヲ以テ漸次收穫ス

蕪菁ハ「さるはむし」ノ蝕害ヲ蒙リ易ク春夏下種期ニ際シ其發生殊ニ甚シク葉部ヲ蝕食シ爲メニ全圃殲滅ニ歸スルコトアリ驅除良法ナキカ如ク唯朝露乾カサルニ際シ木灰ヲ振リカクルモ全ク豫防驅除スルコト能ハス

(三)胡蘿蔔(韓名タングン) 栽培スルモノ甚少ク僅カニ諸處ニ散見スルニ過キス品種亦唯一種アルノミニシテ根色樺色ヲ呈シ長サ四五寸品質劣等ナリ其栽培法極メテ拙ニシテ平床ニ下種スルアリ又壠上ニ條播スルモアリテ一樣ナラス通常四月下旬下種シ十日位ニテ發芽ス基肥トシテ家畜糞ノ堆積肥料ヲ施シ補肥ヲ施給スルコトナシ一回間引ヲ行ヒ三四寸ノ距離トナシ敢テ中耕ヲ行ハス八月上旬ヨリ漸次收穫ス

(四)馬鈴薯(韓名カムジヤ) 白花赤花ノ二種アリ前者ハ根塊白色後者ハ薄紅色ヲ呈シ收量比較的多シ播種期ハ四月中下旬ニシテ普通施肥スルコト罕ナリ種薯ニハ大サ中庸ニシテ形狀球形ナルモノヲ選ヒ之ヲ切斷シテ一個ニ二三芽ヲ存セシメ切口ニハ木灰ヲ塗リ畦幅ヲ二尺ドナシ一尺內外ノ距離ニ下種シ覆土二三寸ニ及フ三四寸ニ伸長スレハ第一回中耕ヲ行ヒ七月初旬開花期ニ至レハ第二回中耕ヲ行ヒ間引及摘花スルコトナク唯數回ノ除草ヲ行フノミ八月上旬ヨリ順次收穫シ一

晌地一萬五六千斤ヲ産スル馬鈴薯ハヨク「まめはんめう」ノ被害ヲ蒙リ其葉部ヲ蝕害セラル、モ驅除法等ヲ行ハサルカ如シ

冬季貯藏セントスルモノハ十月上旬莖葉枯凋シ根塊充實スルニ至リ莖ノ儘堀リ取リテ根塊ヲ選別シ大塊ナルモノヲ以テ貯藏ノ用ニ供ス貯藏所ハ土中ニ穴ヲ鑿ツ形狀大サ一樣ナラサルモ深サ凡ソ九尺位トナシ底部ニ粟稈ヲ敷キ薯ヲ八九寸ノ高サニ積ミ更ニ粟稈ヲ入レ又薯ヲ積ミ層々堆積シテ上部ヲ又粟稈ニテ被ヒ更ニ穴口ニ横木雜木ヲ横ヘソレヲ一尺位ノ厚サニ土ヲ盛リ僅カニ換氣孔及昇降口ヲ設クルノミ

第二節　葉菜類

（一）白菜（韓名パイッアエ）　白菜ハ間島各地ソノ栽培ヲ見サルナク時ニ清人ハ韓人ニ比シ其ノ栽培盛ニシテ中ニハ數晌地ノ大栽培ヲ行フアリ品質長大優良ニシテ且ツ色澤ノ純白ナル冬季蔬菜類中ノ絶品ト稱セラル品種ニハ二種アリ一ハ形狀長クシテ葉端開展シ大ナルハ長サ二尺五寸ニ達シ結球スルコトナク葉色濃厚ナリ一ハ短カク大ナルハ長サ一尺五寸ニ達シ莖太ク全ク結球スルモノニシテ葉色淡緑ナリ

大栽培ヲ行フモノニハ施肥スルコト罕ナルモ菜園栽培ニハ其法實ニ集約ニシテ冬季圃場一面ニ家畜糞ノ堆積肥料若クハ人糞ノ乾燥セルモノ（一局子掛附近）ヲ一晌地ニ對シ二十輛施給シ之ヲ耕鋤シテ能ク土ト混和セシメ精細ニ土塊ヲ粉碎シ更ニ牛犂ニテ畦幅二尺五寸内外ニ壠ヲ淺ク切リ

普通一尺七八寸內外ノ距離ニ穴ヲ堀リ大豆粕ノ粉碎セラレタルモノヲ施コシテ能ク土ト混シ更ニ薄ク土ヲ盛リ其上ニ下種シテ三四分ノ厚サニ土ヲ覆フ

播種期ニハ春夏ノ二期アリ春季ハ四月中下旬ニ摘播シ夏季新鮮ナル蔬菜ヲ供給スルモ品質夏季播種スルモノニ及ハス夏季ハ六月中下旬ニ摘播スルモ品質優良形狀偉大ナルモノヲ得ンニハ上旬ニ於テ下種シ四五日ニテ發芽ス嫩葉ハ「さるはむし」ノ害ヲ蒙ムルコト甚タシキヲ以テ毎朝未明ニ於テ二三回木灰ヲ撒布シテ之ヲ豫防シ降雨ナキ時ハ毎朝夕二回灌水ヲ行フ一二寸ニ伸長スルニ至リ間引ヲ行ヒ一本立トナス生長四五寸ニ及ヘハ中耕培土ヲナシ更ニ二回中耕ヲ行ヒ除草ハ時期ヲ見計ヒ三四回ニ及フ而シテ發育不良ナルモノアル時ハ水肥ヲ施コシテ其ノ生長ヲ促進セシム九月中下旬ニ至レハ一尺內外ニ伸長スルヲ以テ結球種ニ於テハ葉部ヲ卷縛シ十月中下旬發育充分ナルニ至リ漸次收穫ス一畝ノ產量五萬斤ニ及ヒ五百吊ノ產額アリト云フ

冬季白菜ノ貯藏ハ淸韓人一般ニ之ヲ行ヒ毎戶其設備ヲナササルハナシ貯藏窖ハ大小アリト雖トモ構造概シテ一樣ニシテ土地ノ高燥ナル處ヲ撰ヒ深サ七八尺ニ地ヲ穿チ周圍ヲ高粱稈ニテ圍繞シ上方ハ丸木ヲ橫ヘ更ニ高粱稈若クハ粟稈ヲ以テ包ミ其ノ上ニ土ヲ覆フコト二尺內外ニ及フ一方適宜ノ場所ニ出入口ヲ設ケ常ニ之ヲ密閉シ僅カニ小孔ヲ殘シテ換氣孔トナス

葉菜ヲ貯藏スルニハ綠色ノ葉部ヲ除去シ腐敗破損スル部分ハ銳利ナル刀ニテ切リ捨テ晴天二三日間之ヲ陽乾シ然ル後チ之ヲ窖內ニ貯藏ス窖內ニテハ葉端ハ葉端ト根部ト相接觸セシメ層ニ積

ミ重ネタルモノトス翌年四五月ノ頃マテ損傷スルコトナク貯藏スルコトヲ得ヘシ採種ヲ行フニハ發育完全ニシテ長大優美形狀整一ナルモノヲ選ヒ圃場ニ栽植セルマヽ一個ツツ高ク土ヲ盛リ揚ケテ冬季凍傷ヲ防キ翌年四月初旬ニ至リ之ヲ堀リ上ケテ圃地ニ移植ス移植ハ畦巾三尺株間一尺五寸前後トナシ葉部ハ根部ヨリ三四寸ヲ殘シテ切リ去ル霜害ヲ豫防スル爲メ株毎ニ馬糞ヲ被ヒ置ク時ハ六月上下旬ニ至リ抽穗シ七月上中旬開花結莢シ八月ニ至リ成熟スルヲ以テ收穫シテ七八日間陰乾シテ後熟セシメ農閑採種ヲ行フ

(二)萵苣(チシヤ)(韓名サングツアヱ) 球萵苣、及立萵苣ノ二種アリ春季四月晴明ノ候ニ下種シ夏季新鮮ノ葉菜ヲ供給ス下種ハ畦幅一尺八寸内外トナシ平壠上ニ條播ス時々間引ヲ行ヒテ市場ニ搬出シ五寸前後ニ伸長スルニ至リ距離ヲ八九寸トナシ中耕培土二回除草數回ニ及ヒ七月上旬ニ至リ採收ス

(三)茼蒿(韓名スッカッ) 栽培法ハ萵苣ト同シ播種ハ春季晴明ノ頃ヨリ初秋ニ至ルマテ之ヲ行ヒ常ニ新葉菜ヲ收穫ス

(四)芹菜(韓名ミナリ) 四月晴明ノ頃之ヲ床地ニ撒播シ床地ハ凹狀ニシテ幅三尺長サ適宜トナシ灌水ニ便ナラシム播種前堆積肥料ヲ施給シ耕起シテ能ク土ト混和セシメ精細ニ土塊ヲ碎キ均平ニシテ其ノ上ニ下種スルモノトス下種後ハ毎日一回床面三四分ノ深サニ湛ヘルマテ灌水スレハ凡ソ四週間位ニシテ發芽スヘシ發芽後毎日灌水ヲ怠ラサレハ三十日ニシテ三四寸ニ伸長スルヲ以テ幅四尺長適宜ノ凹狀ノ本圃ニ株間一尺ニ八九寸ノ距離ニ移植ス本圃モ豫メ多量ノ堆積肥料及大

豆粕ヲ施シ叮嚀ニ耕起シ土塊ヲ粉碎スルモノトス移植後ハ更ニ度々ニ灌水ス芹菜栽培ハ甚タ集約ヲ極ムルヲ以テ井戸ノ附近ニ限ラレ僅カニ小栽培ヲ行フニ過キス八月下旬ヨリ九月下旬ニ至リ順次採收ニ適ス

(五)菠薐草　播種期及栽培法共ニ茼蒿ト異ナラサレトモ唯八月中下旬ニ下種シ翌春之ヲ收穫スルアリ此場合ニ於ケル下種法ハ幅三尺長サ適宜ノ凹狀ノ本圃ニ撒播スルモノニシテ九月上旬發芽シ年內ニ二三寸ニ伸長スヘシ冬季ハ其儘放置シ防寒ノ設備ヲナササルモ凍死スルコトナシト云フ

(六)甘藍(韓名タンツヲク)　踏査中僅カニ頭道溝ニ於テ栽培スルヲ實見セシモ局子街ノ東方一里許リノ村落ニハ盛ニ之ヲ栽培スト云フ市場ニハ九月上旬以降多量ニ販賣セラレ偉大ニシテ優良ナルモノナキニアラス栽培法ハ四月晴明ノ候ニ於テ下種ス床地ニ播種スルモノト本圃ニ直播スルモノトアレトモ移植スルモノ優大ニシテ品質佳良ナルモノヲ產スト云フ床地ハ凹狀ヲナシ幅三尺長サ適宜ニシテ堆積肥料ヲ施シ耕起シテ土塊ヲ碎キ其上ニ下種覆土スルモノニシテ毎日灌水ヲ怠ラサレハ四五日ニテ發芽スヘシ本圃ニ下種スルモノハ普通十日ヲ要スト云フ發芽後ハ二回間引除草ヲ行ヒ嫩葉はさるはむしノ害ヲ蒙ムルコト甚シキヲ以テ早朝木灰ヲ撒布シテ之ヲ豫防シ五月下旬若シクハ六月上旬ニ至レハ三四寸ニ伸長スルヲ以テ之ヲ本圃ニ移植ス本圃ハ豫メ堆積肥料或ハ大豆粕ヲ施用シ線起シ畦幅二尺五寸ノ壠ヲ作リ株間二尺トナシ穴ヲ掘リテ大豆粕ヲ粉碎セルモノヲ施シ能ク土ト混セシメ移植ヲ行フ生着スルマテハ數回灌水スルヲ要ス尙ホ二回中

耕除草ヲ行フトキハ八月下旬ニ至リ結球スルヲ以テ漸次收穫ヲナス甘藍ハ白菜ト同シク冬季貯藏ニ耐ユ

移植後夜盜虫及紋白蝶ノ幼虫ニ被害セラルルコト甚シキヲ以テ時々圃場ヲ巡視シテ之ヲ捕殺スヘシ

（七）香菜（韓名川淑）　異香アリ清人好ンテ之ヲ食ス香菜春秋二季ニ下種ス春季ハ晴明ノ候播種シテ夏季ノ採集ニ供シ秋季ハ八月下旬若クハ九月上旬ニ播種シテ晩秋及翌春ノ需用ニ備フ何レモ幅三尺長適宜ノ凹狀ノ本圃ニ撒播スルモノニシテ間引除草ヲ行ヒ三四寸ニ伸長スレハ採收スルヲ得

（八）韮（韓名南ブチユウ北ヨムジ）　韮ハ清韓人ノ嗜好ニ適シ各戸之カ栽培ヲ見サルハナシ播種ハ春秋二回ニシテ春季四月下旬播種スルモノハ年内ヨリ採收シ秋季八月下旬若クハ九月上旬ニ播種スルモノハ其儘越冬シテ翌年初夏ノ頃ヨリ採收スルヲ得韮菜ハ宿根ニシテ一度下種スレハ四五年間良品ヲ多ク産スルモ其後ハ株根老衰スルヲ以テ株根ヲ堀リ耕シ再ヒ下種ス下種ニハ本圃ニ直播スルモノアレトモ普通苗床ニ撒播シ七月上旬ニ至リ三四寸ニ伸長スルニ及ヒ之ヲ本圃ニ移植ス苗床ハ幅四尺長サ適宜ノモノニシテ堆肥ヲ施給シ之ヲ耕起シテ丁寧ニ土塊ヲ粉碎シ頭道溝附近ニテハ更ニ大豆粕ヲ用ヒ局子街附近ニテハ人糞ヲ施肥ス本圃ハ同シク施肥耕起ヲ行ヒ整地シテ畦幅一尺内外トナシ壠上八九寸ノ距離ニ下種若クハ移植ス其後ハ灌水ヲ少クシ一回中耕培土シ二三回除草ヲ行ヒ補肥スルコトナシ唯次年ヨリハ春季一回大豆粕若クハ人糞ヲ施用スルノミ

（九）葱（韓名パー）　葱ハ淸韓人ノ副食トシテ缺クヘカラサルモノニシテ殊ニ淸人ハ生食スル慣習アリ隨テ栽培一般ニ行ハレ每戶小栽培ヲ行ハサルナク菜園ヲ經營スルモノニハソノ大部分ヲ占領シ蔬菜中栽培法最モ叮嚀ニシテ品質優良ナルニ非ラサルモ白根六寸伸長二尺五寸以上ニ達ス播種期ニ春秋ノ別アリ春季ハ四月晴明ノ候ニ於テシ七月上旬苗ノ伸長六七寸ニ達シ之ヲ本圃ニ移植シ初秋ヨリ收穫ス秋季ハ八月下旬若クハ九月上旬ニ下種シ翌年五月上中旬ニ於テ移植シ初夏ノ頃ヨリ漸次採收ス苗床ハ構成一定セス畦幅一尺ノ平地ニ條播スルアリ或ハ幅三尺長サ適宜ノ凹狀ノ冷床ニ散播スルアリ前法比較的粗放ニシテ一般韓人多ク之ヲ行ヒ後法ハ集約ニシテ淸人之ヲ行フ而シテ最モ粗放的栽培ニハ移植スルコトナク唯秋季八月下旬二尺ノ畦幅ニ條播シ春夏二回中耕培土ヲ行ヒ初秋ヨリ之ヲ收穫スルモ品質劣等ナリ苗圃ニ下種スルモノハ何レモ家畜ノ堆積肥料ヲ施用スルモ特ニ後法ハ其量多ク土塊ノ粉碎甚タ叮嚀ナリ本圃モ豫メ堆積肥料大豆粕若クハ人糞ノ乾固セルモノヲ施用シ其量白菜ニ於ケルカ如シ耕起シテ能ク土ト混和腐熟セシメ犂ニテ畦幅一尺四五寸ニ深サ四五寸ノ溝ヲ堀リ（銅佛寺徐立仁所有菜園ニテハ畦幅二尺五六寸トナセリ）一二本宛二三寸ノ距離ニ列ヘ三四寸ニ覆土ス後二回灌水培土シ其場合ニ大豆粕ヲ補肥スルコトアリ而シテ除草數回ニ及フ蔬菜中最モ有利ニシテ一晌地五六千斤ヲ產スヘシ

第三節　蓏顆類

（一）甜瓜（韓名チャムウエ）　間島到ル處其栽培ヲ見サルナク淸韓人何レモ數町步ノ大栽培ヲ行フモノ

少カラス甜瓜ハ最モ彼等土人ノ嗜好ニ適シ中食ニ代用セラル丶慣習ニシテ之カ栽培法ノ如キ頗ル巧妙ニシヲ風土ニ適應スルカ如シ隨テ品種及變種甚タ多ク其主ナルモノヲ擧クレハ

一、早生種黄皮ノモノアリ(日本ニテ梨瓜ト稱ス)形狀尻太ニシテ圓ク大サ五十匁ニ達シ糖分ニ富ミ品質甚タ優良ナリ變種ニ白皮ナルモノアリ

二、中生種青皮ノモノアリ形狀隨圓ナルモノ多ク肉部薄ク大サ品質黄皮種ニ及サレトモ糖分ニ富ム之ニハ灰色ヲ呈スルモアリ

又中生種ニシテ縞瓜ナルモノ多ク帶黄青色、帶黄白色及生地黄色ニシテ條ノ濃青色ナル等及雜種等枚擧ニ遑アラス

三、晩生種之ニハ二種アリ一ハ形狀偉大ニシテ百匁以上ニ達シ皮部地色黄色ニシテ太キ雲形ノ青條ヲ有シ內部厚ク糖分少クシテ品質宜カラス一ハ形狀細長ニシテ小サク大サ三四十匁ニ過キス生地青色ニシテ雲狀ノ白條ヲ有ス甘味ニ富ミ晩種中ノ優品ナリ

本圃ハ豫メ家畜糞ノ堆積肥料ヲ施給シ一面ニ撒布シテ後チ四月中下旬耕起シ畦幅二尺ノ壠ヲ作リ五月上旬壠上三尺內外ノ距離ニ唐鍬(韓名「ホミノ」ト稱ス)ヲ以テ後進シツツ穴ヲ堀リ土塊ヲ粉碎シ四五粒ツツヲ碁目ニ下種シテ覆土一寸內外ニ及フ凡ソ七日乃至十日ニシテ發芽スヘシ本葉一二枚ノ時、間引ヲ行ヒ一株一本或ハ二本立トナシ本葉三枚ヲ生スルニ至レハ第一回摘心ヲ行ヒ培土ス而シテ爾後三四葉每ニ摘心ヲ行フコト三四回ニ及フ普通第二回摘心期ヨリ蔓ノ配置ヲ行フ

六月下旬ヨリ開花シ初メ元成ハ七月中下旬ニ至リ成熟スヘシ土人ノ栽培ニハ灌水補肥スルコトナケレトモ摘心期毎ニ培土除草ヲ行ヒ遂ニ圃面ヲ水平ナラシメ畦壠ヲ作ルコトナシ圃場ノ一隅ニハ必ス番小屋ヲ構成シ盜難ヲ避ケ一ハ通行者ノ需要ニ應ス收額一畝地百吊乃至二百吊ニ達スト云フ

(二)胡瓜(韓名ウエ) 間島ニ於ケル胡瓜ノ品種ハ僅カニ一種ニ止マリ結顆中位ナリ蓏顆ハ長サ八九寸ニ達シ皮堅ク品質良好ナラス

播種ハ四月中下旬ニシテ其法甜瓜ト異ナルコトナク本葉二三葉ヲ生スルニ及ヒ間引第一回培土及除草ヲ行フモ摘心セス其伸長ニ放任ス爾後二三回培土除草ヲ行ヒ圃面ヲ水平ナラシメ添木スルコトナシ唯頭道溝、銅佛寺附近ニ於テ僅カニ雜木ヲ以テ副木ニ代用セルヲ見タルノミ普通六月上中旬ニ至リ開花シ下旬ヨリ漸次採收スルニ至ル

頭道溝附近ニハ促成栽培ヲ行フモノアリ其法四月上旬馬糞塵芥ヲ堆積シ更ニ四五寸ノ厚サニ土壤ヲ盛リ上ケ數日ノ後蒸熱ノ發スルニ及ヒ下種シ木葉二三枚ヲ生スルニ及ヒ之ヲ本圃ニ移植スルモノニシテ七月上中旬ニ至リ採取ス促成栽培ノ走リ物ハ一顆日貨十錢ニ値ス

(三)西瓜(韓名シューバク) 西瓜ノ栽培ハ專ラ淸人ニ限ラレ韓人ノ之ヲ行フモノヲ見ス一般ニ甜瓜ト共ニ一圃場ニ栽培セラレ一區劃數町歩ニ達スルモノ稀ナラス其栽培法ハ巧ミニシテ能ク風土及氣候ニ適應セリ而シテ其優良ナルモノハ一顆ノ重量三貫ニ達スルモノアリ然レトモ其甘味比較

的少シ品種亦多ク皮色ニヨリ之ヲ別テハ白皮靑皮及靑白、縞及種等ナリ何レモ糖分少ク纎維比較的多ク品質佳良ナラス

一、白皮種　果肉ハ黄色ニシテ纎維多ク種子黑色ナルモノ及果肉ハ淡紅色ニシテ粒質少ク種子黑色ナルノ二種アリ後者ハ各品種中最モ糖ニ富ミ味美ナリ

二、靑皮種　白皮種ニ於ケルカ如ク肉部ニ紅黄二種アリ黄種ハ砂粒質ニシテ甘味後者ヨリモ劣ル

三、縞種　地色靑色ニシテ雲形ノ白條アリ肉部紅色種子黑色ニシテ甘味ニ乏シク品質尤モ劣等ナリ

施肥及播種期ハ甜瓜ト同シク普通畦幅六尺株間四五尺トナシ壠上ニ穴ヲ堀リ大豆粕ヲ施給シ土塊ヲ叮嚀ニ碎キテ能ク混和セシメ更ニ細土二寸内外ヲ覆ヒテ覆土一二寸ニ及フ時ハ十日内外ニテ發芽スヘシ本葉五六葉ヲ生スルモ更ニ摘心スルコトナク勢力旺盛ナルモ一二本ヲ殘シ其他ノ蔓ハ土中ニ埋沒セシメテ其ノ生育ヲ阻害ス乾天打續クモ更ニ灌水スルコトナク補肥二回ニ及フ而シテ本蔓ハ伸長スルニ從ヒ漸次節間毎ニ薄ク土ヲ覆ヒ直接日光ニ曝露セサラシメ結顆セル節部ヨリ四五尺ニ至リ覆土ヲ行ハス副蔓ハ全部之ヲ摘除ス六月上旬ヨリ開花シ始ムルモ雄花ノミ多ク結顆ハ六月中下旬開花ノモノニ結顆シ七月下旬ニ至リ成熟ニ至ル一晌地ノ產量價格二百吊乃至四百吊ニ達ス

蔓ノ誘引ニハ二法アリ一ハ不規則ニシテ蔓ノ伸長スル方向ニ放任スルモノ及ヒ一ハ一定ノ方向ニ並行ニ誘引スルモノニシテ之ニハ一株ヨリ一本ノ蔓ヲ出サシメ之ヲ並行ニ誘引シ蔓長八九尺ニ至ルマテ覆土ヲ行フモノニシテ蔓間ノ空地ニハ白菜其他ノ蔬菜ヲ間作スルモアリ清人ノ西瓜及甜瓜園ニハ必ス園内所々ニ鳳仙花ヲ植ユ其ノ所以ヲ聞ケハ花ヲ觀賞スルニ非スシテ病虫害ニ侵サレサル迷信ヨリ出ツト云フ奇習ト云フヘシ

(四)南瓜(韓名ホーバク)　南瓜ハ清韓人何レモ之ヲ栽培スト雖モ僅カニ甜瓜圃ノ一部分ヲ占有スルカ或ハ宅地ノ一隅ニ小栽培ヲ行フニ過キスシテ多クモ四五畝歩ヲ越エス品種中主ナルモノヲ擧クレハ會寧間島江開德ニ產スルモノニシテ一見内地產菊座種ニ類似シテ疣瘤ナク偉大ニシテ重量一貫五百匁ニ達シ外觀甚タ美ナリ二ハ普通ニ栽培スルモノニシテ形狀内地產冬瓜ニ酷似シ長圓形ニシテ皮面滑カナリ皮色綠色ニシテ雲狀ノ白條或ハ黃條ヲ有ス蔬類ハ水分多クシテ糖分少ク味甚タ不良ナリ三ハ洋種「ポンキン」種ニ類スルモノニシテ扁圓形ナルト兩端鈍尖圓形ナルトノ二品種アリ前者ハ頭道溝及銅佛寺附近ニ產シ後者ハ普通種トモ稱セラレ得ヘク到處之ヲ觀サルハナシ小形ニシテ重量五六百匁ニ過キス皮色黃色ナルモノ黃白斑狀ノモノ等アリ

南瓜ノ栽培ハ甚タ粗放ニシテ播種法西瓜ニ於ケルカ如ク五月上旬本圃ニ直播シ移植スルコトナシ摘心スルコトナク數回培土除草ヲ行フ外其他ノ手入ヲ施ササルヲ以テ產量甚タ少シ

(五)瓠瓜(韓名パク)　瓠瓜ハ清韓人之ヲ栽培スルモ僅カニ藩籬ニ匍匐培養スルニ過キスシテ蔬類ノ形

狀鈍尖圓ヲ呈シソノ內部及種子ヲ途キ之ヲ乾燥セシメタルモノハ水汲用及種穀貯藏用等ニ供シ其需要甚タ多シ五月上旬下種シ伸長スルニ及ヒ藩籬及副木ニ匍匐セシメ九月下旬ニ至リ之ヲ採收ス瓢瓜中別ニ小瓢簞ノ一品種アリ栽培スルモノ稀ナリ

(六)茄子(韓名カジ) 最モ普通ニ栽培セラルモ唯宅地ノ小區域ニ限ラレ大規摸ノ菜園ヲ觀ス品種甚タ劣等ニシテ甒顆ノ形狀ハ長圓ニシテ花蔕部ハ鈍尖ナリ皮色ハ赭綠色ヲ呈シ皮厚ク種子多クシテ味佳良ナラス細林河上流ニ於テ形狀內地產山茄子ニ酷似セルモノヲ觀タレトモ其品質果シテ良好ナリヤヲ驗セス其他別品種ナキカ如シ

主トシテ本圃ニ直播スレトモ淸人中移植ヲ行フモノ稀ナラス前者ハ四月中下旬畦幅一尺五寸乃至二尺ノ壠上ニ條播シ後者ハ四月上中旬ニ於テ幅四尺長サ適宜ノ凹狀ニ冷床撒播ス時々灌水ヲ怠ラサレハ十五日內外ニテ發芽スヘシ爾後ハ間引除草ヲ行ヒ直播ニヨルモノハ距離ヲ二三寸トシ兼テ中耕ヲ行フコト二回ニテ止ム床播キスルモノハ本葉五六枚ヲ生スルニ至リ之ヲ本圃ニ畦幅一尺五寸乃至二尺株間五六寸ノ距離ニ移植シ生著スルマテ三四回灌水ヲ行ヒ補肥中耕スルコトナク除草二三回ニ及フ基肥トシテ圃場全面ニ家畜ノ堆積肥料ヲ散布シ移植スル時更ニ大豆粕或ハ人糞ノ乾燥セルモノヲ施用スルニ過キス七月中旬ニ至リ開花シ下旬ヨリ漸次採收シテ十月上旬ニ到ル未タ病虫害ニ被害アルヲ見ス

第四節 荳菽類

(一)豌豆(韓名ウォンドウ) 豌豆ハ蔬菜用トシテ供セラルルヨリモ普通作物トシテ栽培セラレソノ軟莢ヲ得ンヨリモ種實ヲ採收スルノ慣習アリ品種紫花白花ノ二種アレトモ何レモ蔓性ニシテ莢硬シ四月中旬二尺ノ畦上ニ條播シ三四寸ニ伸長スルニ及ヒ一回中耕培土ヲ行ヒ除草二三回ニ及フ時ハ六月下旬ニ至リ開花シ八月上旬種實成熟スルヲ以テ蔓ノママ拔キ取リ數日乾燥セシメ莢ヲ脫ス間島在來ノ豌豆ハ蔓性ニシテ纒繞性ヲ有スルモ添木ヲ使用セサルヲ以テ其收量比較的少シ

(二)菜豆 菜豆モ豌豆ニ於ケルカ如ク普通作物トシテ栽培セラレ軟莢ヨリモ寧ロ種實ヲ主トシ一戸栽培反別一町歩餘ニ達スルモノアリ而テ玉蜀黍ト共ニ混作スルモノ多シ品種ニハ矮性蔓性ノ二種アリ矮性ノモノニハ種實ノ白色紫黑斑色赤斑色及黃色等アレトモ白色種最モ普通ニ栽培セラレ硬莢ナレトモ種實純白ニシテ光澤アリ品質良好ナリ蔓性種ニハ赤斑色白色黑色等アレトモ赤斑色種尤モ普通ニ栽培セラル

蔓性矮性共ニ玉蜀黍ト混作シ玉蜀黍ハ蔓性種ノ添木ヲ代用ヲナシ其栽培多ク玉蜀黍ノ成熟採取スルニ及ヒ漸次成熟スルニ至ルヲ以テ頗ル便ナリ

四月下旬若クハ五月上旬畦幅二尺ノ壟上ニ二三寸ノ距離ニ下種スル時ハ五月中旬ニ於テ發芽シ一回中耕、除草數回ニ及ヒ施肥スルコト罕ナリ六月下旬開花シ七月上旬ヨリ軟莢ノ採收ニ適シ九月下旬成熟スルヲ以テ莖ノママ拔キ取リテ乾燥シ脫粒ニハ其ノ上ヲ石製ノ「棍軸」ヲ騾ニ牽カシメツツ之ヲ行フ又軟莢需用ノ爲メニハ六月ニ至ルマテ時々之ヲ播種スルモアリ

(三)鵲豆　鵲豆ハ一般ニ家屋附近ノ風害少キ處ニ下種シ五六尺ノ雜木ヲ建テテ纒繞セシム頭道溝附近ニ於テ之ヲ栽培ス品種唯一ニシテ莢長七八寸ニ達シ五月上旬下種スレハ七月下旬ヨリ九月ニ至ルマテ漸次軟莢ヲ採收スルヲ得ヘシ

(四)綠帶豆(韓豇豆)　綠帶豆ハ頭道溝附近及朝陽河沿域ニ於テ其栽培ヲ行フモノアリ下種法及手入鵲豆ト異ナルナク九月上旬ニ至リ軟莢ヲ採收シ之ヲ陰乾シテ冬季食膳ニ供スルノ習慣アリ

(五)刀豆(韓名タングコング)　赤花ノ一品種アルモ蔬菜トシテ栽培スルモノナク唯賞觀用トシテ庭前ニ培養ス僅カニ銅佛寺ニ於テ之ヲ觀ル

第五節　香辛類

(一)蕃椒(韓名コツチヨ)　蕃椒ハ韓人ノ嗜好ニ適シ食膳之ヲ欠クコトナク諸料理一トシテ之ヲ加味セサルナキカ如シサレハ韓人側ニ於テハ每戶必ス之ヲ栽培スルモ淸人側ニハ其栽培盛ナラス品種優良ニシテ豐產ナリ色澤赤色ニシテ形狀長圓尖端凹狀ヲ呈シ長サ二寸內外ニ達ス下種法及手入茄子ト異ナルコトナク九月中旬ヨリ成熟著色スルニ至ル

(二)蒜(韓名マヌル)　蒜ハ殊ニ淸人ノ嗜好ニ適シ必ス之ヲ栽培スルカ如シ根莖周圍五六寸重量八九匁ニ達ス普通春季四月上旬ニ下種シ八月中下旬採收ス秋季八月下旬ニ下種シ翌年七月中旬收穫スルモノアリ

(附)　各地蔬菜市價表

明治四十一年九月上旬調

品名	龍井村 數量	龍井村 價額	頭道溝 數量	頭道溝 價額	銅佛寺 數量	銅佛寺 價額	局子街 數量	局子街 價額
南瓜	一個	〇・〇一〇円	一個	〇・一一〇円	|	円 |	|	円 |
西瓜	一	〇・〇五〇	一	〇・〇〇七	|	|	一個	〇・〇七五
甜瓜	一	〇・〇〇五	[illegible]	|	|	|	一	〇・〇〇七
胡瓜	|	|	|	|	一個	〇・〇〇七	|	|
茄子	一〇〇	〇・二〇〇	|	|	一〇〇	〇・五〇〇	一〇〇	〇・二五〇
葱	一貫	〇・一〇〇	一斤	〇・〇一五	一斤	〇・〇一五	一斤	〇・〇二〇
韮	|	|	|	|	一	〇・〇二〇	一	〇・〇一五
芹菜	|	|	|	|	一	〇・〇二〇	一	〇・〇三五
馬鈴薯	一	〇・〇五〇	|	|	一	〇・〇一〇	一	〇・〇二〇
蒜	|	|	一〇〇個	〇・二五〇	|	|	一〇〇個	〇・七五〇
人參	|	|	一斤	〇・〇四五	|	|	一斤	〇・〇七五
大根	|	|	|	|	一本	〇・〇〇五	|	|
白菜	|	|	|	|	一斤	〇・〇一〇	|	|

品名	龍井村		頭道溝		銅佛寺		局子街	
	數量	價額	數量	價額	數量	價額	數量	價額
香菜	—	—	—	—	一斤	〇・〇二五円	—	—
豌豆	一貫	〇・〇五〇	—	—	—	—	一石	七・〇〇〇
菜豆	一升	〇・〇三〇	—	—	—	—	一斤	〇・〇一五
蕃椒	—	—	—	—	—	—	一	〇・〇二〇

備考　清一吊文ヲ時價日貨二十五錢ニ換算ス

第四　特用作物栽培調査

第一章　總論

特用作物ハ將來最モ有望ナル作物ニシテ從來ノ調査ニヨリテ推算セル栽培歩合及反別次ノ如シ

總耕地反別約　五萬四千百町歩

品名	栽培歩合	栽培反別
荏	〇・六%	三二五町
煙草	一・二	六四九
罌粟	一・〇	五四一
大麻	〇・八	四三三
青麻	〇・五	二七〇
計	四・一	二、二一八

備考　藍胡麻、萞麻等ハ其栽培極メテ僅少ナルヲ以テ玆ニ省略ス

即チ二千二百十八町歩ニ過キス其收量及價格ニ概算スレハ次ノ如シ

品名	栽培反別	一反歩收量	產額	單價	價格
荏	三二五町	〇・六五石升	二、一一二・五石	一兩	一・七八〇円	三、七六〇円
煙草	六四九	二〇〇清斤	一、二九八、〇〇〇清斤	百斤	四・五〇〇	五八、四一〇
罌粟(阿片)	五四一	阿片 三〇兩	一六二、三〇〇兩	一兩	〇・三五〇	五六、八〇五
大麻	四三三	八〇清斤	三四六、四〇〇清斤	百斤	一〇・〇〇〇	三四、六四〇
青麻	二七〇	六〇	一六二、〇〇〇	百斤	六・二五〇	一〇、一二五
合計	二、二一八	—	—		—	一六三、七四〇

備考　荏ハ製油トナシ農產製造物トシテ取扱フヘキモノナレトモ假リニ玆ニ原料ノ價格ヲ掲ク即チ價格ハ十六萬三千七百四十圓ニ達ス

要スルニ特用作物ハ現時ニ於テハ栽培面積甚タ狹ク品種亦良好ナルモノ少ク且ツ栽培法粗ニシテ加工亦拙劣ナレトモ漸次品種及其栽培法ヲ改良シ加工業發達スルニ至ラハ將來間島ニ於ケル重要ナル物產タルニ至ラン

右ノ內罌粟ハ東三省總督ノ禁阿片令ニヨリ明治四十二年ニ至リ殆ント其栽培ヲ見サルニ至レリ

第二章　各　論

第一節　大　麻（韓名サム）

大麻ハ其用途甚タ廣ク麻布綱網等ヲ製ス殊ニ韓人ノ夏衣ハ必ス麻布ニ限ルヲ以テ其需要甚タ多ク栽培随テ盛ナリ而シテ製苧トシテ販賣スルモノ僅少ニシテ毎戸冬期閑暇ノ際機織シ自家用ニ供ス女子ニ好適ノ副業ト云フヘシ清人亦之ヲ栽培スレトモ栽培及製苧法共ニ韓人ニ及ハス清人ハ主トシテ索縄用ニ使用シ麻布ヲ織ルコト少シ

土性ハヨク大麻ニ適シ諸流域平野ニ多ク之ヲ産シ伸長四五尺ヨリ八九尺ニ達ス

栽培法ニ種々アリ一様ナラスト雖トモ多クハ無肥料ニシテ嫩苗ノ際さるはむしノ被害ヲ豫防センカ爲メ木灰ヲ散布スルニ過キス本圃ハ秋期耕耨ヲ行ヒ春季更ニ牛耕シテ土塊ヲ碎キ膨軟ナラシメ播種器ヲ以テ五月上旬下種ス下種法ニ種々アリ圃場一面ニ撒播スルアリ或ハ四五寸ノ畦上ニ條播スルアリ或ハ二尺ノ壠上ニ條播スルアリ前二法ハ韓人之ニ從ヒ第三法ハ清人之ニ依ルサレハ韓人ニヨリ栽培セラレタルモノハ細長ニシテ枝條ヲ生スルコト少ク製苧柔靭ニシテ品質良好ナルモ清人ニヨルモノハ枝條ヲ生スルコト多ク莖部肥大シ製苧從テ粗剛ナリ

下種後ハ一回間引ヲ行ヒ一二回除草ヲ行フ八月上旬ニ至リ五六尺ニ伸長シ中旬ヨリ抽穗スルニ至ル一般收穫期ハ開花後九月上旬ナルヲ以テ製苧ノ品質ヲ劣惡ナラシム

製苧法　製苧法ニハ清韓人ニヨリ自ラ二アリ清人ハ索縄用ナルヲ以テ製法粗造ナリ其法晴天ノ日ヲ選ヒ一握リツツ扳キ取リテ又狀ニ堆積シ根部ヲ切斷シ木刀樣ノモノニテ葉部ヲ拂ヒ落シ之ヲ周

圍二尺内外ニ束ネ敢テ長短腰折等ヲ區別スルコトナシ束縛セルモノハ直チニ水中ニ浸シ其上ニ横木ヲ架シ重量ヲ載セテ浮游スルコトナカラシム浸水十日乃至十五六日ニ至レハ莖稈腐熟シ粗皮脫離シテ内皮ノ顯ハルルニ及フヘシ此期ヲ見計ヒ水中ヨリ取揚ケ之ヲ露天ニ擴ケテ天日ニ乾スコト四五日間更ニ雨露ヲ豫防スル設備ナク又夜間屋内ニ運搬スルコトナシ唯毎日二回反覆シテ干燥ヲ一樣ナラシムルノミカクシテ充分干燥セルモノハ亦之ヲ束ネ農閑干燥ノママ手ニテ二三本宛一回ニ脫皮シ索繩用ニ供ス

韓人ハ製法比較的叮嚀ニシテ收穫ハ淸人ト異ナルコトナケレトモ能ク長短腰折等ヲ分チテ各周圍一尺五寸内外ニ束ネ直チニ蒸窖ニ運フ

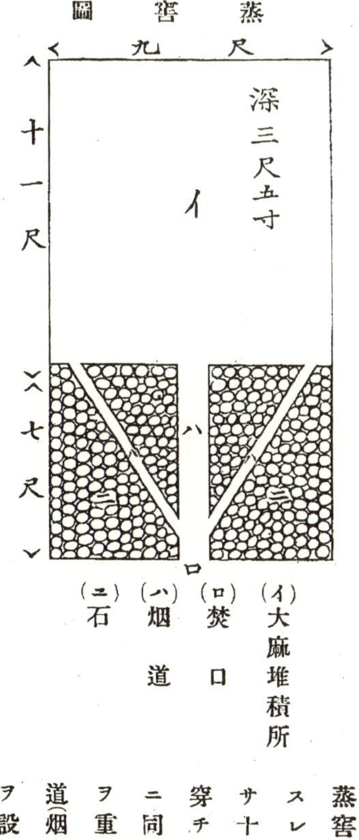

蒸窖ハ大麻ノ產量ニヨリ大小ヲ異ニスレトモ通常河沼ノ附近ニ幅九尺長サ十一二尺深サ三尺五寸内外ノ窖ヲ穿チ大麻堆積ノ場所トナス而シテ更ニ同深同幅長サ七尺ノ穴ヲ連鑿シ石ヲ重ネテ堆積所ニ通スル焚口及烟火道(烟火道ハ附圖ノ如ク三本位トナシ)ヲ設ケ其ノ餘ハ一面ニ石ヲ積ミ重ネ

其上ニ土ヲ覆フコト五寸內外トナス
(イ)部ニ石ヲ敷キ其上ニ丸太ヲ横ヘテ莖稈堆積ノ用意ヲナシ莖稈ハ之ヲ葉端ヲ中央ニ根部ヲ外方ニシ窖ノ長サニ平行シテ入レ違ヒニ堆積スルコト窖ノ深サヨリ高サ一尺五寸內外ニ及ヒ雜草ヲ被ヒ更ニ其上ニ土ヲ覆フコト一二寸ニ至ラシム以上ヲ了レハ先ツ焚口ヨリ火氣ヲ通ス普通早朝ヨリスレハ正午ニ至リテ止ム莖稈ノ蒸熱ハ上面石礫ノ熱シテ變色スルヲ待チ水ヲ注キカケ年々ノ熟練ニヨリテ其適度ヲ定知ス而シテ堆積物ハ容積ヲ減シテ窖ノ上面ヨリ五寸位低下スヘシ依テ更ニ莖稈ノ堆積ニ灌水シテ全部濕潤ナラシメ放置シテ翌朝之ヲ取リ揚ク此時莖稈ノ色ハ黄色ニ變スルモノトス

取揚ケタルモノハ擴ケテ日乾シ毎日一回上下反覆スル時ハ凡ソ三日間ニテ充分乾燥スルヲ以テ之ヲ屋內ニ運ヒ更ニ莖稈ノ長短及腰折等ヲ分チテ周圍一尺位ノ小束トナシ浸水一晝夜ニシテ皮部ヲ剝離ス剝皮ハ更ニ十二時間許リ浸水シ金扱ヲ木臺ニ當テツツ粗皮ト肉皮(苧)トヲ分離シ苧ハ木竿ニ懸ケテ乾燥ス而シテ繁忙期ニ際スルヲ以テ莖稈ヨリ分離セル皮部ヲ直ニ乾燥シ農閑ニ臨ミ浸水シテ粗皮ヲ剝離スルヲ例トス一晌地ヨリ七八百斤ヲ産シ價格五六百吊文(日貨百貳拾五圓乃至百五拾圓)ニ上ルト云フ

苧麻ノ販賣ハ比較的僅少ニシテ栽培者ハ多ク索縄ヲ製ス又ハ機織ヲ行ヒ自家用ニ供スルモノニシテ製品ノ賣買等自ラ盛ナラス

病虫害　害虫トシテ尤モ恐ルヘキハ發芽後一二寸ニ伸長スルヤ屢々さるはむしノ蝕害ヲ蒙ムリ全圃消滅スルコトアリ其他害虫及病害ヲ認メス

第二節　青麻

韓人ノ栽培ナキニアラサルモ主トシテ清人ニ多ク其栽培區域大麻ノ半ニ過キス製苧ハ專ラ索縄用ニ供セラル栽培法ハ清人ノ大麻ニ於ケルカ如ク唯畦幅二尺株間一尺内外トスルノ差異アルノミ製苧ノ法亦清人ノ大麻製苧ニ於ケルカ如クス製苧ハ粗剛ニシテ品質甚タ劣等ナリ一晌地四五百斤價格二百吊(日貨五拾圓)ヲ産スヘシ

第三節　煙草

煙草ハ清韓人嗜好品中ノ最タルモノニシテ男女ヲ問ハス一般ニ喫煙シ常ニ長管ヲ口ニシ雜談ニ耽ケルハ彼等ノ慣習ナルヲ以テ煙草ノ消費ハ莫大ノ額ニ達スルモノノ如シ間島ニ於ケル煙草ノ品種ハ唯一種ニ止マリ花冠漏斗狀ニシテ辨尖リ淡赤色ヲ呈ス所謂通常種ニ屬スルモノニシテ葉柄ナキ長葉ノモノナリ中葉ハ長サ一尺八九寸幅一尺ニ達シ葉肉比較的厚ク脈管太クシテ良種ト稱スル能ハス

栽培法　直播及ヒ移植ノ二法アリ普通直播ヲ行フモノ多シ直播法ニヨルモノハ本圃ハ豫メ耕耨スルト共ニ畦幅二尺五寸ニ作リ施肥スルコトナシ斯クシテ五月上旬株間一尺五寸乃至二尺ノ距離ニ摘播シ薄ク覆土ス五月下旬(下種後凡ソ十七八日)ニ至リ漸ク發芽スルヲ以テ漸次間引ヲ行フコト二

三回ニ及ヒ中耕土寄セスルコト一二回而シテ數回除草ヲ行ヒ補肥スルコトナケレトモ能ク伸長シテ八月下旬ニ至リ三尺以上ニ達シ九月上旬花梗ヲ抽出シ中旬開花スルニ至ル

移植法ニヨルモノハ冷床ニ撒播シ冷床ハ幅三尺長適宜トナシ大豆粕或ハ堆積肥料ヲ施シ能ク耕鋤シテ混和膨軟ナラシメ更ニ藁灰ヲ施シテ攪拌シ五月上旬撒播ス播種ノ後每日一二回灌水ヲ行フ時ハ中旬ニ至リ發芽スルヲ以テ其後ハ伸長ニ從ヒ漸次間引除草ヲ行ヒテ五六寸ノ距離ヲ隔テシメ五六葉ヲ發生スルニ至リ之ヲ本圃ニ移植スルモノトス基肥ヲ施スコト甚タ罕ニシテ移植後直チニ灌水ヲ行ヒテ苗ノ生著ヲ計ル爾後ハ一回中耕二三回除草ヲ行フノミニテ補肥スルコトナケレトモ能ク生育伸長ス普通二三年連作スト云フ

摘心及摘芽ハ產葉品質ノ優劣ニ關スルコト大ニシテ時期及巧拙ノ程度ニヨリ品味强弱ノ分ルルトコロナルモ一般土人ノ嗜好ハ甚タ重厚ナルヲ貴フヲ以テ普通七八葉乃至十一二葉ニテ摘心シ腋芽ハ發生次第之ヲ除去ス

收穫及調製　九月上旬ニ至レハ煙草ノ葉ハ漸次成熟シテ少シク黃變スルヲ以テ晴天ヲ選ヒ午後ヨリ漸次二三枚ノ下葉(土葉)ヲ摘除シ更ラニ五六日ヲ經テ中葉ヲ搔キトリ更ニ四五日ニシテ本葉及天葉ヲ採收ス採葉ハ每回繩ヲ編ミ直接日光ニ聯干スルヲ以テ普通行ハルル方法ナリトスルモ或ハ採葉ヲ地上七八寸ノ高サニ積ミ重ネ醱酵セシムルコト一晝夜ニシテ葉面少シク黃變スルニ及ヒ聯干スルモノアリ或ハ地下ヲ鑿チ穴ヲ堀リ其底部及周圍ヲ雜草ニテ包ミ葉柄部ヲ下方ニ葉尖ヲ上方ニ

シ葉部ヲ縦列セシメ其ノ上部ヲ亦雑草ニテ被ヒ置クコト一晝夜ニ及フ時ハ醱酵適宜ニシテヨク黄色ニ變スルヲ以テ二三枚宛ヲ持チテ一寸位ノ距離ニ繩ヲ編ミ上クルナリ次ニ聯干相接スル様又手ニ張リ日乾スルコト旬日ニ至ル時ハ葉色褐色若クハ黒褐色ニ變スルヲ以テ曇天ノ日ヲ撰ヒ葉ヲ聯干ヨリ取リ除ク乾燥中ハ雨露ノ豫防ヲナスコト罕ナリ乾葉ハ凡ソ七八葉ヲ一束トナシ重量一斤ハ八束位ヲ要スト云フ

土葉ハ除去セル殘葉ハ幹ヨリ刈リ取リ幹干(ミキボシ)スルモノアレトモ普通行ハレス

乾燥法不完全ニシテ摘心強度ナルヲ以テ味甚タ重厚ニシテ且ツ一種ノ臭氣ヲ帶ヒ其色黒褐色ヲ呈セリ土人ハ本葉又ハ天葉ヲ賞味スルカ如シ特ニ加里肥料ヲ施用セサルモ火付甚タ宜シ一畮ノ收量七八百斤乃至千七八百斤ニシテ平均千四百斤ヲ産ス即チ一反歩換算二百斤ナリ

毎戸ソノ栽培ヲ行ヒ自家用ニ供シ殘餘ハ之ヲ販賣スルヲ以テ特ニ大栽培ヲ行フモノナキニ非サルモ多クハ小栽培ニシテ普通一畝歩乃至一反歩内外ニ過キス輸出ノ狀況ハ仲買商アリテ一般農家ヨリ購ヒ集ムルカ又生産者自ラ會寧若クハ琿春ニ到リ物々交換シテ歸來スル等アリ

病虫害　害虫甚タ少ク二三尺伸長後葉ニ蚜虫ノ被害ヲ見ル而シテ年々八月中旬頃ニ至レハ赤澁病ニ罹リ初メハ褐色ノ星斑ヲ生スルモ次第ニ一面ニ擴カリ全葉ヲ枯凋セシム

第四章　罌粟

罌粟ハ阿片採收用トシテ栽培頗ル盛ニシテ清韓人何レモ之ニ從事セサルナシ殊ニ産地トシテ拉子

小許門里及頭道溝附近最モ名高ク總耕地六七百町歩ニ達スヘシ栽培者自ラ粗製シ之ヲ販賣スルヲ例トス然レトモ阿片ハ煙毒甚シキカ故ニ從來官制ヲ以テ耕地ニ課税ヲ賦シ其栽培ヲ抑壓シタルカ本年ニ至リ更ニ告示ヲ發シテ十年ヲ期シテ之ヲ禁止セントシ漸次税率ヲ高メ喫煙者ヲ嚴罰シ其栽培ヲ禁制スルノ方針ナレハ今後耕地產量自ラ減少スルニ至ルヘシ

税額ハ耕地ノ廣狹ニヨリ差異アルモ一晌地三吊文(四十年度)ヲ徵ス徵收ノ方法ハ罌粟ノ收穫期ニ際シ官ヨリ人ヲ派シテ地方ヲ巡廻セシメ其地ノ牌頭ヲシテ各戸ニツキ調査ヲナシ其ノ税額ヲ定メ一定納期ニ於テ之ヲ納税セシム

品種ニ赤花、白花及桃色花ノ三種アリ何レモ三尺內外ニ伸長ス四月中旬之ヲ下種ス本圃ハ施肥スルコトナク春季牛耕スルト共ニ幅二尺ノ畦ヲ作リ播種器(韓名「トヘ」ト稱ス)ヲ以テ壠上ニ條播スル時ハ十日內外ニテ發芽スルモノトス爾後ハ苗ノ伸長ト共ニ數回間引ヲ行ヒテ七八寸ノ距離トナス除草二三回土寄セ一回ニシテ六月下旬抽穗シ七月上旬開花ス八月下旬漸ク成熟スルヲ以テ之ヲ刈取リ農場ニテ乾燥スルコト旬日九月上旬之ヲ收納シ農閑ニ臨ミ脫穀ス

阿片製造ニ供スルモノハ七月中旬以降漸次種子ノ乳熟期ニ於テ脂液ヲ採收ス其法先ツ金鎞ヲ持チ罌粟ノ蒴一個ニツキ四五ケ處橫傷ヲ付ク傷深サハ甚淺クシテ內部ニ達セサルヲ要スカクシテ漸次ニ果液出ツルヲ一人後ロヨリ續キ指ニテ液ヲ掻キ集メ之ヲ木製ノ納液器ニ移シ一蒴ハ二三回採液シ一圃ハ生育不整ナルヲ以テ二三日每ニ採液シ普通七八回ニテ了ハル而シテ一回ノ採液ニハ一晌

地ニ對シ三人ヲ要スト云フ液ノ品質ハ第一回ノモノ最モ佳良ニシテ順次回數ヲ重ヌルニ從ヒ劣惡ナリ採液ハ之ヲ油紙ニ包ミ晴天一週間位日乾シ褐色ニ變シ稍凝固スルニ及ヒ支那唐紙ノ上ニ載セ上ヨリ水ヲ灌注スル時ハ半液體トナリ滴々漏下スルヲ以テ之ヲ銅製鍋ニ移シ約一時間位急火ニテ蒸溜スル時ハ黑褐色トナリ凝固スヘシ所謂粗製品ニシテ一晌地ヨリ二百兩内外價格凡ソ二百五十吊(日貨六拾貳圓五拾錢)ヲ產ス而シテ粗製品ノ大部分ハ吉林及琿春等ニ輸出シ精製シテ再ヒ輸入セラル

第五節　荏

荏ハ各地栽培ヲ行ハサルモノナキモ耕地甚タ僅少ニシテ大豆ト混作スルアリ或ハ路傍ニ接近セル二三畦上ニ播種シテ牛馬通行中穀作ノ侵食ヲ豫防スルニ過キスシテ副作物ノ觀アリ品種ハ内地ニ於ケルモノト同ク普通種ニ屬シ高サ二尺五寸内外ニ達ス

五月下旬本圃ニ條播シ間引除草中耕ヲ怠ラサレハ七月下旬開花シ八月下旬成熟採收スルニ至ル收量極メテ少ク一晌地二石ヲ越エス

穀實ハ之ヲ製油ニ供ス油ハ食用及燈用ニ宜シト雖トモ廣ク紙傘ニ塗布ス製法ハ農產製造報告ニテ詳說スヘシ

第六節　胡麻及蓖麻

胡麻ノ栽培甚タ尠少ニシテ諸處ニ散點スルニ過キス品種褐粒種ニシテ油料トスルヨリモ寧ロ香料

トシテ貴重セラルルカ如シ

四月下旬二尺ノ畦上ニ條播シ間引除草及土寄セヲ行フ時ハ八月中旬二尺五寸内外ニ伸長シテ開花シ九月上旬成熟ス蓖麻ハ清人僅カニ栽培シ各所ニ散見セラル四月下旬下種シ八月下旬開花九月中下旬成熟スルヲ以テ之ヲ採收シ種實ヨリ燈油ヲ製スヘシ

第七節 藍

當地方栽培ノモノハ藍ニシテ濕地ヲ好ムノ性アルヲ以テ降水量少キ當地帶ノ如キハ僅カニ清人ニ限ラレ栽培自ラ振ハス頭道溝、細林河、朝陽河及延吉河ノ一部ニ之ヲ散見スルニ過キス本圃ハ豫メ基肥トシテ堆積肥料ヲ撒布シ置キ四月中旬耕耘シ二尺ノ畦上ニ條播スレハ三週日ヲ經テ發生ス一寸内外ニ伸長スルニ及ヒ第一回間引除草ヲ行ヒ四五寸ノ距離トナス莖葉五六寸ニ伸長スルニ及ヒ補肥(大豆粕)中耕ヲ行ヒ根際ヲ踏ミ付クヘシ後土寄一回ニ及フ時ハ八月下旬ニ至リ刈リ收ムルコトヲ得種子用ノモノハ九月上旬ニ至リ開花ス下旬成熟スルヲ以テ之ヲ收穫ス

藍液製造法　頭道溝上流及延吉河左岸二ヶ所ニ於テ實見調査スルトコロニヨレハ其ノ法大同小異ナルヲ以テ左ニ後者ノ製法ニヨリ述フルコトトス

刈取リタル莖葉ハ之ヲ浸積地ニ入レ上部ヨリ灌水シテ放置スルコト五六日ニ及フ時ハ藍分滲出スルヲ以テ汲ミ取リテ攪拌桶ニ移ス約五石ノ液ニ對シ石灰八斤ヲ加エ(頭道溝ニテハ一石五斗ニ對シ石灰六斤ノ割合)能ク混和スルマテ叮嚀ニ攪拌ス後之ヲ粘土ニテ堅メタル沈澱所ニ流出シ斯クスル

コト四五回ニ及ヒ六七日ヲ經レハ藍液沈澱スルヲ以テ上部澄水ヲ去リ沈澱物ヲ掻キ集メ再ヒ攪拌桶ニ移シテ更ニ攪拌スル時ハ半流動體トナルヲ以テ之ヲ掻キ收メ柳製ノ紙張籠(燒酎容器)若クハ厚キ布袋(一袋百斤ヲ入ルコトヲ得)ニ入レ市場ニ販賣ス

市場ハ專ラ局子街及頭道溝ニシテ一斤凡ソ三百文ナリト云フ而シテ一晌ノ產量六千斤ニ達シ其價格二百吊ナリ　左ニ製造所ヲ圖示ス

藍製造所略圖

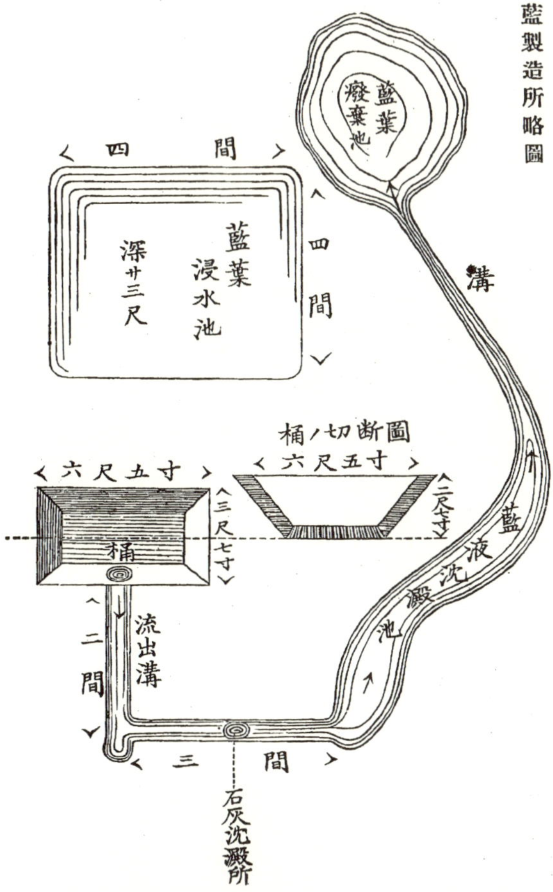

藍ノ生葉ヲ浸水池ニ入レ上ヨリ壓搾シテ藍液ヲ滲出セシメ滲液ヲ桶ニ入レ石灰ヲ入レ攪拌器ニシテ攪拌シ桶ノ下側ノ栓ヲ拔キテ流出セシメ溝ヲ傳ヒテ沈澱池ニ導キテ沈澱セシメ水ハ廢棄池ニ流過セシム

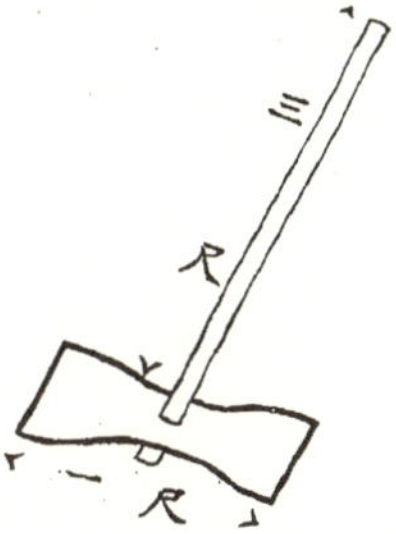

第五 燒鍋業調査

緒言

燒鍋業燒酎製造業ハ滿州ニ於ケル最大農產製造業ニシテ比較的大資本ヲ以テ經營シ其規模ノ大ナル他業ノ企及スル能ハサル所ニシテ其必然ノ結果トシテ該地方ノ經濟界ヲ支配シ光緒三十二年(明治三十九年)十一月マテハ兌換劵發行ノ特權ヲ有シ純然タル金融機關ノ一部ヲナセルヲ以テ其製造法及經營ノ一般ヲ闡明スルハ地方經營上頗ル必要ナルコトト信ス左ニ東盛湧及朝陽川ニ於テ調査セル結果ヲ報告セントス

第一章 間島ニ於ケル燒鍋業

間島ニ於テ製造セラルル燒酒(高粱酒)ハ獨リ間島内ノ需要ヲ充スニ止マラス其製造高ノ半額ハ之ヲ琿春ニ輸出シ同地ヨリ雜貨ヲ輸入シ來ル慣習ニシテ間島内ニ於ケル一般經濟界ニ對スル間接ノ影響頗ル大ナルモノアリ

就中東盛湧ハ間島ニ於ケル最大ナル燒鍋業者ニシテ其屋號ヲ以テ居地ニ冠シ其所有地四百餘晌ニ及ヒ其勢力侮ルヘカラサルモノアリ

今間島ニ於ケル燒鍋業者ヲ掲ケテ左ニ示サン

屋號	所有地	資本額	一ヶ年製造高	一ヶ年ニ消費スル石炭ノ數量	
東盛湧	東盛湧街	三〇,〇〇〇兩	二五萬斤	三道溝 轉心湖炭	六〇萬斤
祥發源	局子街西	三〇,〇〇〇	二五	老頭炭	?
義興源	頭道溝西	二五,〇〇〇	二二	轉心湖炭	三九
醴泉源	朝陽川	二〇,〇〇〇	二〇	老頭溝炭	七〇
同舛源	帽兒山前	? 二〇,〇〇〇	? 二〇	轉心湖炭	?
德發源	大平溝	—	光緒三十三年六月荒了		
貞源興	頭道溝	—	同 三十二年十二月荒了		
德增源	馬鞍山前	—	同 三十三年二月荒了		
永鎭源	銅佛寺	—	同 六月荒了		
雙源泉	頭道溝	—	同 四月荒了		

後半五家ノ破產ハ昨年光緒三十二年吉林省衙門ヨリ燒鍋業者ノ特權タリシ兌換劵ノ發行ヲ禁止セラレタルニヨリ其濫發ノ結果正貨ノ準備之ニ伴ハサリシニヨルモノナリ上ノ表ニヨリテ見レハ現今間島内ニ於テ製造セラルル燒酒ノ產額ハ百十二萬斤以上ニシテ其價額參拾九萬貳千吊文(百斤參拾五吊文トス)即チ拾五萬六千八百圓ニ達シ之ニ要スル原料ハ約次ノ如シ

高粱	一三、二〇〇 石	一八、四八〇 石	六八、五六〇 円
大麥	三、三〇〇	四、六二〇	一一、八七三
小豆	八〇〇	一、二三二	四、六三〇
計	—	—	八五、〇六三

因ニ穀價ハ三十九年局子街公議會準行穀價表ニヨル即チ八萬五千圓ナリ光緒三十二年來燒鍋業者ノ破産ナカリセハ全額ハ二百萬斤價格貳拾八萬圓ニ達セシモノナランソ

第二章　創業ニ關スル手續

燒鍋業ハ數名ノ合資ヨリ成リ少クトモ貳參萬兩ノ資本ヲ要ス今燒鍋業ヲ創設セント欲セハ吉林衙門官蔘局ニ百兩ヲ納メ許可證ヲ受ク之ヲ龍票ト云フ其雛形ハ次ノ如シ

而シテ龍票ノ示ス如ク龍票書換料トシテ毎年四百兩ヲ官蔘局ニ納ムルヲ要ス

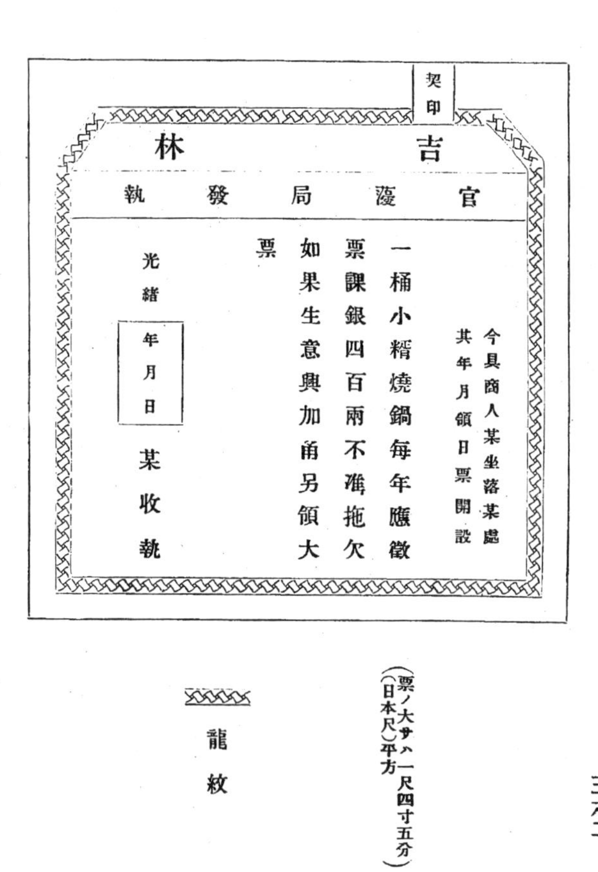
契印

吉林

官蔆局發執

今具商人某坐落某處
其年月領日票開設
一桶小糈燒鍋每年應徵
票課銀四百兩不准拖欠
如果生意興加角另領大
票

光緒年月日
某收執

（票ノ大サハ一尺四寸五分
（日本尺）平方）

龍紋

第三章　製造ノ手續

燒鍋製造ニ要スル穀物ハ高粱（蜀黍）大麥及小豆ナリ高粱ハ製造ノ本原料ニシテ大麥及小豆ハ釉子ト稱スル醱酵素ヲ造ルニ用ヒラル

一、紬子(醗酵素)ノ製造

先ツ磨房ニテ大麥一石五斗小豆三斗(石臼一臺ノ容量)ノ割合ニ混シテ附圖(三)ノ如キ石臼ヲ用ヒ騾ニ挽カシメ挽キ終リタルモノヲ更ラニ一回挽キ其粉ヲ水ニテ錬リ木型ニ入レテ圖ノ如キ煉瓦狀ノモノヲ作リ之ヲ紬子室ニ運フ

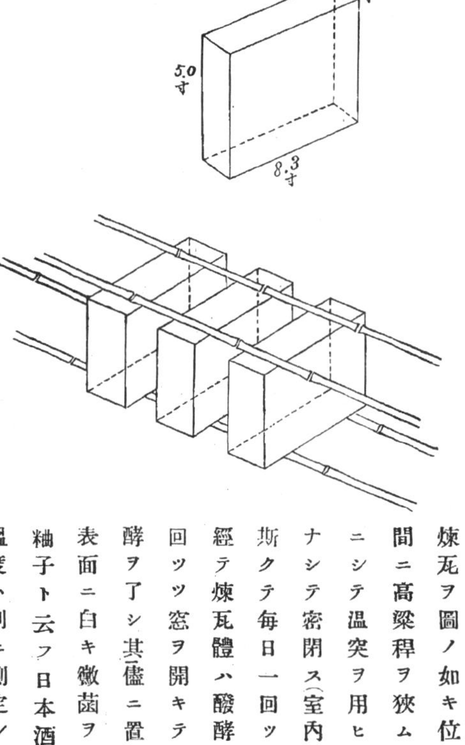

煉瓦ヲ圖ノ如キ位置ニ高サ四尺八九寸ニ積ミ各個ノ間ニ高粱稈ヲ狹ム紬子室ハ間口四間奥行六間ノ土間ニシテ温突ヲ用ヒス窓ノ障子ニハ豆油ヲ塗リ目張ヲナシテ密閉ス(室内ニハ凡ソ五千個以上ヲ積ミ得ヘシ)斯クテ毎日一回ツツ上下ヲ交換シテ積ミ換フ三日ヲ經テ煉瓦體ハ醗酵熱ヲ生スルニ至ル其後ハ隔日ニ一回ツツ窓ヲ開キテ通風ヲ圖ル凡ソ三十日間ニシテ醗酵ヲ了シ其儘ニ置ク醗酵ヲ終リタルモノハ煉瓦體ノ表面ニ白キ黴菌ヲ生ス斯クシテ出來上リタルモノヲ紬子ト云フ日本酒釀造ニ於ケル麹ノ如キモノナリ温度ハ別ニ測定シ居ラス思フニ多年ノ經驗上醗酵ニ適當ナル二十五六度乃至三十度ノ間ヲ昇降セシメ居ルモノノ如シ

粬子ハ別室ノ磨房ニテ槌ヲ用ヒテ砕壟シ石臼ニテ挽キテ粉末トナス

高粱ハ脱穀シタル後磨房ニテ挽砕ス之ヲ査子ト云フ

二、製造場ノ構造

製造場ノ構造ハ左圖ノ如シ

(イ)窖子(醗酵室)
(ロ)作業場(土間たたき)
(ハ)蒸餾器(下方ニ釜ヲ据ユ)
(ニ)簍子(燒酒受瓶)
(ホ)桶(冷却器ノ暖メラレタル湯ヲ受ケ釜ニ注ク温湯ヲ入レ置ケ)
(ヘ)釜ノ焚口
(ト)水槽
(チ)査子人置所
(リ)作業場
(ヌ)井戸
(ル)煙突
(ヲ)粕積ミ場所(床板張ナリ)
(ワ)粬子入置箱

製造場之平面圖

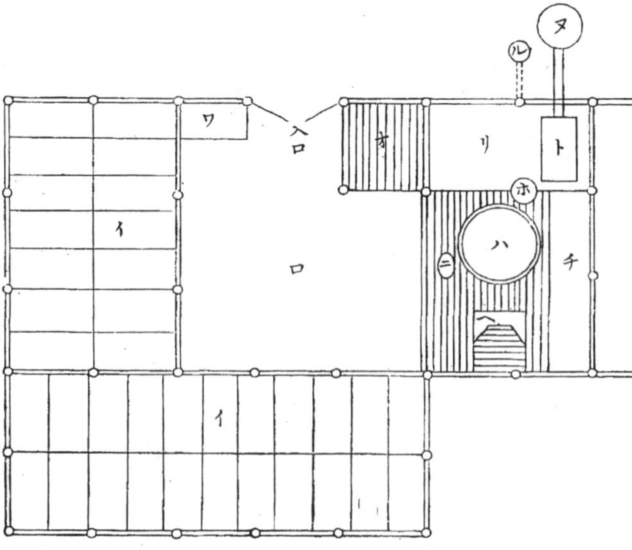

三、醱酵ノ手續

査子四石八斗ニ對シ䊀子粉一石五斗ヲ混シ之ニ水ヲ加ヘテ煉リ之ヲ窖子ニ入ル窖子ハ長サ六尺一寸幅二尺八寸深サ六尺八寸ノ木製ノ箱ニシテ地上一尺四五寸ヲ出シ其以下ヲ地中ニ埋メ置ク一窖子ニ十五六石ヲ容レ得ヘシ斯クテ窖子ニ九分目以上ヲ充タシテ足ニテ履ミ込ミ其上ヲ高粱稃殼ニテ八九寸ノ厚サニ蔽ヒ固メ堆積熱ヲ起サシムルト同時ニ直接空氣トノ接觸ヲ避ケシム毎日一回ツヽ次ノ窖子ニ入レ換ヘヲ行フ三日目ニ至リテ發熱最モ強ク六日目ニ至リテ漸ク減ス九日間乃チ八回入レ換ヘヲ行ヒテ第一回ノ酒精醱酵ヲ了ス

豆精醱酵ヲ了シタルモノハ直チニ蒸餾ノ手續ニ移ルコトヲ得其他多少ノ日子ヲ要スルモノハ他ノ窖子ニ入レ換ヘ其上ヲ粟稃殼ヲ以テ蒲鉾形ニ蔽ヒ有害黴菌ノ侵入及酒精分ノ消散スルヲ防ク

四、蒸餾ノ手續

蒸餾法ノ如キハ頗ル幼稚ニシテ器械ノ構造ノ如キモ甚タ簡單ナリ即チ附圖(五)ニ示スカ如ク沸騰鍋ノ上ニ甑桶アリ甑桶ノ底ニ高粱製ノ簾子ヲ敷キ其上ニ窖子ヨリ取リ出セル材料ニ一窖子ニ付新鮮ナル査子四石八斗ヲ加ヘ一甑桶ニ四石餘ヲ入レ甑桶ノ上ニハ附圖(六)ノ知キ二重ニナレル錫鍋ノ冷却器アリ外圍ニ水ヲ入レテ酒精瓦斯ヲ冷却セシム作業ハ午前六時ヨリ開始シ午後二時ニ至ル間ニ五竈ヲ蒸餾シ之ヲ一班子ト稱ス午後三時ヨリ午後十一時頃ニ至ル間ニ五竈ヲ製シ一班子トナス一竈ノ蒸餾時間ハ一時間半ヲ要ス竈ニ入レタル後三十分ニシテ燒酒ハ蒸餾ヲ始ム錫鍋ノ水ハ蒸餾中

三四回交換スルヲ要ス

人夫ハ一班子ニ付火夫、水汲、錫鍋ノ水ヲ攪拌スルモノ及材料運搬者ヲ合シテ六人ヲ要ス一班子每ニ全部交代ス

燃料ハ悉ク石炭ヲ用ヒ一晝夜ニ千五百斤ヲ要ス一班子ヨリ四百餘斤ノ燒酒ヲ得即チ一晝夜ニ八百餘斤ヲ製シ得ル割合ナリ

而テ第一回蒸餾ヲ終ハリタル糟ハ之ヲ酒杯子(チエパイズ)ト稱シ之ヲ土間ニ擴ケテ箆ヲ以テ攪拌シテ放熱シ且ツ水蒸氣ヲ發散セシメ一班子ノ酒杯子ニ對シ糀子粉一石五斗ヲ加ヘ再ヒ窖子ニ入レ前ノ如キ手續キヲナシ九日後更ニ蒸餾ス斯クノ如クスルコト五回ニシテ始メテ殘滓トシテ廢棄ス

第一回ヨリ第四回迄略同量ノ燒酒ヲ得而テ第四回ハ最モ醇良ナル品質ヲ有スト云フ最後第五回目ノモノハ品質最モ劣等ニシテ含水量增加スルカ故ニ蒸餾スルコト五六十斤ニシテ止ム

殘滓ハ之ヲ豚及馬匹ノ飼料ニ供シ殘部ヲ肥料トナス販賣スルトキハ百斤ニ對シ四百文ノ價格ヲ有ス

一年ヲ通シテ製造シ能ハサル時期ナシト雖トモ自ラ良季節アリ即チ清曆七月十五日ヨリ十月十五日迄及二、三、四月ヲ以テ最良ノ時節トナス五六月及七月ノ半マテハ炎暑甚タシキ爲メ又十月半以後正月ノ間ハ寒氣ノ爲メ共ニ不良ナリ此等ノ季節ニハ一班子ニ付三百五十斤ヲ得ルニ過キスト云フ

第四章　販路及販賣法

東盛湧ニ於テ一ヶ年ニ製造スル高ハ二十五萬斤ニシテ其半額ハ之ヲ琿春ニ輸出シ半額ハ間島內ノ需要ニ供セラレ其供給範圍ハ六道溝、大拉子、會寧間島、鍾城間島、汪淸方面、穩城間島ノ一部及局子街ニ及ヒ琿春及局子街ニハ支店ヲ有ス前者ハ東盛泉ト云ヒ後者ヲ東盛海ト云フ

販賣法ハ卸賣及小賣ノ兩法アリ其賣價ハ

小賣	每斤	四百文
卸賣	每百斤	三十吊文

販賣ノ割合ハ小賣六割卸賣四割ノ比例ナリト云フ既ニ述ヘタルカ如ク當地ニ於テ製造セラルル燒酒ノ約半額ハ之ヲ琿春方面ニ輸出ス琿春ニハ燒鍋業者ナク主トシテ間島ノ供給ヲ仰ク其額ハ五十萬斤ヲ超エ價格七萬圓以上ニ達ス

琿春ニ輸出スルニハ主トシテ騾背ニ依ル先ツ燒酒ヲ簍子ト稱スル容器ニ入ル簍子ハ附圖(七)ニ示スカ如ク紙ニ豆油ヲ振擦シテ三四分位ノ厚サニ張リタル楕圓形ノ器ニシテ之ヲ灰褐色ニ塗リ其外圍ヲ柳枝ニテ編ミ壞頽スルヲ防ク一百斤ヲ容ルルニ足ル一駄ニ積ムコト二簍子即二百斤ヲ以テ其載量トナス四五日ニシテ琿春ニ達ス駄錢ハ一百斤ニ付三吊五百文ナリ大馬車ヲ用ユル時ハ一百斤ニ付三吊五六百文ノ賃錢ニシテ一車ニ千七百斤乃至二千斤ヲ積ミ六七日ニシテ琿春ニ達スヘシサレトモ多クハ騾子ヲ用ヒ東盛湧ノ如キハ常ニ騾二十五六頭ヲ雇ヒ切リ一ヶ月三回往復セシム而シテ歸途ニハ琿春ヨリ雜貨ヲ積ミ來ル其時ノ駄賃ハ馬夫ノ所得トセシム

琿春ニ於テノ卸賣價格ハ毎百斤三十六七吊文ナリト云フ

琿春ニ支店ヲ有スルモノハ東盛湧及同升源(其支店ヲ同升峻ト云フ)ノミニシテ其他ハ皆店員ヲ派シテ販賣セシム今朝陽川ノ醴泉源ニ就キテ調査セル所ニヨレハ左ノ如シ

琿春ニハ客桟ナルモノアリ客桟ハ地方商人ニ缺クヘカラサルモノニシテ客桟ノ主人ハ即經紀(仲立人)ヲ兼ネ客商ノ買付委托及委托販賣ヲ請負ヒ悉ク其所用ヲ辨ス即チ旅館ノ主人ニシテ傍ラ委托販賣買付委托ノ仲立人トナリ且ツ諸税損ヲ立換所辨シ一方ニ於テ倉庫業ヲ兼ヌルモノナリ

客商ハ燒酒ヲ積ミテ直チニ客桟ニ宿シテ經紀ニ販賣方ノ全權ヲ委托シテ全ク容喙セス販賣濟ノ時ハ經紀ヨリ諸入費ヲ差引キタル決算書(送單ト稱ス)ヲ客商ニ渡ス而シテ客桟ニアル間ハ吃飯錢一日ニ付一吊文ヲ拂フ

燒酒販賣ノ手數料ハ毎百斤三百文乃至四百文ニシテ之ヲ用錢ト云ヒ其外ニ毎百斤四百文ノ税ヲ官衙ニ納ムルヲ要ス之ヲ捐錢ト云フ之ニヨッテ見レハ燒酒ヲ琿春ニ輸送シテ販賣スル迄ニ要スル費用ハ次ノ如シ

客桟手數料	毎百斤	〇.三〇〇吊—〇.四〇〇吊文
税金	同	〇.四〇〇
運搬費	同	三.五〇〇
計	同	四.二〇〇—四.三〇〇

其外吃錢ヲ差引キ毎百斤三十二三吊文ニ販賣スル割合トナル

通貨ハ吉林永衡官帖局ノ發行ニカカル官帖ヲ用ヒ荷爲替(貨雁又ハ雁票)ヲ以テスルコトナキノミナラス未タ此等ノ便法ヲ知ラサルモノノ如シ

歸途ハ琿春ヨリ雜貨煙草毛皮等ヲ仕入レ來ル附近ノ店舖ニ販賣スルニハ現錢賣賬錢賣及換酒賣ノ三法アリ現錢賣ハ專ラ小店舖及小賣ニ多ク買主ニシテ現錢アル時ハ直チニ支拂フモノナレトモ大取引ニハ行ハレス賒錢賣即チ掛賣ハ取引ニ於テ先ツ送リ現金アル時ハ七八日ニシテ支拂フモ十五日又ハ一ケ月乃至六ケ月ノ掛賣モ契約次第ニテ行ハルレトモ一般ノ慣習トシテ年終拂八月節句拂五月節句拂等ヲ用フ又特ニ此地方ノ慣習トシテ大煙秋節清賬ト稱スルモノアリ即チ七月十五日前後ニ大煙土(阿片)ヲ以テ還錢スル法アリ換酒賣即チ物々交換ニシテ前述大煙秋節清賬モ亦此一種ニ屬ス買主ハ高粱粟其他ノ穀物ヲ以テ酒ニ換フ此交換率ハ各燒鍋業者ニヨリ又季節ニヨリテ異ル例ヘハ

義興源　光緒三十三年五月五日立

高	粱	毎石ニ付　燒鍋	二十五斤
玄	粟	同	二十斤
小	米(精白粟)	同	五十斤
大	豆	同	三十五斤

品名	単位	価格
小豆	毎石ニ付	三十斤
綠豆	同	四十斤
玉蜀黍	同	二十斤
小麥	同	四十斤
大麥	同	二十斤
祥子(豚ノ飼料)	同	十斤
蕎麥	同	十五斤
粟稈	毎百把	二十斤

東盛湧　明治四十年十二月

品名	単位	価格
高粱	毎石ニ付	二十五六斤
粟	同	二十四五斤
大麥	同	二十五斤
小豆	同	三十五斤乃至三十七斤
玉蜀黍	同	二十斤
精粟	同	四十五斤乃至五十斤
糯精粟	同	六十斤

粟程　　每百束　　十五六斤
高粱稈　　仝　　七八斤

第五章　副業

燒鍋業ハ次項ニ於テ述フルカ如ク想像スル程ニ純利ノ大ナラサルト琿春トノ交通アルカ爲メニ雜貨及賣藥ヲ仕入レ來リテ雜貨商及賣買業ヲ兼業ス且ツ比較的大資本ヲ運轉スルヲ以テ兼テ錢舖ヲ營ム即チ金貸業及兌換劵發行ヲ營メリ

兌換劵ハ帖子ト稱シ賣買貸借ノ場合ニ自已ノ信用ヲ以テ發行スルモノナルカ濫發ノ弊頗ル多ク正貨ノ準備之ニ伴ハス昨年十月吉林將軍ヨリ民間ノ帖子使用ヲ歇止シ吉林官衙ノ制定ニカカル永衡官帖局發行ノ所謂帖子ノミヲ用ヒシムルコトトナリシ以來俄カニ取付ニ會ヒ破產スルモノ踵ヲ接シテ起リ同年十二月ヨリ昨年六月ニ至ル間五家ヲ滅シ現今五家ヲ餘スノミ而シテ信用ノ大ナル私帖子ハ今尙ホ流通セラレツツアリ東盛湧ノ掌櫃的ノ言ニヨレハ自店發行ノ帖子ハ目下尙四千吊アリト云フ蓋シ更ニ多キヲ疑ハス

東盛湧ニテ一ケ年ニ取引販賣スル雜貨類ノ金額二二萬吊乃至十萬吊即チ壹萬圓乃至四萬圓ニ達スト云フ其內二割ノ純利アルモノト見レハ貳千圓乃至八千圓ノ收入ヲ見積ルコトヲ得ヘシ

燒酒粕利用ノ方法トシテ養豚業ヲ行ヒ百餘頭ヲ飼養セリ一ケ年ニ三百頭ノ仔豚ヲ產スルモノトシテ一頭平均參圓トスレハ其利益九百圓ナリ

此外ニ豆油ヲモ製造シツツアリ

第六章　燒鍋業ノ經營

燒鍋業經營ノ內情ヲ詳ニスルコト蓋シ容易ノ業ニ非ス何トナレハ前述ノ如ク單ニ燒鍋業ヲ營ムノミニアラスシテ副業トシテ雜貨商ヲ兼ネ地方金融機關ノ一部ヲナシ又多クノ場合ニ於テ大地主ニシテ東盛湧ノ如キハ耕地四百晌ヲ有シ經濟ハ悉ク合一シ單ニ燒鍋業ノ經濟ノミヲ分離シテ考フルコト困難ナル事情アリ且ツ深ク經濟ノ內情ニ立チ入ラントスルハ清人ノ痛ク忌ム所ニシテ正確ナル調査ヲ遂クルコト能ハス今東盛湧號主人ノ謂フ所ニヨリテ推斷スレハ左ノ如シ

一、資本額

東盛湧ハ冠萬春外三名ノ合資組織ニシテ十二萬五千吊ノ資本ヲ有スルモノノ如シ其割合ハ次ノ如シ

冠萬春	四〇、〇〇〇吊
吳子岐	二五、〇〇〇
秦　富	四〇、〇〇〇
趙　某	二〇、〇〇〇

而テ其大部分ハ土地資本ナルカ如シ

二、創業費

燒鍋業ヲ創設セントト欲セハ少ナクモ二三萬兩ヲ要ス東盛湧號ニ於テハ

土地代及家屋建築費		一六、〇〇〇—一七、〇〇〇吊
製造用機械及諸器具費		三、〇〇〇—四、〇〇〇
馬及騾　六〇頭代		五、〇〇〇—六、〇〇〇
特許稅(龍票下附料一〇〇兩 龍票書換料四〇〇兩)		五〇兩
現金		五、〇〇〇—六、〇〇〇吊
合計	約	三一、〇〇〇—三五、〇〇〇
即チ	我	一二、〇〇〇—一四、〇〇〇円

備考　右ハ東盛湧號燒鍋開設當時ノ價格ナリ

三、諸給料

東盛湧號ニ於テ四五十人ヲ使役セリ其職掌、人員及報酬ハ次表ノ如シ

職掌	人員	一人給料	一ヶ年給料合計
管貼(會計係)	二	年 甲一〇〇円 乙七〇—八〇	一七〇—一八〇円
販賣掛(小賣人)	一	同 七〇—八〇	七〇—八〇
外櫃的	二—三	同 七〇—八〇	一四〇—二四〇

職掌	人員	一人給料	一ヶ年給料合計
釀造的	一—二	年 甲一〇〇〇円 乙八〇〇 丙六〇〇	九六〇円
碎釉子的	一	同 七〇—八〇	七〇—八〇
磨房的	三—四	一ヶ月 六	二〇〇—三〇〇
警備係(夜番)	二	同 六	一四四
篗子的	二	年 二〇〇	四〇〇
看車的	二—三	七〇	一四〇—二一〇
木匠	一	一〇〇	一〇〇
油房的	二	六〇—八〇	一二〇—一六〇
做豆房的	一	七〇	七〇
雜役	七—八	七〇—八〇	五〇〇—六〇〇
櫃房小齇	五—六	二〇—三〇	一〇〇—一八〇
厨房的	三—四	主厨一二〇 他八〇	二八〇—三六〇
豚馬飼養人	二	七〇—八〇	一四〇—一六〇

計	四七—五四	—	三、六〇四—四、二二四

平均一人一ヶ年ノ給料ハ七拾七八圓ニ當ル尚ホ毎年精算ノ際賞與金トシテ報酬ニ應シテ若干ヲ與フルト云フ

朝陽川醴泉源ニ於テハ三十餘名ヲ使用セリ其職掌及給料ハ次ノ如シ

職掌	人員	一人給料	一ヶ年給料計
做酒的（釀造夫）	二	月 二一—三〇吊	五〇四—七二〇吊
火夫（厨房）	四	—	一、〇三二—一、〇五六
内 頭目	一	同 三〇	—
做菜做飯的	一	同 二〇—二二	—
捎火的（火焚）	一	同 一八	—
擔水的（水汲）	一	同 一八	—
櫃房	一五	—	四、五〇〇
内 掌櫃的（總支配人）	一	年 三五〇	—
管賬的（賬簿掛）	一	同 三〇〇	—

職掌	人員	一人給料	一ヶ年給料計
要賬的(出納掛)	一	年 二五〇吊	―吊
其他ノ夥計(店員)	一二	月 (平均) 二五	―
看磨的	四	同 一八	八六四
苦力	六	同 上 二〇 中 一八 下 一五	一、〇八〇―一、四四〇
計	三一	―	七、九八〇―九、〇八四

即チ三十一名ニテ參千壹百九拾貳圓乃至參千六百參拾參圓六拾錢ニシテ平均一人給料ハ一ヶ年百〇參圓乃至百拾六圓ニシテ東盛湧ニ比スレハ遙カニ高シ之レ各焼鍋業者ニヨリテ待遇賞與等ノ差アルニヨル醴泉源ニテハ店員ノ吃飯吃茶抽煙ハ主人ニ於テ支辨シ被服料其他ノ小使費ハ店員ノ自辨ナリト云フ

四、稅金

稅金ハ毎年龍票書換料トシテ吉林省官潑局ニ四百兩ヲ納ムル外ニ延吉廳ニ納ムヘキ地方稅アリ光緒三十三年十月迄ハ延吉廳籌餉局ニ一百斤ニ付三吊二百文ヲ納メ琿春局子街其他ノ方面ニ輸出スルモノハ更ニ毎百斤三吊二百文ヲ徵收セラルル規定ナリシカ同業者ノ請願ニヨリ仝年十月以後總テ毎百斤五吊六百文ニ稅金セラレタリ即二十五萬斤ノ製造高トスレハ一萬四十吊即五千六百圓ノ

税金ヲ納ムルヲ要ス

五、原料及燃料

東盛湧ニテ一ヶ年ニ要スル穀量ハ次ノ如シ

高粱	三、〇〇〇石	一五、六〇〇円
大麥	七五〇	二、七〇〇
小豆	二〇〇	一、二八〇

穀價ハ明治三十九年十月局子街ニ於ケル相場ニ準據セリ即チ原料總額一萬九千五百八十圓ニ達ス

燃料ハ悉ク石炭ヲ用ユ燒鍋業ニ對スル石炭ノ供給地ハ老頭溝及三道溝ノ轉心湖ナリトス布爾哈通流域ニアル燒鍋業者ハ老頭溝ノ供給ヲ亨ケ海蘭河流域ノ同業者ハ轉心湖ノモノヲ需要ス

東盛湧ハ即チ轉心湖炭ヲ用ヒ一ヶ年六十萬斤ヲ消費ス價格ハ脚錢ヲ合シテ毎千斤十二吊文ナリ即チ七千二百吊文(二千八百八拾圓)ヲ要ス

以上ニヨリテ見ルニ東盛湧ニ於ケル收支計算ハ大略次ノ如クナルヘシ

甲　收入之部

一、燒酒二十五萬斤　三六、〇〇〇円

内　譯

項目	數量	單價	金額
小賣	一五〇、〇〇〇斤	每百斤四十吊文	二四、〇〇〇円
卸賣	一〇〇、〇〇〇斤	每百斤三十吊文	一二、〇〇〇
一、雜貨商利益（平均賣上高貳萬五千圓ト假定シ其二割ヲ純利トシテ）			五、〇〇〇
一、豚生産高（豚百頭ニ對シ一ヶ年三百頭ノ仔豚ヲ産スルモノトシ一頭三圓トスレハ）			九〇〇
一、燒酒粕（一年産額九十萬斤乃至九十六萬斤ノ三分ノ一以上ヲ賣リ千斤ニ對シ四吊文トスレハ）			五〇〇
計			四二、四〇〇

乙　支出之部

一、稅金	六、二〇〇
内譯	
龍票書換料	六八〇
延吉廳籌餉局稅金	五、六〇〇
一、諸給料	四、〇〇〇
一、原料買入高	一九、五八〇
一、石炭買入高	二、八八〇
一、馬匹飼養費（馬一頭ニ付一ヶ月一圓トシテ六十頭分）	七二〇
一、建物器具營繕費及償還費	八〇〇

一、雑費　一、〇〇〇

計　三五、二六〇

差引利益金　七、一四〇

備考　馬匹飼養費ノ廉ナルハ燒酒糟、粟稈、高粱稈等ノ廢棄物ヲ利用スルコト多ケレハナリ

即チ純利七千壹百四拾圓ナリ此外ニ土地資本ノ利益ヲ加ヘサルヘカラス其幾何ナルヘキカ未タ精査ヲ經スト雖モ假リニ貳萬圓ヲ土地資本トシ其利率ヲ一割五分トスレハ參千圓ノ純利アリ之ヲ合シテ壹萬百四拾圓トナル此内役員及使用人ノ賞與金貳千五百圓ヲ差引キタル殘額七千六百四拾圓ハ株主ノ配當金ニシテ資本額ノ一割五分三厘ナリ而シテ株主ハ何レモ役員トシテ掌櫃的要賬的等ノ重要ナル地位ニアルハ勿論ナリ

附　帳簿及書類

東盛湧號ニ於ケル帳簿ハ次ノ如シ、

一、東南酒賬

一、小浮計老賬 ｝小賣帳ニシテ掛帳ヲ含ム
一、大浮計老賬 ｝

一、南路老賬

一、北路老賬

一、東路老賬

一、西路老賬

一、西北路老賬

一、日用支使老賬（日用小使帳）

一、海源泉老賬（本支店ノ關係帳）

一、院工老賬（屋敷內工夫ノ食料及雜費帳）

一、雜項工夫老賬（雜貨賣夫及工夫ノ食料及雜費帳）

一、外域老賬（遠方仕入帳）

一、小工夫老賬（苦力帳）

一、信稿老賬（文書起案帳）

一、酒飛老賬（燒酒ト物々交換帳）

一、外來貨老賬（貨物仕入帳）

一、地租老賬（小作帳）

一、小國老賬（韓人ニ對スル貸借帳）

一、貨物流行（每日貨物出入記入帳）

一、銀錢流行（每日銀錢出納記入帳）

燒鍋ノ用ユル書類ハ之ヲ單又ハ票ト稱シ凡ソ八種アリ

一、換酒ノ時發行スルモノ

二、貨物ヲ賣リシ時發行スルモノ(發單ト云フ)

三、貨送通知狀

四、掛賣ノ時發スルモノ

五、欠賬收銀ノ際發スルモノ

六、送貨ヲ受取リシ時發スルモノ

七、經記淸賬

八、帖　子

餘論

燒鍋業ハ地方經濟界ニ於ケル地位及影響ハ前述ノ如クナルカ單ニ燒酒ノ需要供給ノ前途如何此疑問ヲ解決セント欲セハ

第一現今主要ナル販路タル琿春方面ニ於ケル供給ノ範圍ハ如何ニ擴張シ得ラルヘキカ

第二韓人ノ需要ハ如何程マテニ增加シ得ヘキモノナルカ

最モ調査ヲ要スヘキ事項ナリ而テ第二ハ燒鍋業ノ將來上最モ着目スヘキ點ニシテ燒酒カ現ニ間島在住ノ韓人ノ嗜好ニ適スル以上ハ他日交通機關ノ發達ト共ニ北韓ハ燒酒ノ需要地トシテ有望ナル

コト疑ナカラン要スルニ燒酒需要ノ將來ハ少數ノ淸人ヨリモ寧ロ多數ノ韓人ニアリト云フヲ得ヘク現今ノ如キ貧弱雌伏ノ境遇ニアル韓人ニアリテハ購買力頗ル乏シク燒鍋業者間ニ重キヲ置カレスト雖トモ他日移住拓殖漸ク進ミ適當ナル保護ノ下ニ韓人ノ勢力富力增進スルニ至ランカ單ニ間島ニ於ケル燒酒ノ需要ノミニテモ今日ニ倍加シ得ヘキコト疑ヒナカラン

現在燒酒ノ製造ヲ見ルニ多年ノ經驗上ノ慣習ヲ墨守スルノミニテ蒸餾法ノ如キモ頗ル幼稚ニシテ改良ヲ要スヘキ點少カラス又醱酵ノ手續方法ノ如キモ專門家ノ研究ヲ經テ改良ヲ促サハ更ニ優良ニシテ廣ク世人ノ嗜好ニ適スル燒酒ヲ得ルニ至ラン製造法ノ改良ハ他日專門家ノ研究ニ俟タサルヘカラス

要スルニ燒鍋業ノ前途頗ル有望ニシテ世ノ發達ト共ニ依然トシテ產業界ニ重要ナル地位ヲ占居スルモノナルヘシ

附記　本報告ニ於テ淸官帖ト日貨トノ換算率ハ當時ノ時價二吊五百文ヲ我壹圓トシテ計算セリ

第一圖　磨碎器（大麥及小麥ヲ挽ク）
第二圖　第二回磨碎ノ時用ユル枡

第一圖

一尺八寸
一尺八寸
九寸
一尺四寸
径一尺九寸
長五尺六寸
径五尺二寸
二尺

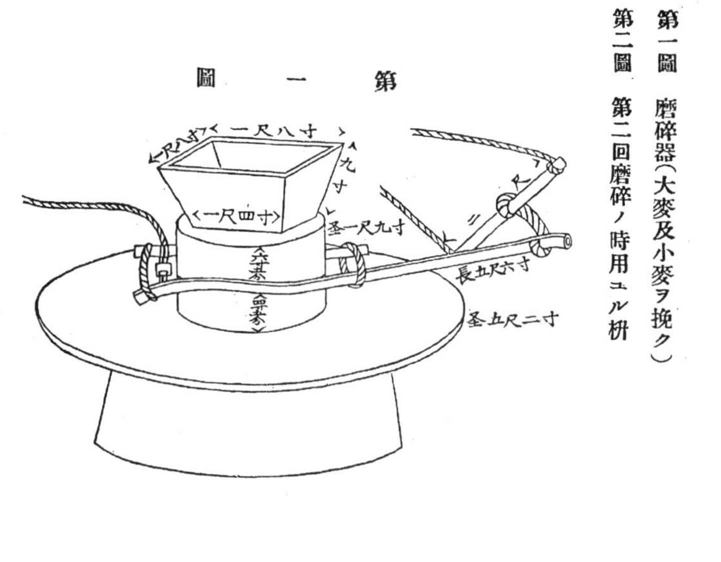

第二圖

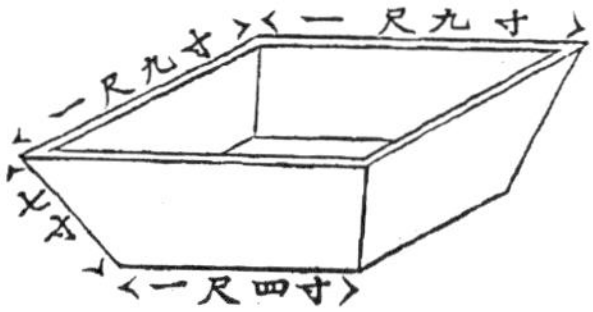

一尺九寸
一尺九寸
七寸
一尺四寸

第三圖　磨碎器（籾子及高粱ヲ粉碎ス）

第四圖　高粱ヲ挽ク時用ユル枡

第五圖　粉碎セラレタル籾子粉ヲ掻集ムル器

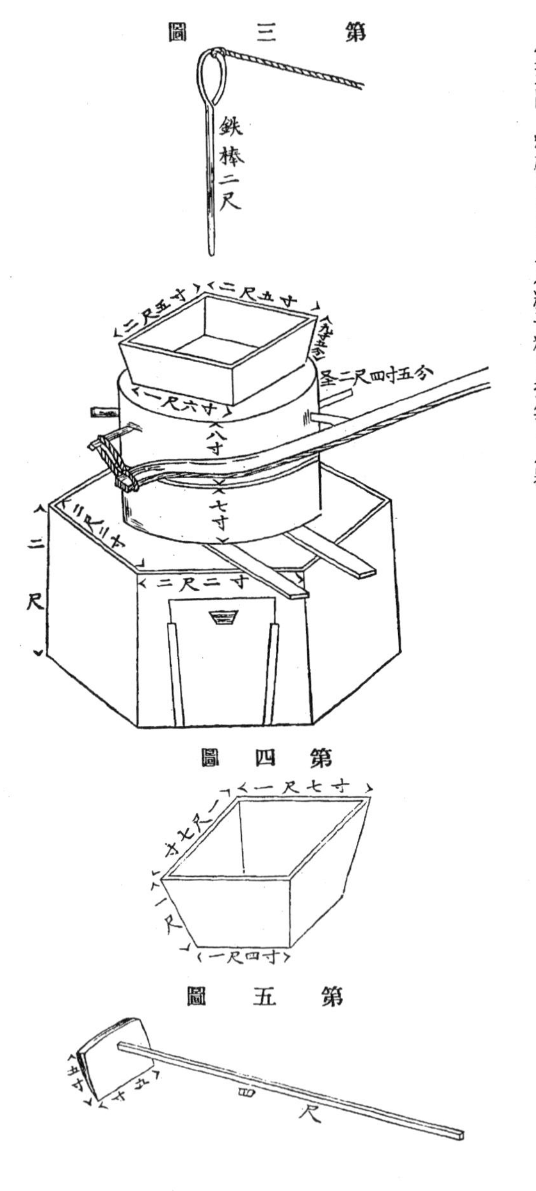

第六圖

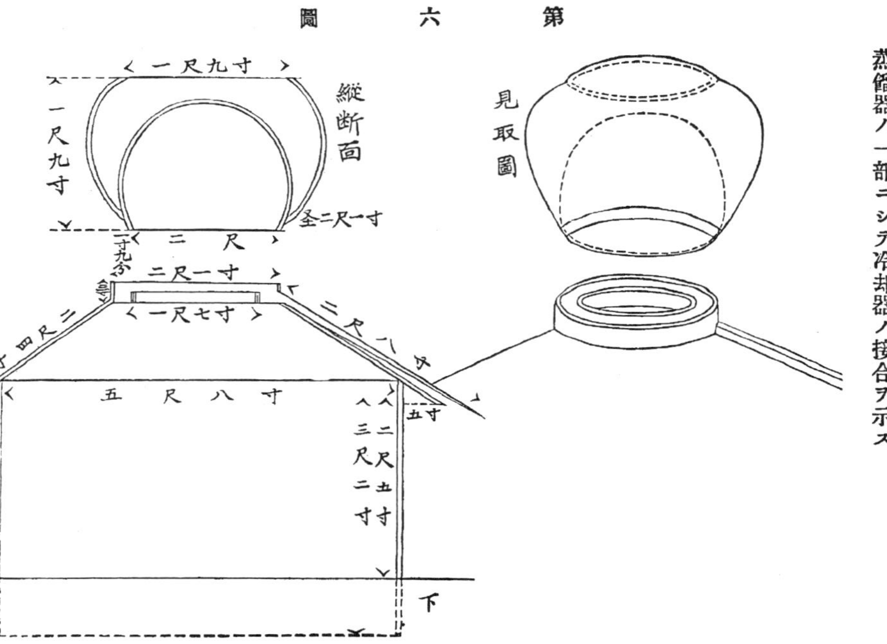

蒸餾器ノ一部ニシテ冷却器ノ接合ヲ示ス

第七圖　燒酒運搬瓶（甕子）
第八圖　水中ノ塵芥ヲ除ク器
第九圖　蒸餾鍋ノ塵芥ヲ除ク器

第七圖

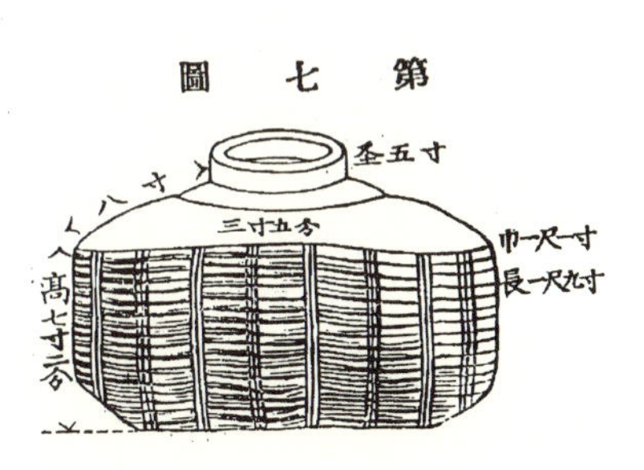

第八圖

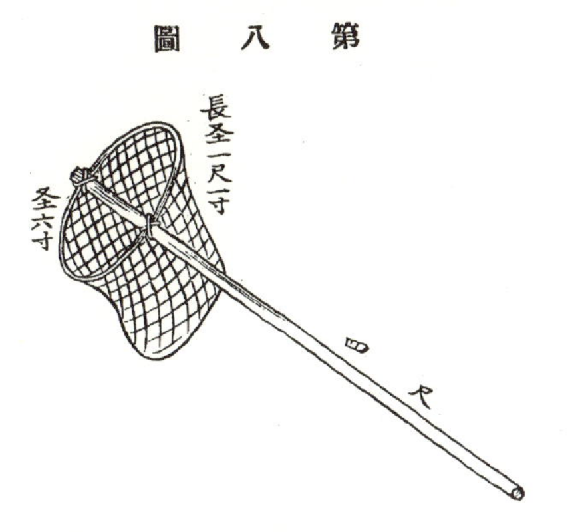

第九圖

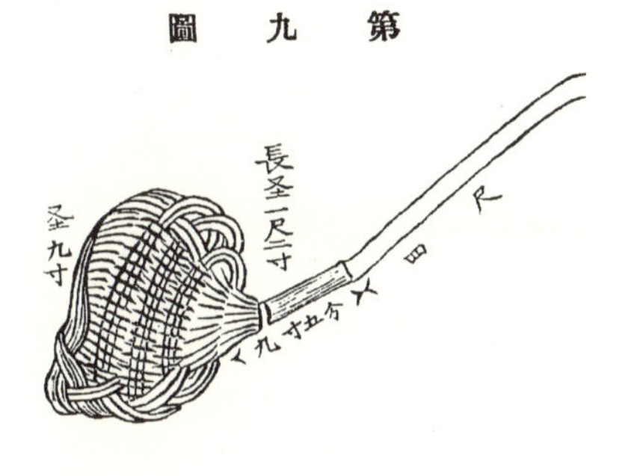

第十圖　蒸餾鍋ノ湯ヲ汲ミ出ス器
第十一圖　木桄
第十二圖　醱酵材料運搬笊

第十圖

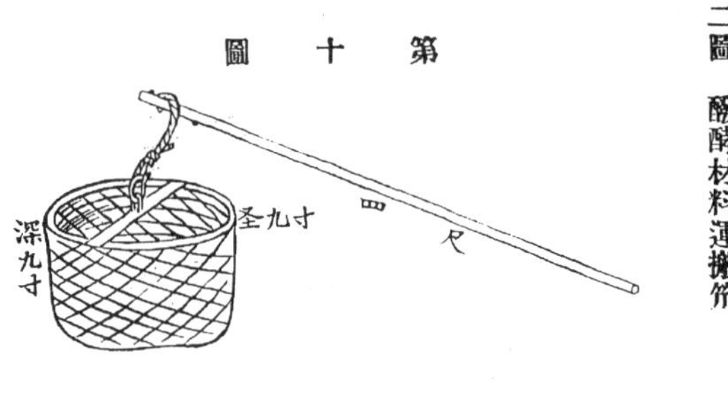

第十一圖

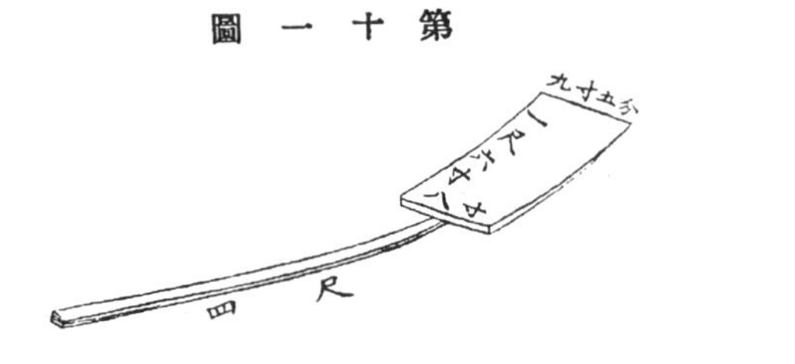

第十二圖

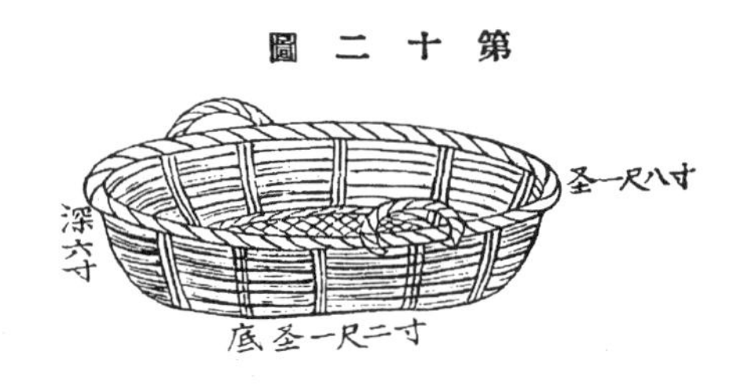

蒸餾器全圖

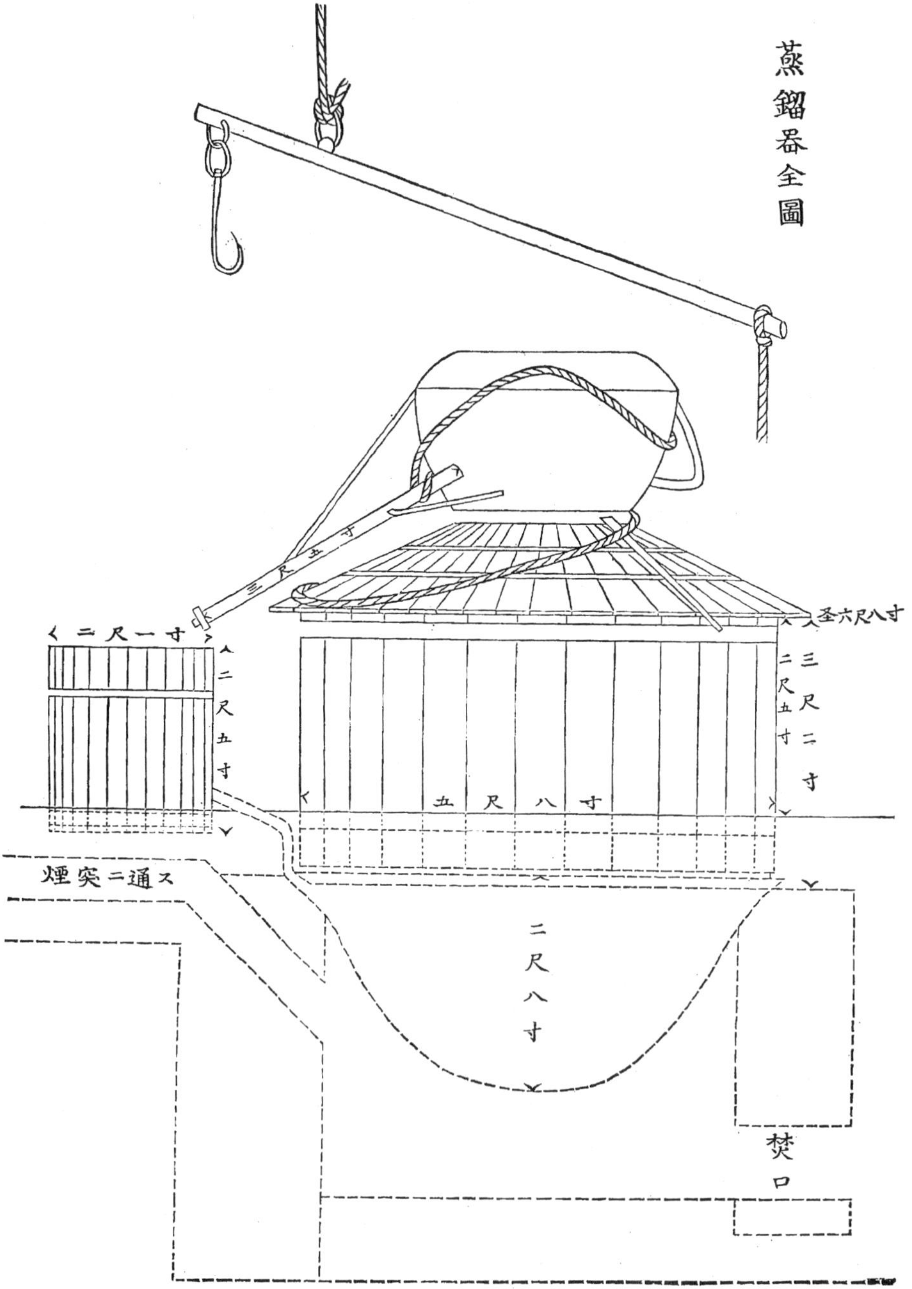

第六　普通作物坪刈試驗成績

一、明治四十年度試驗成績

緒言

土地ノ生産力及栽培作物ノ收量ヲ概測スル爲メ屢坪刈試驗ヲ行フ而テ坪刈試驗ナルモノハ決シテ此目的ニ對スル最良ノ方法ニ非ス其缺點多多アリト雖モ主トシテ

一、試驗地カ果シテ該作物栽培耕地ノ中庸土性ナリヤ否ヤ判斷スルニ難キコト

一、試驗地ニ於ケル作物ノ生育ハ該圃場中果シテ平均ノ狀態ニアルヤ否ヤヲ觀測スルニ難キコト

一、調製法自ラ綿密ナルヲ以テ穀實ヲ損失スル少キコト

等ノ原因ニヨリ正鵠ヲ得ルコト困難ナリ要ハ試驗ノ方針ニ最モ近キ成績ヲ求ムルニ過キス故ニ坪刈試驗ナルモノハ當事者ノ周到ナル注意ト幾多ノ經驗トヲ要スルモ尙且ツ該成績ハ動モスレハ寧ロ中位以上ノ生産量ヲ示スノ傾向アルヲ以テ之ヲ閲スルモノハ該地ニ於ケル同一耕種法ノ下ニ中以上ノ事情ニアリテ生産セラレタル作物收量ノ概測ナルコトヲ知ラサルヘカラス

左ニ龍井村附近ニ於ケル二三主要作物ニ就キ行ヒタル坪刈試驗成績ヲ示サントス而テ各種類ニツキ生育中庸ヲ得タルモノ及ヒ品種ノ優劣ヲモ見ントセシモ時日ノ許ササルアリ且ツ大麥、小麥、玉蜀黍ノ如キ主要作物ニシテ收穫時期ノ經過セル爲メ試料ヲ得ル能ハサルモノアリ此等ハ來年度ニ於

テソノ不完ヲ補ハントス

尚玆ニ注意スヘキハ土地ノ生產力ナルモノハ單ニ一箇年ノ收量ヲ以テ推定スルコト能ハス少クトモ五箇年以上ノ平均收量ニ依ラサルヘカラス本年ノ如キハ之ヲ土人ノ言ニ徵スルニ作物ノ伸長時期ニ於テ降雨甚タ少ク葉稈黃變シテ正ニ枯凋セントセシモ八月中旬ニ入ルヤ雨量次第ニ增シ諸作物ノ生育頓ニ面目ヲ改メ近年罕ナル豐況ヲ見ルニ至レリト云フサレハ本試驗成績ハ稀ナル豐年ノ場合ニシテ平年ニ於ケル收量ハ更ニ其幾割ヲ減セサルヘカラサルナリ

(一) 水　稻

一、場所　六道溝大敎洞

一、土性　表土埴質壤土、下層砂土

一、坪刈期日　九月二十三日

一、調製期日　十月二日

一、秤量期日　十月三日

一、品種

(一) 有芒早生種ニシテ稃色黃褐色ナリ

(二) 有芒晚生種ニシテ稃色暗黑色ナリ

(三) 無芒ノ糯稻ニシテ稃色白黃色ナリ

成績ハ左ノ如シ

品種	莖本數	莖長	莖葉重量	籾收量	粃量	籾ト粃トノ百分比例	籾一舛ノ重量	玄米收量	籾ト玄米トノ百分比例	玄米一舛重量
一	七九〇本	二七寸	六二、四〇〇匁	一、八七五合	四五〇合	二四.〇%	三一六.八匁	一、〇三六合	五五	三七三匁
二	七六〇	三〇	六八、七〇〇	二、二八〇	三〇〇	一三.二	三〇一.三	一、一四〇	五〇	三六八
三	七七一	三六	八五、八〇〇	二、〇一〇	九九〇	四九.二	二七三.一	九〇四	四五	三五二

備考

一、春來旱害ヲ蒙ムリ生育ヲ阻害セルモノアリト雖トモ被害ナキ地ハ比較的好結果ヲ呈セリ今其被害ナキ場所ノ生育中位ナルモノヲ以テ試料トセリ

二、籾磨器ナキヲ以テ一粒宛人手ニテ脫稃セリ爲メニ其磨耗甚タ少ナキ成績ヲ見タルモ若シ日本ニ於ケル普通籾磨器ニテ調製センニハ更ニ一層ノ磨耗ヲ生シ玄米四十五%以內ニ下ルヘシ

右表ニヨレハ藁稈收量ハ(三)種一位ヲ占メ(一)種尤モ劣ル籾收量ハ(二)種一位ニシテ(一)種尤モ少ナシ而テ玄米收量ハ(二)種一位ニ居リ(一)種之ニ亞ク

各種品質極メテ劣惡ニシテ完實スルモノ寡ク青米及赤米ヲ混在スルコト甚タ多シ且ツ米粒腹白多ク光澤ニ乏シ而テ條溝深キカヲ以テ日本產米ト比較スル時ハ品質等外ニ當ルヘシ

(二) 粟

一、場所　龍井村附近海蘭河右岸
一、土性　砂質壤土
一、坪刈期日　九月二十五日
一、調製期日　九月二十七日
一、秤量期日　十月三日
一、品種
(一) 穗暗褐色ニシテ熟スレハ莖葉暗紫色トナル(生育優良)
(二) 同上(生育中位)
以上二種 普通種
(三) 穗茶褐色ニシテ熟スレハ莖葉黄白色トナル
(四) 糯粟ノ普通種ニシテ穗黄白色粗粒長芒

成績左ノ如シ

品種	稈長	穗長	莖葉重量	收量	穀實一舛重量	品質等級
一	五一寸	九寸	一五〇、九〇〇匁	三、五二五合	三二〇匁	二
二	四六	五	六三、三〇〇	一、八九〇	三二二	一

三	四四	四	九三、六〇〇	二、三一〇	三二二	三
四	四五	一〇	八七、三〇〇	二、一〇〇	三一二	二
平均	四六・五	―	九八、七七八	二、四五六	三一九	―

備考

(一)種ノ如キ生育最優良ナルモノニ付最多ノ收量ヲ知リ且ツ其他生育中位ノモノト比較セントスルニアリ

右表ニヨレハ生育最良ト認ムルモノハ莖葉及穀實ノ收量尤モ卓越シ殆ント(二)種ノ約二倍ニ達ス而テ(三)種之ニ亞キ(二)種尤モ劣レリ

品質ハ總テ良好ナリ

(三)蜀黍

一、場所　龍井村附近海蘭河右岸

一、土性　砂質壤土

一、坪刈期日　九月二十一日

一、調製期日　九月二十七日

一、秤量期日　十月三日

一、品種
(一)普通種(優良ト認ムルモノ)
(二)同　上(中良ト認ムルモノ)
(三)同　上(下劣ト認ムルモノ)

成績左ノ如シ

品種	稈長	莖葉重量	收量	穀實一升重量	品質等級
一	九〇寸	二八三、五〇〇匁	三、六〇〇合	三四五・八匁	—
二	七七	二三八、五〇〇	二、四六〇	三四六・三	—
三	六五	二二七、六〇〇	二、〇八〇	三五一・三	—
平均	七七	二四九、八七〇	二、七一三	三四七・八	—

備考

一、龍井村附近栽培スルトコロノ高粱ノ品種殆ント一定シテ各品種ノ試料ヲ得ル能ハス茲ニ同品種中生育ノ優劣ニヨリ收量ノ多少ヲ比セントス

右表ニヨレハ生育優良ト認ムルモノ收量尤モ多ク下劣ト認ムルモノ尤モ少ナク其差實ニ一石五斗二升ニ及フ然レトモ品質ハ之ト反比例シ(三)種尤モ良好ナリ

(四) 黍

一、場所　六道溝東洞
一、土性　壤土(礫ヲ含有ス)
一、坪刈期日　九月二十三日
一、調製期日　九月二十七日
一、秤量期日　十月三日
一、品種　普通種

成績左ノ如シ

品種	收量	穀實一升重量	品質
普通種	一、四七〇	三三八・八 匁	二

備考

一、龍井村附近栽培スルトコロノ品種一定シテ各品種ノ試料ヲ得ル能ハス玆ニ生育中位ナルヲ得略平均ノ收量ヲ知ラントセリ

二、表中莖稈葉ニ關スル數字ノ缺漏セルハ乾燥中家豚ノ持チ運フトコロトナリ遂ニ之ヲ秤量スルコトヲ得ス

(五)大　豆

一、場所　六道講東洞
一、土性　壤土(礫ヲ含有ス)
一、坪刈期日　九月二十三日
一、調製期日　九月二十七日
一、秤量期日　十月三日
一、品種　黄白大粒種

成績左ノ如シ

品種	稈長	莖莢重量	收量	穀實一升重量	品質等級
黄白大粒種	二二寸	四五、六〇〇匁	一、二一〇合	三七五・七匁	四

備考

一、選種法極メテ不完全ナルヲ以テ數多ノ品種即チ青大豆、黒大豆、及小粒種等混在スルアリテ該品種ニ關スル完全ナル成績ヲ見ル能ハス而テ重量ノ比較的大ナルハ乾燥不充分ナルニ因ル

(六)綠　豆

一、場所　龍井村附近海蘭河右岸

一、土性　砂質壌土
一、坪刈期日　九月二十五日
一、調製期日　九月二十七日
一、秤量期日　十月三日
一、品種　普通種
成績左ノ如シ

品種	稈長	莖莢重量	收量	穀實一升重量	品質
普通種	一三寸	四五貫・〇〇〇匁	〇石・六六〇合	四・〇九一匁	三

以上

附
現今慣行セラルル耕種法ニヨリ一反歩當リ幾何ノ總收得アルカヲ見ンカ爲メ坪刈試驗ノ結果中位ノ收量ヲ以テ明治三十九年度龍井村ニ於ケル穀價ニ換算スレハ左ノ如シ但シ稈葉收得ヲ省略ス
表中水稻ノ坪刈ニ於テ籾收量平均二石七升七合ヲ得タルモ現在慣行セル調製法ニヨリ籾ヨリ直チニ白米トスル時ハ磨耗實ニ六十五「パルセント」ニ及フト云フ今之ニ據リ白米ニ於ケル一反歩收得ヲ掲クルコトトナセリ

坪刈作物一反歩ノ收得

種類	一反歩中位收量	三十九年穀價(一石ニ付)	一反歩收得
白米	七二七合	二三・四三円	一七・〇三円
粟	二、一〇〇	四・四一	九・二六
大豆	一、〇〇〇	五・二七	五・二七
綠豆	六六〇	三・八一	二・五一
高粱	二、四六〇	四・一〇	一〇・〇九
黍	一、四七〇	五・五七	八・一九

二、四十一年度試驗成績

緒言

春季以來天候順ヲ得農作物ノ生育佳良ナリシカ六月中旬ヨリ晴天打續キ氣温次第ニ上昇シテ降雨甚タ少ク七月ニ入リテ多少ノ降雨アリシニ過キス而シテ長キ旱天中ノ少雨ハ作物生理上却テ其伸長ヲ中止シ且ツ莖葉ヲ凋萎セシムルノ傾向アリタリ之カ爲ニ淸國官憲ハ天候不順ヲ名トシテ七月初旬直チニ防穀令ヲ發シテ穀類ノ搬出ヲ禁止セシコトアリ七月下旬ヨリ八月下旬ニ至リ氣温益高

ク降雨頻リニ至リ天候恢復スルヤ作物ノ生育伸長著シク順況ヲ呈シ其狀昨年ニ比シテ敢テ遜色ナク爾後益天候ノ順ヲ得タランニハ少クトモ平年作以上ノ秋收ヲ穫ンコト難カラサル豫想ナリシカ九月中下旬諸作物稔熟收穫ノ時期ニ際シ北風襲來シ曇天打續キ降雨多量ナリシヲ以テ立毛ノモノハ種實脱落スルアリ莖穗夭折スルアリ又刈取タルモノハ其乾燥ヲ惡シカラシムル等ノ不況ヲ呈シ爲メニ一二割ノ減收アリタルカ如シ今龍井村附近ニ於テ行ヒタル主要普通作物坪刈試驗成績ニヨリ本年ノ農況ヲ確メントス

(一)水稻　一反歩換算

一、試驗地　試驗地ヲ小佛洞及大敎洞ノ二ケ所トシ前者ハ土性表土ハ埴質壤土ニシテ深サ二〇乃至六〇糎ニ達シ下層土ハ砂土ヨリ成ル後者ハ表土前者ト異ナル處ナケレトモ下層土少シク礫ヲ混スルノ差アルノミ

一、坪刈期日　十月五日

一、調製期日　十月十六日

一、秤量期日　十月十八日

一、品種

(一)有芒早生種ニシテ稃色黄褐色ナリ　(大敎村產)

(二)有芒早生種ニシテ稃色黄褐色ナリ　(小佛洞產)

(三)有芒中生種ニシテ稃色暗黒色ナリ　(大敎洞產)
(四)同　上　(小佛洞產)
(五)無芒ノ糯稻ニシテ稃色白黃色ナリ　(大敎洞產)

成績左ノ如シ

品種	一坪本數	稈長	莖葉重	一穗粒數	籾收量	籾一升重	玄米收量	玄米一升重	籾ト玄米トノ比	品質
(一)	七三〇本	三四寸	八二・八〇〇貫	六九	二・四〇〇石	二七九匁	一・三五〇石	三八八匁	五六・二五%	中稔ニシテ薄長青米ヲ混ス
(二)	八二〇	二七	七五・三〇〇	七七	二・四〇〇	二七五	一・四一〇	三六六	五八・七五	同　上
(三)	九二〇	三二	一〇二・三〇〇	七七	三・三〇〇	二九四	一・九五〇	三八二	五九・〇九	中稔青米ヲ混ス
(四)	六五〇	三五	七九・八〇〇	七八	二・二五〇	二五九	一・一四〇	三八二	五一・〇〇	中稔ニシテ薄長青米甚多シ
(五)	七四一	二九	一〇二・六〇〇	七五	二・八五〇	二一五	一・五〇〇	三七八	五二・六三	光稔ニシテ青米少シ

備考

一、試料ハ各種ノ生育中位ナルモノトス
一、脫穀ニハ籾磨器ナキヲ以テ木板上ヲ木製ノ「ローラー」ニテ人手ニヨリ廻轉セシメ徐々ニ之ヲ調製セリ

大敎洞及小佛洞ニ於ケル品種ハ唯三種ニ限ラレ稃色褐色ノモノ栽培最モ多ク糯稻及稃色暗黒色ナ

ルモノ甚タ少シ而シテ本年ノ生育狀況ハ昨年ヨリ良好ナルモ成熟期ニ際シ比較的氣溫低カリシヲ以テ稔熟ノ程度昨年ニ比シ凡ソ一旬間遲レタリ爲メニ各種共中稔ニシテ粒形薄長青米ヲ混スルコト甚シク品質劣等ナリ但シ赤米及稗ノ混在少キハ或ハ選種法ニ留意スル結果ナルヘシ

右ノ表ニヨリ昨年ノ成績ニ比較スレハ一坪ノ本數ハ略ホ同數ナリト雖モ稈長稈葉重何レモ優リ而シテ收量ニ於テハ籾及玄米共ニ多量ヲ示セリ

各品種中ノ成績ハ一般ニ大敎洞產ノモノ小佛洞產ニ勝リ粳稻中大敎洞產黑穗(三)第一位ヲ占メ莖葉重百二貫三百匁收量實ニ玄米一石九斗ヲ產シ籾磨步合亦最モ良好ニシテ玄米五九、〇九「ペルセント」ヲ示セリ小佛洞產黃褐穗(二)ノモノ收量及籾磨步合共ニ之ニ亞キ大敎洞產黃褐穗(一)之ニ次キ小佛洞產黑穗(四)最モ劣レリ

糯稻(五)ハ昨年ニ比シ稈長少シク短キモ莖葉重量大ニ優リテ百二貫六百匁ヲ示シ籾及玄米收量亦何レモ優良ナリ玄米ハ昨年ヨリ多キコト四斗一升ニ達シ加フルニ稔熟完全ニシテ品質優良粳稻ニ比スルモ成熟ノ狀最モ可良ナリ

二、粟

一、試驗地　大佛洞(砂質壤土ニシテ礫ヲ混ス)海蘭河右岸(壤質砂土)及龍井村北(砂質壤土ニシテ礫ヲ混ス)ノ三ケ所ヨリ採收試料トセリ

一、坪刈期日　大佛洞產ハ十月五日其他ハ九月二十九日

一、調製期日　大佛洞產ハ十月七日其他ハ十月三日、
一、秤量期日　十月十二日
一、品種
(一)龍井村北產生育優耳ニシテ穗色茶褐色莖葉黃白色芒短シ
(二)龍井村北產生中位穗色茶褐色莖葉黃白色ニシテ芒短シ
(三)大佛洞產糯種ニシテ生育優良、穗色灰白色莖葉黃白色ニシテ芒長シ
(四)海蘭河右岸產糯種ニシテ生育中位、穗色灰白色莖葉白黃色ニシテ芒長シ
(五)海蘭河右岸產生育優良、穗細ク粗粒灰白色莖葉黃白色ニシテ芒少ク長シ
(六)龍井村北產生育中位ハ穗暗褐色莖葉暗紫色ヲ呈シ芒短シ

成績左ノ如シ　（一反步換算）

品	種	稈長	稈色	穗長	莖葉重	收量	穀實一升ノ重量	粒色	品質
(一)	上	四二	黃白	九寸	一二三・〇〇〇貫	三・〇〇〇石	三二〇匁	黃白	良
(二)	中	四五	黃白	八	一二三・〇〇〇	二・一六〇	三三九	黃白	優良
(三)	上	五一	黃白	一〇	一八一・五〇〇	三・一八〇	三三三	黃白	優良
(四)	中	四四	黃白	八	九九・〇〇〇	二・三一〇	三二〇	黃白	良

(五)	上	五一	黄白	七	一三四・一〇〇	一・七七〇	三二二	黄白	良
(六)	中	三八	暗紫	八	八四・三〇〇	一・二九〇	三三九	灰白	優良

備考

一、品種項ノ内上ハ生育優良中ハ生育中位ヲ示ス

一粒色白色ナルモノ炊キテ粘力アリ味最モ佳ナリト云フ

右表ニヨリ昨年ノ成績ニ比スルニ概シテ稈長ニ差ナキモ莖葉重量ニ於テ多量ヲ示シ而シテ收量ニ於テ少シク減收セルノ觀アリ

各品種ノ成績ハ莖葉重量ニ於テ生育優良ナルモノ内糯粟(三)最モ多ク百八十一貫五百匁ヲ示シ(五)之ニ次ク而シテ生育中位ナルモノニ於テハ莖葉黄白色ナル粳粟(二)最モ多クシテ百二十三貫ニ達シ莖葉暗紫色ナルモノ最モ劣レリ

收量ハ生育優良ノ糯米(三)三石一斗八升ニ達シ(一)之ニ亞ク種中(五)ハ莖葉重量多キニ係ハラス穀實收量ノ大ニ少キハ之レ品種ノ劣惡ナルカ爲ナリ而シテ生育中位種ニ於テハ(二)最モ多クシテ莖葉暗紫色種(六)最モ劣レリ

三、高　粱

一、試驗地　海蘭河右岸(壤質砂土)及龍井村東北方(砂質壤土ニシテ礫ヲ混ス)ノ二ヶ所ヨリ採收試料ト

セリ

一、坪刈期日　九月二十九日

一、調製期日　十月四日

一、秤量期日　十月十二日

一、品種　普通種ニシテ何レモ生育中位

成績左ノ如シ　（一反歩換算）

	一坪本數	稈長	莖葉重量	收量	穀實一舛重量
海蘭河右岸中	二五本	八五寸	一三〇・八〇〇貫	一・五九〇石	三三九匁
龍井村東北中	四〇	七五	一二一・五〇〇	一・五九〇	三三四

右表ニヨレハ品質何レモ優良ニシテ龍井村產一坪本數多キニ係ラス莖葉重量少キハ稈長短キニ原因ス而シテ收量ノ多キハ本數多キニ因ルニ之レニヨレハ中位作ニ於ケル收量ハ凡ソ一石五斗乃至一石九斗ノ間ニアリ

四、黍

一、試驗地　龍井村北（砂質壤土ニシテ礫ヲ混ス）及海蘭河右岸新村（壤質砂土）ノ二ケ所ヨリ採收試料トセリ

一、坪刈期日　九月二十九日
一、調製期日　十月三日
一、秤量期日　十月十二日
一、品種　普通種
(一)新村産生育優良
(二)龍井村北産生育中位
成績左ノ如シ　(一反歩換算)

	稈長	莖葉重量	收量	穀實一㪷重量	品質
(一)上	四七寸	一一五.五〇〇貫	二.一九〇石	三三一匁	良
(二)中	三七	六九.〇〇〇	一.五〇〇	三六〇	優良

右表ニヨレハ生育中位ナルモノノ收量一石五斗ニシテ昨年ニ比シ三㪷ノ増收ナリ

五、大豆

一、試驗地　合成裕(土質ハ砂質壤土ニシテ礫ヲ混ス)
一、坪刈期日　十月五日
一、調製期日　十月十一日

一、秤量期日　十月十一日
一、品種　黄白大粒種
成績左ノ如シ　（一反歩換算）

品種	稈長	莖莢重量	收量	穀實一升重量	品質
黄白大粒種	一八寸	三一・五〇〇貫	〇・九〇〇石	三五〇匁	粒形不整ニシテ品種雜混ス

右表ニヨレハ坪刈大豆中種々ノモノ混在スルコト昨年ニ於ケルカ如ク而シテ稈長及收量何レモ昨年ニ劣レリ

六、白小豆

一、試驗地　海關河右岸新村
一、坪刈期日　十月二十九日
一、調製期日　十月四日
一、秣量期日　十月十二日
一、品種　灰白中粒種
成績左ノ如シ　（一反歩換算）

	稈長	莖葉重量	收量	穀實一舛重量	品質
灰白中粒種上	一〇寸	二五・八〇〇貫	〇・九三〇石	三九四匁	良

生育優良ナルモノニテ收量九斗三舛ニ達セルヲ以テ中位ナルモノハ七八斗ニ過キサルヘシ

七、綠　豆

一、試驗地　龍井村北
一、坪刈期日　九月二十九日
一、調製期日　十月四日
一、秤量期日　十月十二日
一、品種　普通種

成績左ノ如シ　（一反歩換算）

	稈長	莖莢重量	收量	穀實一升重量	品質
普通種上	一二寸	四六・二〇〇貫	〇・四五〇石	四〇七匁	優良

右表ニヨレハ本年生育優良ト認ムルモノ作年中位ノモノニ比シ稈長短ク收量二斗一舛ノ減收アリタリ

今之ヲ昨年坪刈成績ニ比較スルニ其結果概シテ水稻ハ良好ニシテ最多收ニ於テ八斗一舛最少收ニ於テ二斗ノ差アリ粟ハ少シク減收シ高粱ハ約一石ノ減收アリ黍ハ三舛ノ増收アリタリ而シテ荳菽類ハ何レモ收量減少シ大豆ハ本年ノ優良ヲ昨年ノ中位ニ比スルモ猶二斗一升綠豆ハ二斗一升ノ減收アリタリ

附

中位ノ收量ヲ以テ一反歩當リ幾何ノ總收得アルカヲ見ントト欲シ之ヲ四十一年度十月局子街公議會準行穀價ニ換算スレハ左ノ如シ但シ稈葉收得ヲ省略ス

坪刈作物一反歩ノ收得

品名	一反歩中位收量	日本一石ノ價格	一反歩收得
玄米	石 一・四六〇	円 一七・八〇〇	石 二五・九八八
粟	一・九二〇	一・〇七〇	二・〇五四
高粱	一・七七〇	一・二五〇	二・二一三
黍	一・五〇〇	一・〇七〇	一・六〇五
綠豆	〇・四五〇	二・一五〇	〇・九六八
小豆	〇・九三〇	一・七八〇	一・六五〇

大豆	〇・九〇〇	一・七八〇	一・六〇二

備考

一、中位石數ハ生育中位ノモノノ平均トス

一、大豆、小豆、綠豆ハ生育優良ナルモノノ收得トス中位ノモノニ於テハ更ニ減少ス

三、明治四十二年度試驗成績

本年度ニ於ケル作物生育ノ狀況ヲ見ルニ春季以來氣候順ヲ得諸作物ノ生育佳良ニシテ豐穰ヲ豫想セラレタルニ七月ニ至リ粟蠶第一回ノ發生ヲ見次テ八月中旬ニ至リ第二回ノ粟蠶ハ猛烈ニ發生シ主要作物タル粟ハ勿論玉蜀黍、高粱等ニ非常ナル損害ヲ與ヘタリ爲ニ粟ノ如キハ龍井市附近平野ニ於テハ平年作ノ二分ノ一ニ充タサルカ如キ情況ニアリ

左ニ成績ヲ擧ケン

一、水稻

一、試驗地　大敎洞及下敎洞附近

一、土質　表土、埴質壤土、下層土、砂土

一、刈取期日　十月一日

一、調製期日　自十月七日　至同　二十日

一、秤量期日　　十月二十日

水稲ノ品種ハ三種ニシテ稃ノ暗褐色ノモノ大部分ヲ占メ稃ノ黄白ナルモノ(糯稲)及稃ノ黒褐ナルモノ之ニ次ク

成　績　(一反換算)

地名	稈長	穂長	一穂粒数	稈重量	籾収量	籾一升重量	玄米収量	玄米一升重量
大教洞下村附近	三・〇〇尺	四・五寸	八七	一五五・四〇〇貫	三・四五〇石	二九七匁	二・〇四〇石	三七四匁
同	二・五二	四・二	一〇三	七三・二〇〇	一・九五〇	二七一	一・〇八〇	三六一
下教洞附近	二・八〇	四・七	九七	一一七・九〇〇	三・八四〇	二四一	一・八九〇	三六五
同	二・九五	四・八	一一四	九三・〇〇〇	二・八五〇	二六八	一・五〇〇	三六四
同	三・一〇	五・〇	九六	七六・五〇〇	二・五八〇	二五八	一・二九〇	三七七
平均	二・八七	四・六	九九	一〇三・二〇〇	二・九三四	二六七	一・五六〇	三六八
四十年度平均	三・一〇	―	―	七二・三〇〇	二・〇五五	二九七	一・〇二七	三六四
四十一年度平均	三・一四	―	七五	八八・五六〇	二・六四〇	二六四	一・四七〇	三七九

備考　脱稃ニハ籾磨器ナキヲ以テ木臼ニ入レテ搗キ徐々ニ調製セリ

本年度ノ成績ハ收量ニ於テ昨年度ニ比シ佳良一昨年度ニ比シテ一層良好ナレトモ玄米ノ品質ニ於テ稍劣レリ

二、大麥

一、試驗地　龍井村附近及馬鞍山前附近
一、土質　表土埴質壤土又ハ砂質壤土ニシテ五十糎乃至八十糎ニ達シ下層土ハ礫質又ハ砂質ナリ
一、刈取期日　八月三日
一、調製期日　八月中旬
一、秤量期日　八月二十日

成績（一反步換算）

地名	稈長	稈重	收量	一升重量
龍井村北村	一・九二	二六・一〇〇 貫	一・五〇〇	二七三
同上村	一・七七	三〇・〇〇〇	二・四九〇	二四七
合成給	一・四五	三三・〇〇〇	一・五〇〇	二三〇
馬鞍山前村	一・八二	五〇・四〇〇	二・四〇〇	二六〇

地名	稈長	稈重	收量	一升重量
川北村	一・〇五	三三・六〇〇貫	二・七〇〇	二三一
平均	一・六〇	三四・六二〇	二・一二〇	二四八

右ノ表ニヨルニ概シテ海蘭河對岸地方ハ成績良好ニシテ龍井村附近ハ收量稍劣レリ之レ第一回粟蠶發生ノタメ被害アリタルモノナルヘシ要スルニ大麥ハ昨年度ニ比シテ收量豊カナルコト疑ナシコレ天候順ヲ得タルニヨル

三、小麥

一、試驗地區及土質大麥ニ同シ
一、刈取期日　八月四日
一、調製期日　八月中旬
一、秤量期日　八月二十日

成績　（一反步換算）

地名	稈長	稈重	收量	一升重量
馬鞍山前村	二・二〇尺	三一・五〇〇貫	〇・一五六石	三四二匁

龍井村北村	二・一〇	二五・五〇〇	〇・七五〇	三三二
合成給	二・二〇	四三・五〇〇	〇・六〇〇	三七〇
堰上畠	二・三四	三六・六〇〇	〇・七二〇	三四九
龍井村上村	二・七〇	六七・五〇〇	〇・七二〇	三六三
孔家燒鍋	二・一〇	三七・五〇〇	〇・七五〇	三三二
平均	二・二七	四〇・三五〇	〇・六一八	三四八

小麥ハ雀害ノ爲メ著シク收量ヲ減セリ而シテ一般ニ丘陵地ニ栽培セルモノハ比較的雀害少キノ觀アリ

四、粟

一、試驗地區及土質大麥ニ同シ
一、刈取期日　十月二日
一、調製期日　十月中旬
一、秤量期日　十月十八日

成績　（一反步換算）

地名	一坪莖數	程長	穗長	程重	收量	一升重量
龍井村北村	九六	四・〇五尺	七・〇寸	一〇二・〇〇〇貫	一・二〇〇石	三二九匁
下敎洞	一三三	四・四〇	七・〇	七七・一〇〇	〇・六六〇	二九五
劉寡婦	一〇五	四・〇五	五・五	五五・五〇〇	〇・三〇〇	三〇〇
新村	一〇三	四・四〇	七・〇	七九・二〇〇	一・三五〇	三一一
楊財東	一一三	三・五〇	六・〇	七二・〇〇〇	一・三五〇	二八九
平均	一一〇	四・〇八	六・八	七七・一六〇	〇・九七二	三〇四
明治四十年度	―	四・六五	七・〇	九八・七七八	二・四五六	三一九
同　四十一年度	―	四・五一	八・三	一二四・一五〇	二・二八五	三二九

本年ノ粟作ハ八月中旬粟蠶ノ夥シキ發生ノ爲メ非常ナル蝕害ヲ受ケ收量ハ平年作ノ二分ノ一ニ及ハス程ノ如キモ葉ハ悉ク蝕害セラレテ篠ノ如ク牛馬ノ飼料ニ供スルモ尙不適當ニシテ種實ノ品質亦劣等ナリ

五、黍

一、試驗地區龍井村附近

一、土質　前ニ同シ
一、刈取期日　十月二日
一、調製期日　十月中旬
一、秤量期日　十月十七日

成績　（一反歩換算）

地名	一坪莖數	稈長	穗長	稈重	收量	一升重量
土城浦	一七二	四・八五尺	六・三寸	九六・〇〇〇貫	〇・五一〇石	二九四匁
楊財東	一三七	四・四五	八・五	一〇五・九〇〇	一・六五〇	二五五
平均	一五四	四・六五	七・四	一〇〇・九五〇	一・〇九〇	二七四
明治四十年度一種	—	—	—	—	一・四七〇	三三八
同　四十一年度平均	—	四・二〇	—	九二・二五〇	一・八四五	三四五

右ノ試驗ハ刈取時期少シク後レタルヲ以テ試驗ノ材料甚タ少カリシヲ以テ中庸ヲ得タルモノト云フヲ得サレトモ其平均ニ現レタル收量ハ稍當地方ノ收穫狀態ヲ表ハセルニ近シ蓋シ本年ハ八月中下旬ノ粟蠶發生ノタメ被害ヲ蒙リ平年作ニ比シテ二三割ノ收量ニ減シ種實ノ品質亦劣レリ

六、高粱（蜀黍）

一、試驗地及土質前ニ同シ

一、刈取期日　　十月三日

一、調製及秤量期日　　十月中旬

成績　（一反步換算）

地名	一坪莖數	一穗ノ坪數	穗長	稈長	收量	稈重	一升重量
劉寡婦	三二	一・四三二	四・九寸	五・九五尺	一八九・〇〇〇貫	三・三〇〇石	三〇九匁
水北村	三〇	一・六七八	五・八	四・七〇	一一七・〇〇〇	一・七四〇	二八五
楊財東	二三	二・五四五	八・二	五・四〇	一七五・五〇〇	三・四八〇	三三一
合成裕	一九	二・六七〇	八・一	七・〇〇	一六八・〇〇〇	二・四三〇	三一〇
新村	二七	一・一八〇	七・〇	六・二〇	一六三・五〇〇	一・二六〇	三一七
平均	二六	一・八〇二	六・八	五・八五	一六二・六〇〇	二・四四二	三一〇
明治四十年度平均	―	―	―	七・七〇	二四九・八七〇	二・七一三	三四八
同　四十一年度平均	三二	―	―	八・〇〇	一二六・一五〇	一・五九〇	三三六

右ノ成績ニヨレハ必スシモ平均數ニヨリテ各年度ノ成績ヲ比較スルヲ得サレトモ本年度ノ高粱ハ粟黍ノ蝕害ヲ蒙リタルモノアレトモ概シテ平年作以上ノ收穫アリタルモノト見做スヲ得ヘシ

但シ收納期ニ降雨アリシヲ以テ種實ノ品質稍劣ルモノノ如シ

韓国併合史研究資料 ㉑

間嶋産業調査書（上）

2018年4月　復刻版第1刷発行

原本編著者　統監府臨時間島派出所残務整理所
発 行 者　北 村 正 光
発 行 所　株式会社 龍 溪 書 舎
〒179-0085　東京都練馬区早宮 2-2-17
TEL 03-5920-5222・FAX 03-5920-5227

ISBN978-4-8447-0473-7
間嶋産業調査書(上・下) 全2冊　**分売不可**

印刷：大 鳳 印 刷
製本：高橋製本所